みんなが欲しかった！

税理士

消費税法の教科書&問題集 4

申告制度・新論点その他

TAC税理士講座 編
政木美恵

2025年度版

TAC出版
TAC PUBLISHING Group

はじめに

消費税といえば、普段、私たちが買い物をして支払った代金に含まれており、日常生活の中でもっとも身近な税金です。

その用途・目的は、年金、医療および介護の社会保障給付と少子化に対応するために使用するとされており、広く国民一般に負担を求めるとともに、その国民を「幸福」にすることを最終的な目的にしているといえます。

近年、税率の引上げや軽減税率制度、インボイス制度の導入など消費税を取り巻く環境変化は著しく、このような先を読めない不確実な時代において重要なことは、「どのような状況にも対応できるだけの適応力」を身につけることです。

本書は、TACにおける30年を超える受験指導実績に基づく税理士試験の完全合格メソッドを市販化したもので、予備校におけるテキストのエッセンスを凝縮して再構築し、まさに「みんなが欲しかった！」税理士の教科書としてまとめたものです。

膨大な学習範囲から、合格に必要な論点をピックアップしているため、本書を利用すれば、短期間で全範囲の基礎学習が完成します。また、初学者でも学習しやすいように随所に工夫をしていますので、税法を初めて学習する方にもスムーズに学習を進めていただけます。

近年、税理士の活躍フィールドは、ますます広がりを見せており、税務分野だけでなく、全方位的に経営者の相談に乗れる、財務面からも経営支援を行うプロフェッショナルとしての役割が期待されています。

読者のみなさまが、本書を最大限に活用して税理士試験に合格し、税務のプロという立場で人生の選択肢を広げ、どのような状況にも対応できる適応力を身につけ、幸福となれますよう願っています。

TAC税理士講座
TAC出版　開発グループ

本書を使った税理士試験の合格法

Step 1 全体像を把握しましょう

まずは、このChapterのSection構成（①）と学習内容（②）を確認するとともに、Point Check（③）でこれから学習する内容を把握しておきましょう。また、前付に消費税法学習の全体像として、課税の対象のイメージ（④）と消費税の申告書の形式で各Chapterの学習内容との関連（⑤）を掲載していますので、自分がどの部分を学習しているかを常に確認することで、より効率よく学習することができます。

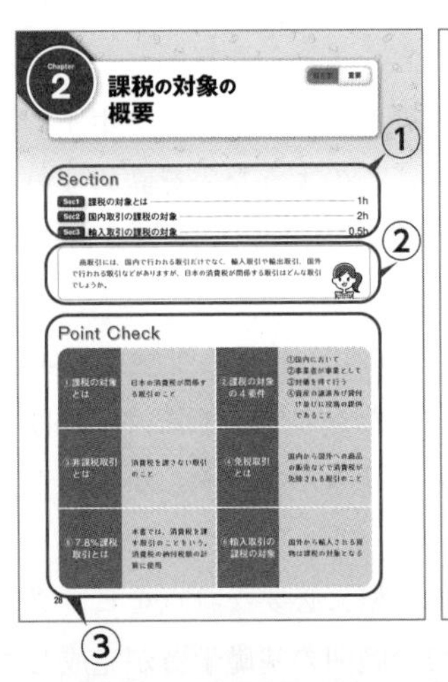

Chapter 2 課税の対象の概要

Section

Sec1	課税の対象とは	1h
Sec2	国内取引の課税の対象	2h
Sec3	輸入取引の課税の対象	0.5h

商取引には、国内で行われる取引だけでなく、輸入取引や輸出取引、国外で行われる取引などがありますが、日本の消費税が関係する取引はどんな取引でしょうか。

Point Check

①課税の対象とは	日本の消費税が関係する取引のこと	②課税の対象の４要件	①国内において ②事業者が事業として ③対価を得て行う ④資産の譲渡及び貸付け並びに役務の提供であること
③非課税取引とは	消費税を課さない取引のこと	④免税取引とは	国内から国外への商品の販売など消費税が免除される取引のこと
⑤7.8％課税取引とは	本書では、消費税を課す取引のことをいう。消費税の納付税額の計算に使用	⑥輸入取引の課税の対象	国外から輸入される貨物は課税の対象となる

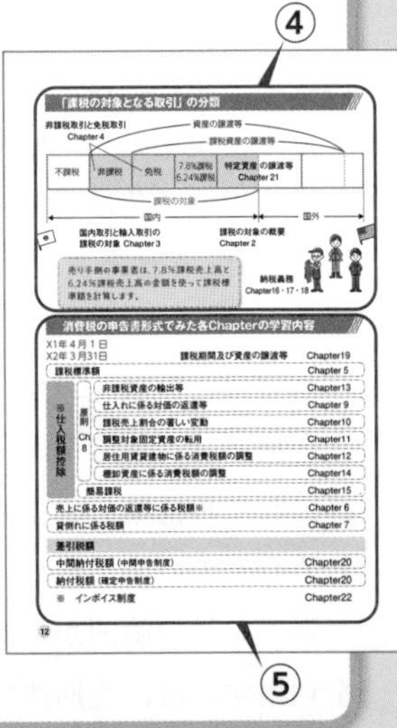

「課税の対象となる取引」の分類

消費税の申告書形式でみた各Chapterの学習内容

X1年4月1日 X2年3月31日 課税期間及び資産の譲渡等	Chapter19
課税標準額	Chapter 5
非課税資産の輸出等	Chapter13
仕入れに係る対価の返還等	Chapter 9
課税売上割合の著しい変動	Chapter10
調整対象固定資産の転用	Chapter11
居住用賃貸建物に係る消費税額の調整	Chapter12
棚卸資産に係る消費税額の調整	Chapter14
簡易課税	Chapter15
売上に係る対価の返還等に係る税額※	Chapter 6
貸倒れに係る税額	Chapter 7
差引税額	
中間納付税額（中間申告制度）	Chapter20
納付税額（確定申告制度）	Chapter20
※ インボイス制度	Chapter22

Step 2 「教科書」を読みましょう

イラストや図表を用いてまとめた図解（⑥）で、学習する内容のイメージをもつことができます。適宜例題（⑦）も入っていますので、試験でどのように問題を解けばよいのかを思い浮かべながら読んでいくと効果的です。また、多くの受講生がつまずいてきた論点の学習のヒントやケアレスミス防止対策等について、ひとことコメント（⑧）としてまとめていますので、参考にしてください。

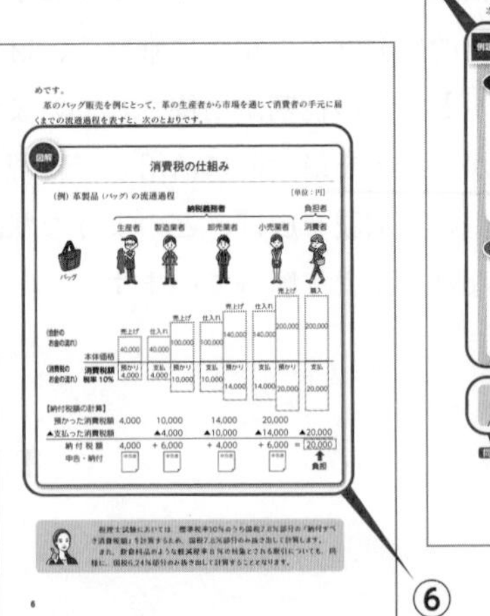

めです。
革のバッグ販売を例にとって、革の生産者から市場を通じて消費者の手元に届くまでの流通過程を表すと、次のとおりです。

図解 消費税の仕組み

（例）革製品（バッグ）の流通過程 ［単位：円］

【納付税額の計算】

預かった消費税額	4,000	10,000	14,000	20,000	
▲支払った消費税額		▲4,000	▲10,000	▲14,000	▲20,000
納付税額	4,000	＋6,000	＋4,000	＋6,000	＝20,000

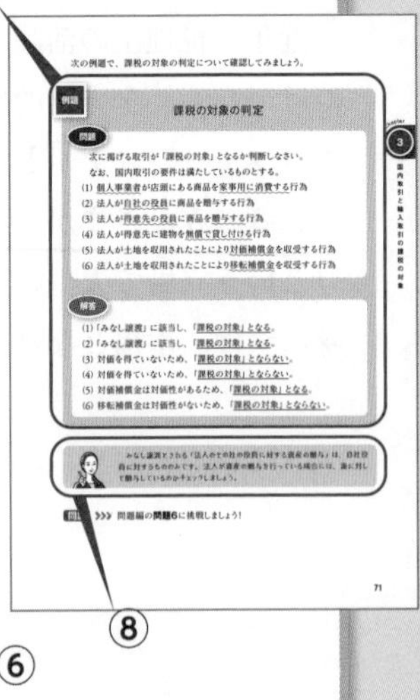

次の例題で、課税の対象の判定について確認してみましょう。

例題 課税の対象の判定

問題

次に掲げる取引が「課税の対象」となるか判断しなさい。
なお、国内取引の要件は満たしているものとする。

(1) 個人事業者が店頭にある商品を家事用に消費する行為
(2) 法人が自社の役員に商品を贈与する行為
(3) 法人が得意先の役員に商品を贈与する行為
(4) 法人が得意先に建物を無償で貸し付ける行為
(5) 法人が土地を収用されたことにより対価補償金を収受する行為
(6) 法人が土地を収用されたことにより移転補償金を収受する行為

解答

(1) 「みなし譲渡」に該当し、「課税の対象」となる。
(2) 「みなし譲渡」に該当し、「課税の対象」となる。
(3) 対価を得ていないため、「課税の対象」とならない。
(4) 対価を得ていないため、「課税の対象」とならない。
(5) 対価補償金は対価性があるため、「課税の対象」となる。
(6) 移転補償金は対価性がないため、「課税の対象」とならない。

問題 >>> 問題編の問題6に挑戦しましょう！

71

Step 3 「問題集」を解きましょう

ある程度のところまで教科書を読み進めると、問題集へのリンク（⑨）があるので、まずは重要度Ａ（⑩）の問題から丁寧に解いていきましょう。計算問題への対応は本を読むだけでは身につきません。実際に手を動かして問題を解くことが、知識の定着には不可欠です。解き終えたら、解答へのアプローチ（⑪）や学習のポイント（⑫）をよく読み、理解を深めましょう。また、問題集の答案用紙にはダウンロードサービスもついていますので、これを利用して最低３回は解くようにしましょう。

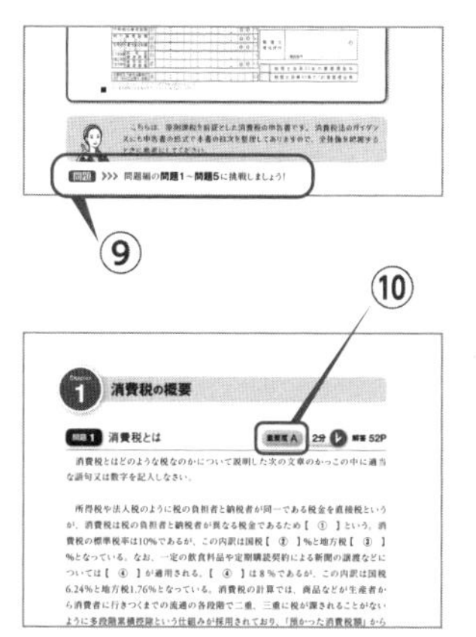

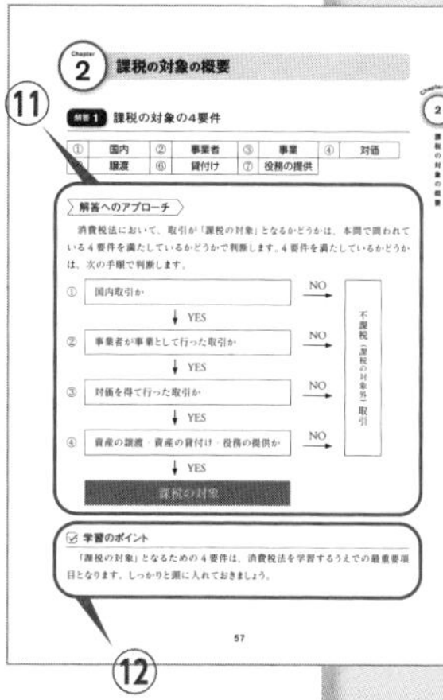

Step 4 実践的な問題を解きましょう

本書の学習が一通り終わったら、「総合計算問題集　基礎編」「総合計算問題集　応用編」で実践力を身につけましょう。「総合計算問題集　基礎編」「総合計算問題集　応用編」は、本試験の計算問題対策として重要な総合問題形式の問題を収録したトレーニング問題集です。「基礎編」は総合問題を解くための基礎力の養成を主眼としており、「応用編」は答案作成能力の養成を主眼としています。

Step 5 理論問題へのアプローチ

理論問題対策

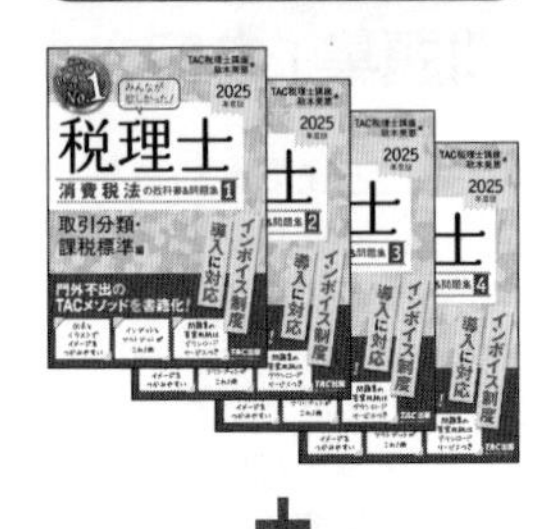

＋

理論マスター

理論問題は、毎年、個別理論問題と事例理論問題の２題形式で出題されます。

① 個別理論問題対策

個別理論問題とは、「理論マスター」に収録されている条文の規定がそのまま出題されるような問題のことをいいます。

この問題の場合、その条文を覚えているかどうかが合否の分かれ目になりますので、まずは「教科書」で論点を正確に理解してから「理論マスター」に収録されている条文を覚えるようにしましょう。

② 事例理論問題対策

事例理論問題とは、取引事例について文章で問題資料が与えられるため、論点を自分で判断しなければならないような問題のことをいいます。

この問題の場合、問題文の読み取りと論点の把握、さらに覚えている条文の事例問題への当てはめができるかどうかが問われます。「理論マスター」に収録されている条文を覚え、「過去問題集」などで事例理論の問われ方を分析しましょう。

Step Up 仕上げ

過去問演習

過去問題集

合格！

Step1 ～ 4 で計算力をつけ、Step5 で理論問題対策をしたら、仕上げは「過去問題集」で本試験問題のレベルを体感しましょう。

「過去問題集」は、直近５年分の本試験問題を収録し、かつ、税制改正にあわせて問題・解答解説ともに修正を加えています。時間を計りながら実際の本試験問題を解くことで、自分の現在位置を確認し、本試験に向けて対策を立てることができます。

本書を利用して消費税法を**効率よく学習するため**の「スタートアップ講義」を税理士独学道場「学習ステージ」ページで**無料公開中**です！

カンタンアクセスはこちらから ⇨

https://bookstore.tac-school.co.jp/dokugaku/zeirishi/stage.html

税理士試験について

みなさんがこれから合格をめざす税理士試験についてみていきましょう。
なお、詳細は、最寄りの国税局人事第二課（沖縄国税事務所は人事課）または国税審議会税理士分科会にお問い合わせ、もしくは下記ホームページをご参照ください。
https://www.nta.go.jp/taxes/zeirishi/zeirishishiken/zeirishi.htm

国税庁 >> 税の情報・手続・用紙 >> 税理士に関する情報 >> 税理士試験

☑概要

税理士試験の概要は次のとおりです。申込書類の入手は国税局等での受取または郵送、提出は郵送（一般書留・簡易書留・特定記録郵便）にて行います。一部手続はe-Taxでも行うことができます。また、試験は全国で行われ、受験地は受験者が任意に選択できるので、住所が東京であったとしても、那覇や札幌を選ぶこともできます。なお、下表中、受験資格については例示になります。実際の受験申込の際には、必ず受験される年の受験案内にてご確認ください。

受験資格	・会計系科目（簿記論・財務諸表論）は制限なし。 ・税法系科目は以下のとおり。 所定の学歴（大学等で社会科学に属する科目を１科目以上履修して卒業した者ほか）、資格（日商簿記検定１級合格者ほか）、職歴（税理士等の業務の補助事務に２年以上従事ほか）、認定（国税審議会より個別認定を受けた者）に該当する者。
受 験 料	１科目4,000円、２科目5,500円、３科目7,000円、４科目8,500円、５科目10,000円
申込方法	国税局等での受取または郵送による請求で申込書類を入手し、試験を受けようとする受験地を管轄する国税局等へ郵送で申込みをする。

☑合格までのスケジュール

税理士試験のスケジュールは次のとおりです。詳細な日程は、毎年４月頃の発表になります。

受験申込用紙の交付	４月上旬～下旬（土、日、祝日は除く）
受験申込受付	４月下旬～５月上旬
試験日	８月上旬～中旬の３日間
合格発表	11月下旬

☑試験科目と試験時間割

税理士試験は、全11科目のうち５科目について合格しなければなりません。５科目の選択については、下記のようなルールがあります。

	試験時間	科　目	選択のルール
1日目	9：00～11：00	簿記論	会計系科目。必ず選択する必要がある。
	12：30～14：30	財務諸表論	
	15：30～17：30	消費税法または酒税法	税法系科目。この中から３科目を選択。ただし、所得税法または法人税法のどちらか１科目を必ず選択しなくてはならない。また、消費税法と酒税法、住民税と事業税はいずれか１科目の選択に限る。
2日目	9：00～11：00	法人税法	
	12：00～14：00	相続税法	
	15：00～17：00	所得税法	
3日目	9：00～11：00	国税徴収法	
	12：00～14：00	固定資産税	
	15：00～17：00	住民税または事業税	

なお、税理士試験は科目合格制をとっており、１科目ずつ受験してもよいことになっています。

☑合格率

受験案内によれば合格基準点は満点の60%ですが、そもそも採点基準はオープンにされていません。税理士試験の合格率（全科目合計）は次のグラフのとおり、年によってばらつきはありますが、おおむね15%前後で推移しています。現実的には、受験者中、上位10%前後に入れば合格できる試験といえるでしょう。

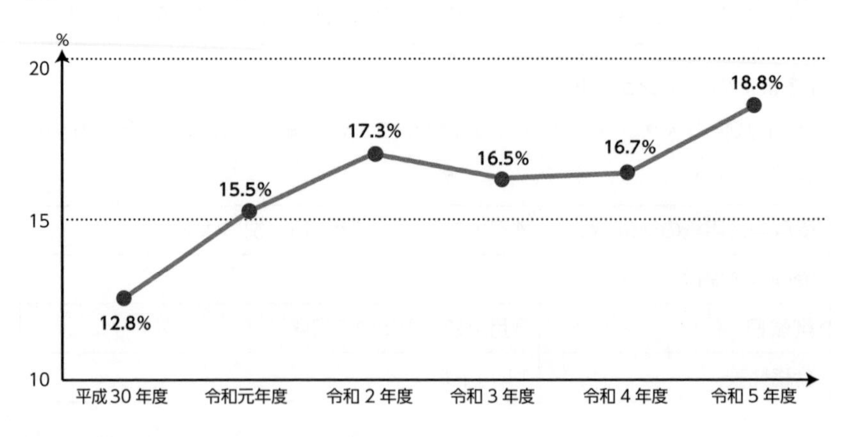

☑出題傾向と時間配分について

税理士試験の消費税法は下表に示すような２問構成です。一方、試験時間は２時間であり、全部の問題にまんべんなく手をつけるには絶対的に時間が足りません。そこで、戦略的な時間配分が必要となります。

第1問	第2問
50点（理論）	50点（計算）

では、どのように時間配分をすればよいでしょうか。ここでは、本試験問題のレベルとボリュームから考えてみましょう。過去問題を見てみると、本試験問題は２時間ですべてを解けないくらいのボリュームがあり、この中から基本的な問題を選択して、確実に正答していくことが求められます。

また、試験時間の２時間のうちに、すべての問題に目を通す必要もあるため、消費税法は以下のような時間配分で解答するようにしてください。

第1問	第2問
50～55分	65～70分

消費税法は本試験の難易度にかかわらず、この時間配分をしっかりと守るようにしましょう。なぜなら、１点でも多く点数を取る（合格点に近づく）ためには、時間のかかる計算問題に少し多めに時間をかける必要があるからです。また、理論問題も、消費税法の条文の用語を使って論述し、慎重に答案を作成し部分点を少しでも拾えるようにするためにも、しっかりと時間をかけられるようにしておく必要があるからです。

消費税法のガイダンス

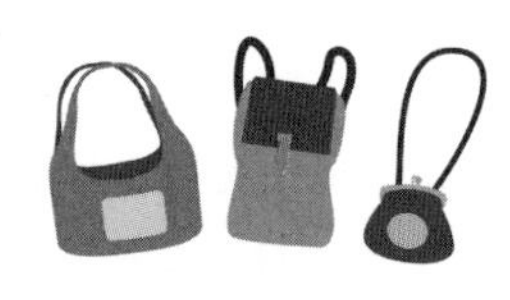

❶私たちは、お店で買い物をして代金を払うとき、商品代金と合わせて「消費税」を支払っています。
本書では、この「消費税」について学習します。

❷消費税は、市場の流通過程の中でそれぞれの取引にかかります。商品が生産者から消費者の手元に届くまでの市場の流通過程を見てみましょう。

バッグ

市場の流通過程

（例）革製品（バッグなど）の流通過程

生産者	製造業者	卸売業者	小売業者	消費者
皮の洗浄などを行い、製造業者へ販売	皮などの材料を仕入れ、革製品を製造し、卸売業者へ販売	革製品を仕入れ、小売業者に販売	革製品であるバッグなどを仕入れ、消費者に販売	バッグを購入して商品代金と消費税を支払う

❸この流通過程の中で、それぞれの事業者は、モノを仕入れたときに「消費税」を支払い、モノを売ったときに「消費税」を預かります。事業者は「預かった消費税額」から「支払った消費税額」を控除して「納付すべき消費税額」を計算し国へ納めます。

事業者が行う取引

❹ 事業者が行う取引には、材料・商品等の仕入れや販売のほか、建物や土地の売却、車の購入、保有株式の配当金の受取りなどがあります。

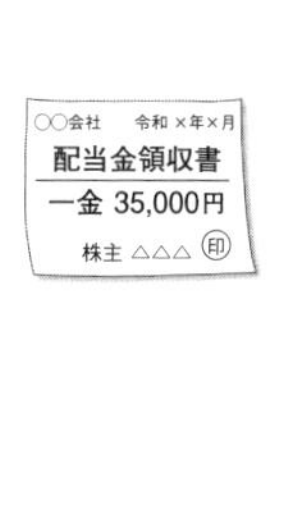

土地一筆
○○○○万円也
××××

領収書
23,581,700
1,285,000
××,000
計△△△△△△

不課税　　非課税　　免税　　課税

❺ 事業者はすべての取引を消費税法のルールにしたがって、不課税・非課税・免税・課税に分類し、消費税額を計算して『消費税の申告書』を作成します。

❻ 消費税を納める義務のある事業者は、『消費税の申告書』を、確定申告や中間申告の時期に税務署長に提出しなければなりません。

❼ 現在、消費者が負担する消費税の標準税率は10%、軽減税率は８%です。これは消費税(国税)と地方消費税の合計額で、税理士試験においては国税額部分を計算します。本書では、標準税率10%のうち国税7.8%、軽減税率８%のうち国税6.24%を前提に説明します。

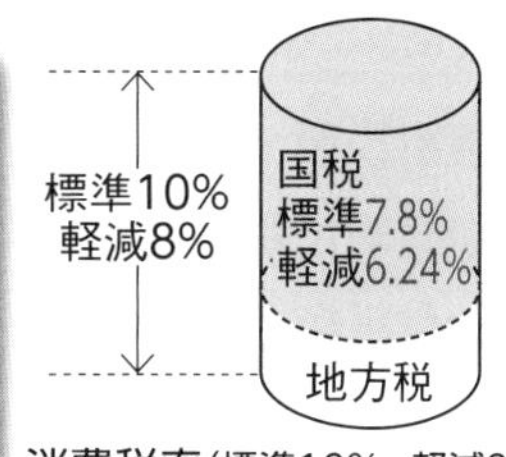

消費税率(標準10%・軽減8%)

「課税の対象となる取引」の分類

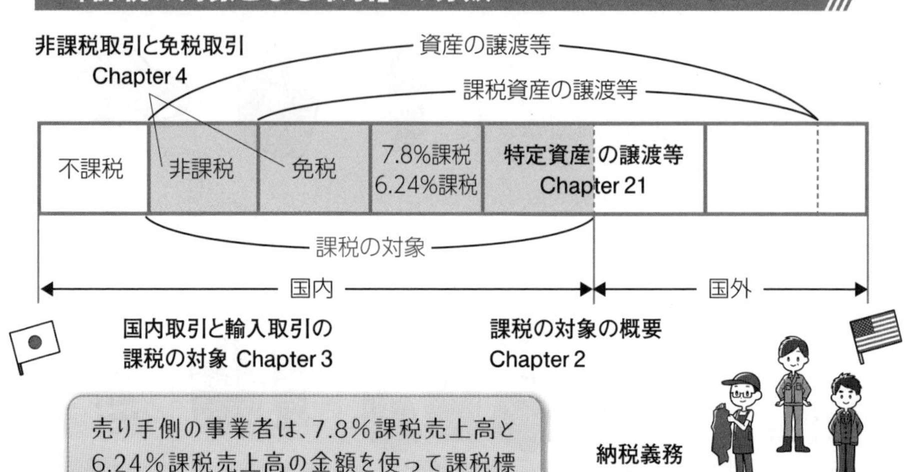

売り手側の事業者は、7.8%課税売上高と6.24%課税売上高の金額を使って課税標準額を計算します。

消費税の申告書形式でみた各Chapterの学習内容

X1年4月1日
X2年3月31日

課税期間及び資産の譲渡等		Chapter19
課税標準額		Chapter 5
※仕入税額控除	原則 Ch 8：非課税資産の輸出等	Chapter13
	原則 Ch 8：仕入れに係る対価の返還等	Chapter 9
	原則 Ch 8：課税売上割合の著しい変動	Chapter10
	原則 Ch 8：調整対象固定資産の転用	Chapter11
	原則 Ch 8：居住用賃貸建物に係る消費税額の調整	Chapter12
	原則 Ch 8：棚卸資産に係る消費税額の調整	Chapter14
	簡易課税	Chapter15
売上に係る対価の返還等に係る税額※		Chapter 6
貸倒れに係る税額		Chapter 7
差引税額		
中間納付税額（中間申告制度）		Chapter20
納付税額（確定申告制度）		Chapter20

※　インボイス制度　Chapter22

「課税の対象となる取引」は、日本の消費税が関係する取引です。消費税法は日本の税法なので、日本国内で行われた取引を課税の対象とします。世界中で行われた取引をこの消費税法のルールにしたがって分類してまとめると左の図のようになります。納付すべき消費税額の計算は、取引の分類から行います。これから消費税法の学習を進めていく中で、様々な取引が出てきます。「課税の対象となる取引」を判定する際は、この取引分類を思い出して整理するとよいでしょう。

申告書・内訳書の概略と各Chapterの学習内容をまとめたものです。常に全体の中でどの部分を学習しているのかを意識しましょう。

特定課税仕入れがある場合の課税標準額等の内訳書

課税標準額	特定課税仕入れに係る支払対価の額
返還等対価に係る税額	特定課税仕入れの返還等対価に係る税額

電気通信利用役務の提供 及び
特定役務の提供 Chapter21

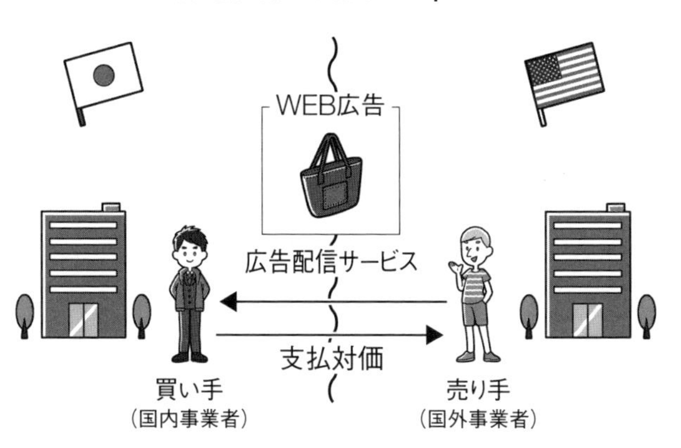

国外事業者が行う「事業者向け電気通信利用役務の提供」などの取引は、サービスを買った国内事業者が消費税を国へ納めます。左の例では広告配信サービスの提供を受けて支払った対価の額を「特定課税仕入れ」といい、この金額を課税標準額及び控除対象仕入税額の計算に含めます。

標準税率と軽減税率

現行の消費税の標準税率は10％ですが、低所得者への配慮の観点から一定の品目には軽減税率８％が適用されています。これを**軽減税率制度**といいます。（令和元年10月１日より導入）

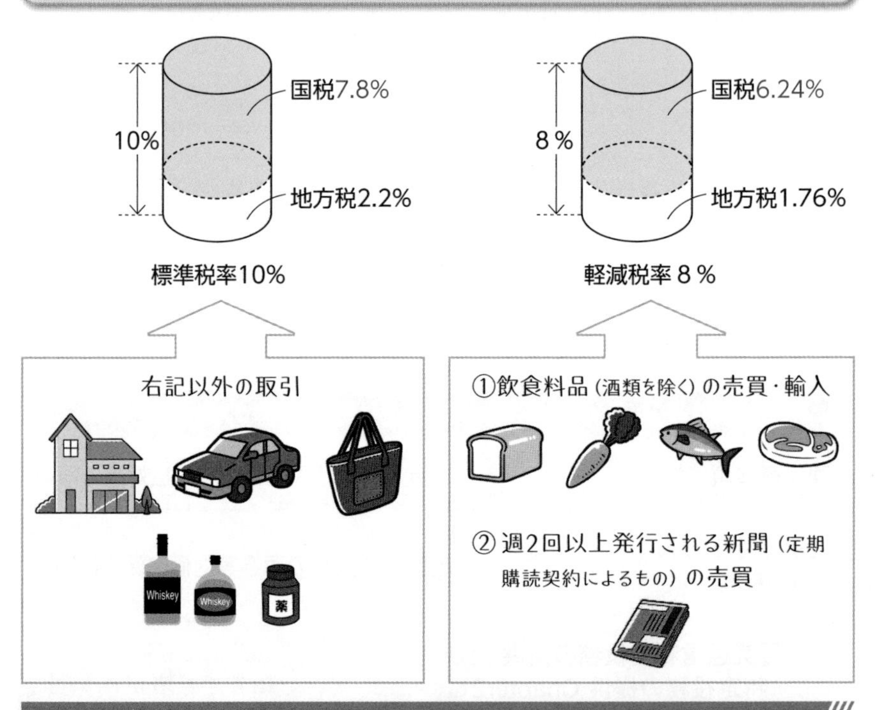

インボイス制度

事業者が「納付すべき消費税額」を正しく計算するために、消費税額を証明する書類が「インボイス」です。買い手側の事業者が「支払った消費税額」を控除するためには、売り手側の事業者からインボイスの交付を受け、保存する必要があります。売り手側の事業者は、買い手側の事業者から求められたときは、インボイスを交付しなければなりません。（令和５年10月１日より導入）

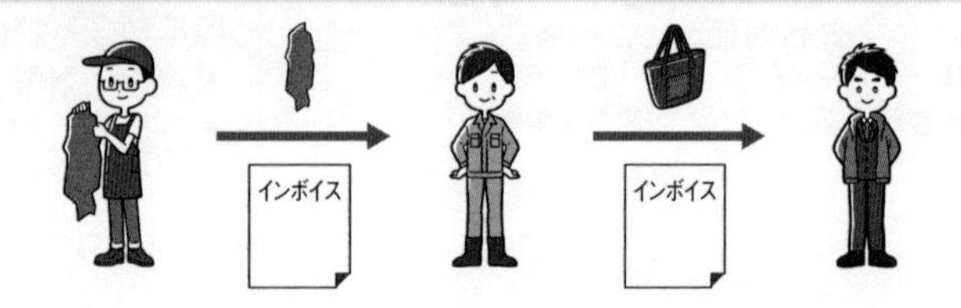

目次

（参考）

「みんなが欲しかった！　税理士　消費税法の教科書&問題集　1
取引分類・課税標準編」収録内容

Chapter1　消費税の概要
Chapter2　課税の対象の概要
Chapter3　国内取引と輸入取引の課税の対象
Chapter4　非課税取引と免税取引
Chapter5　課税標準と税率
Chapter6　売上げに係る対価の返還等
Chapter7　貸倒れ

「みんなが欲しかった！　税理士　消費税法の教科書&問題集　2
仕入税額控除編」収録内容

Chapter 8　仕入れに係る消費税額の控除
Chapter 9　仕入れに係る対価の返還等
Chapter10　課税売上割合が著しく変動した場合の消費税額の調整
Chapter11　調整対象固定資産の転用
Chapter12　居住用賃貸建物に係る消費税額の調整
Chapter13　非課税資産の輸出等
Chapter14　棚卸資産に係る消費税額の調整
Chapter15　簡易課税制度

「みんなが欲しかった！　税理士　消費税法の教科書&問題集　3
納税義務編」収録内容

Chapter16　納税義務の原則・免除
Chapter17　納税義務の免除の特例①（届出書・前年等・相続・合併）
Chapter18　納税義務の免除の特例②（会社分割・新設法人・高額特定資産ほか）

本書は、令和6年10月現在の法令に準拠しています。税率は、令和7年4月現在の適用法令に基づきます。

課税期間及び資産の譲渡等の時期

Chapter 19

課税期間及び資産の譲渡等の時期

超重要 重要

Section

消費税額を計算する期間や売上げの計上時期は、どのようになっているのでしょうか。

Point Check

①課税期間の原則とは	・個人事業者：1月1日から12月31日までの期間 ・法人：事業年度	②課税期間の特例	届出書の提出により、課税期間を3月単位・1月単位に短縮又は変更可能
③資産の譲渡等の時期の原則	売上げの計上時期：原則として資産の引き渡しの日		
④リース譲渡に係る資産の譲渡等の時期の特例	リース延払基準等により売上げを計上することができる (経理要件あり)	⑤工事の請負に係る資産の譲渡等の時期の特例	・長期大規模工事： 工事進行基準により売上げを計上 ・工事： 工事進行基準により売上げを計上することができる (経理要件あり)

課税期間とは

課税期間の原則

課税期間とは、消費税の確定納付税額を計算する期間のことです。

まず、個人事業者の課税期間についてまとめると、次のとおりです。

図解

課税期間の原則（個人事業者）

● 個人事業者の課税期間

1月1日から12月31日までの期間（暦年）

● 事業を開始した場合

その事業を開始した日がいつであっても、その年の1月1日から12月31日までの期間となります。

● 事業を廃止した場合

その事業を廃止した日がいつであっても、その年の1月1日から12月31日までの期間となります。

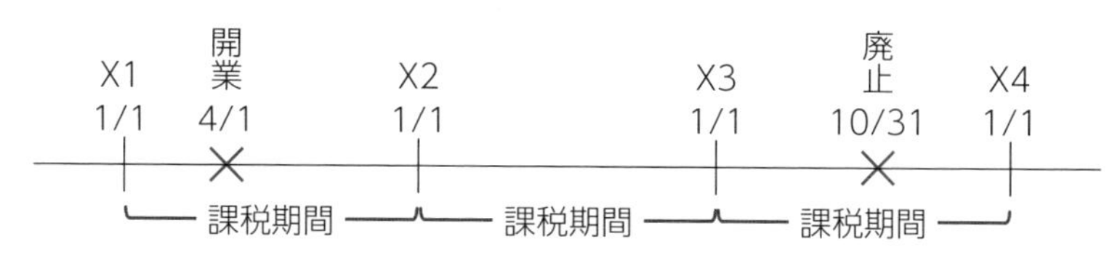

個人事業者の場合は、原則として、常に暦年で計算します。

次に、法人の課税期間についてまとめると、次のとおりです。

図解

課税期間の原則（法人）

● 法人の課税期間

事業年度

● 法人を設立した場合

その設立の日からその事業年度終了の日までの期間となります。

● 法人がなくなった（清算が結了した）場合

その事業年度開始の日からその**清算が結了した日**までの期間となります。

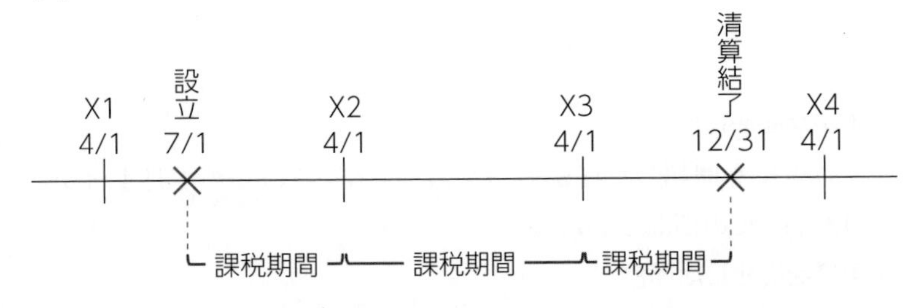

法人の場合、定款により原則一年以内であれば事業年度を自由に決められます。

課税期間の特例

課税期間の短縮と変更

　消費税は間接税であるため、申告・納付までの期間はなるべく短い方が税務当局にとっても好ましいと考えられます。また、還付税額が発生する場合には、還付を受ける事業者にとっても、早期に還付される方が運転資金の面で役に立つため、課税期間を短縮又は変更するという特例を認めています。

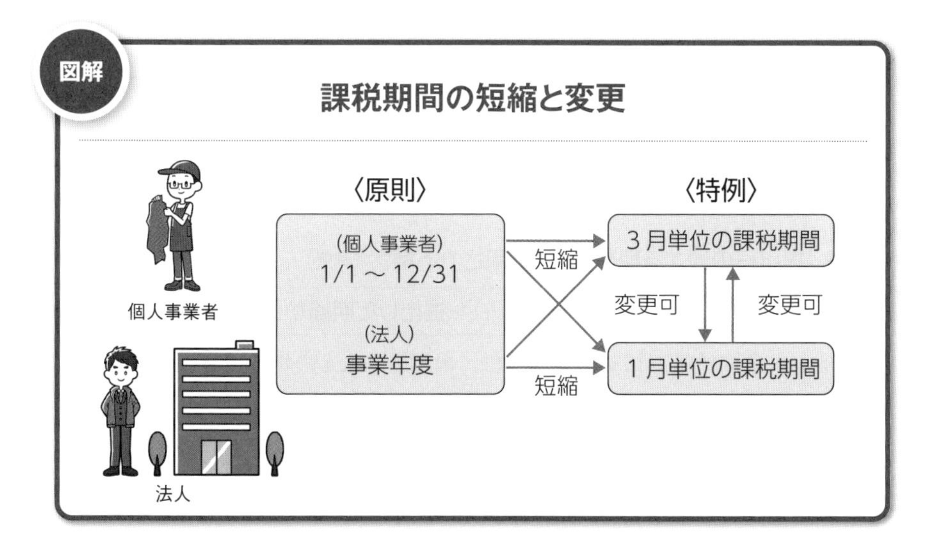

　輸出事業者は、国内の事業者から消費税を含んだ代金を支払って仕入れた商品を、消費税を上乗せせずに国外の事業者に輸出販売するため、確定申告により消費税が還付されるケースが多いといわれます（Chapter 4（1分冊目）で学習しました）。このような場合、多少面倒でも課税期間を短縮したほうが、運転資金の面で有利になります。

各種届出書

課税期間特例選択・変更届出書

課税期間を短縮変更する場合には、**課税期間特例選択・変更届出書**を納税地の所轄税務署長に提出する必要があります。「課税期間特例選択・変更届出書」を提出した場合の短縮・変更の適用期間は、次のとおりです。

図解

課税期間特例選択・変更届出書の適用

● 適用期日の原則

「課税期間特例選択・変更届出書」を提出した期間の**翌期間から適用**

● 「提出日の属する期間」から適用される場合（例外）

「課税期間特例選択・変更届出書」を**提出した期間から適用**

（例）事業開始等、相続、吸収合併、吸収分割などの場合

ここからは、法人を前提とした課税期間の特例を適用する場合について、具体例を見てみましょう。

届出書の提出があった場合に、新しい課税期間になる前の半端な期間のことを「みなし課税期間」といいます。

図解

課税期間を短縮・変更する場合（法人を前提）

※事業年度は4月1日から3月31日とする。

● 原則から３月に短縮

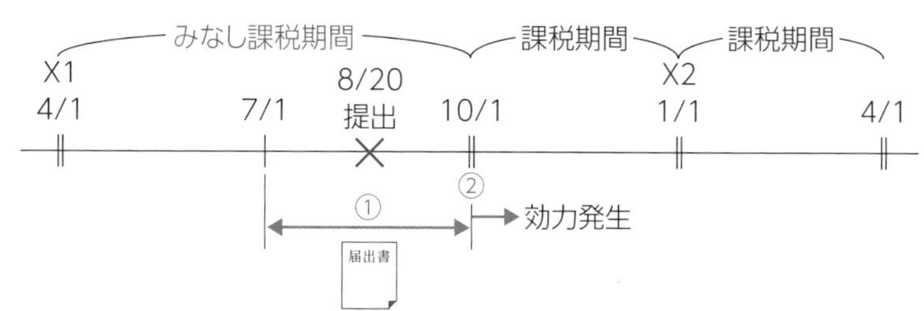

届出の効力……その届出書の提出日の属する期間の**翌期間の初日**以後に生ずる。
①X1.7.1 ～ X1.9.30　②X1.10.1

みなし課税期間…提出日の属する事業年度開始の日から効力の生じた日の前日までの期間
X1.4.1　X1.9.30

● 原則から１月に短縮

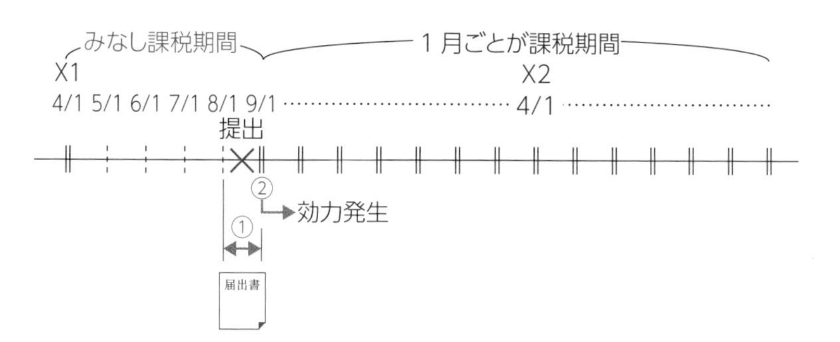

届出の効力……その届出書の提出日の属する期間の**翌期間の初日**以後に生ずる。
①X1.8.1 ～ X1.8.31　②X1.9.1

みなし課税期間…提出日の属する事業年度開始の日から効力の生じた日の前日
X1.4.1　X1.8.31

● 3月から1月に変更

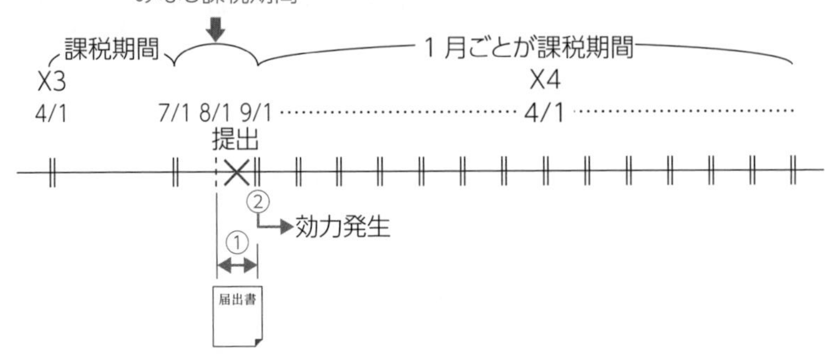

届出の効力……その届出書の提出日の属する期間の**翌期間の初日以後**に生ずる。
→①X3.8.1～X3.8.31　→②X3.9.1

みなし課税期間…提出日の属する3月ごとの期間開始の日から効力の生じた日の前日までの期間
→X3.7.1　→X3.8.31

● 1月から3月に変更

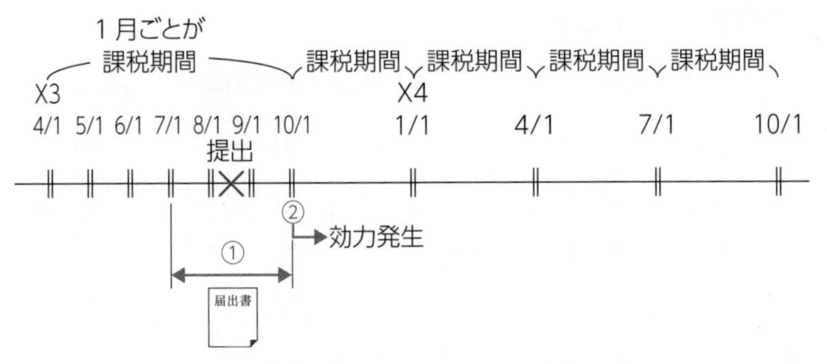

届出の効力……その届出書の提出日の属する期間の**翌期間の初日以後**に生ずる。
→①X3.7.1～X3.9.30　→②X3.10.1

みなし課税期間…生じない

課税期間特例選択不適用届出書

課税期間の短縮をやめて、個人事業者の場合は暦年、法人の場合は事業年度に課税期間を戻そうとする場合には、**課税期間特例選択不適用届出書**を納税地の所轄税務署長に提出する必要があります。

「課税期間特例選択不適用届出書」の内容については、次のとおりです。

図解

課税期間特例選択不適用届出書の適用

● 内　容

「課税期間特例選択不適用届出書」の提出日の属する課税期間の末日の翌日以後は、課税期間特例の届出は、その効力を失う。

● 提出制限

「短縮又は変更の届出の効力が生ずる日」から2年を経過する日の属する期間の初日以後でなければ提出することはできない。

※ 事業を廃止した場合には、その廃止をする期間に提出する。

まず、課税期間の特例の適用をやめる場合について、具体例を見てみましょう。

課税期間特例選択不適用届出書を提出した場合（法人を前提）

※事業年度は4月1日から3月31日とする。

● 3月ごとの課税期間につき不適用届出書を提出した場合

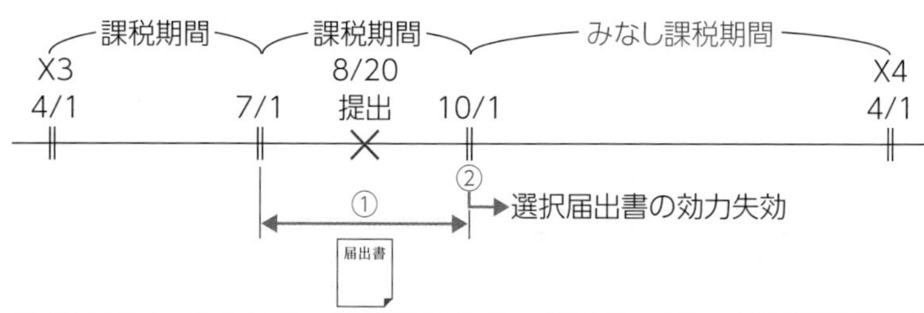

選択届出書の効力失効…不適用届出書の提出日の属する課税期間の末日の翌日以後

→①X3.7.1 ～ X3.9.30

→②X3.10.1

みなし課税期間…提出日の属する課税期間の末日の翌日から

→X3.10.1

提出日の属する事業年度終了の日までの期間

→X4.3.31

● 1月ごとの課税期間につき不適用届出書を提出した場合

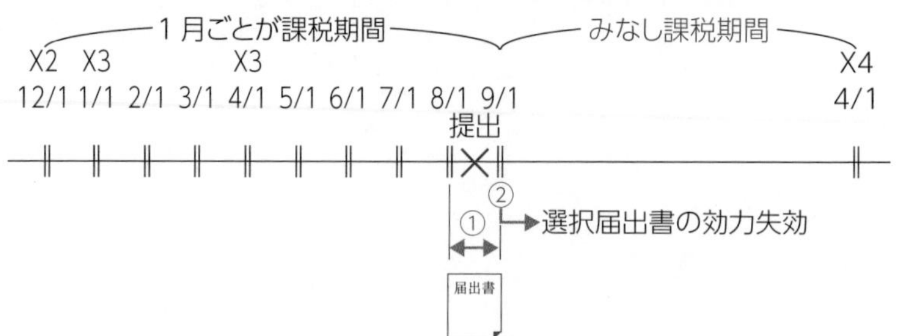

選択届出書の効力失効…不適用届出書の提出日の属する課税期間の末日の翌日以後

→①X3.8.1 ～ X3.8.31

→②X3.9.1

みなし課税期間…提出日の属する課税期間の末日の翌日から
→X3.9.1

提出日の属する事業年度終了の日までの期間
→X4.3.31

次に、不適用届出書の提出制限がある場合について、具体例を見てみましょう。

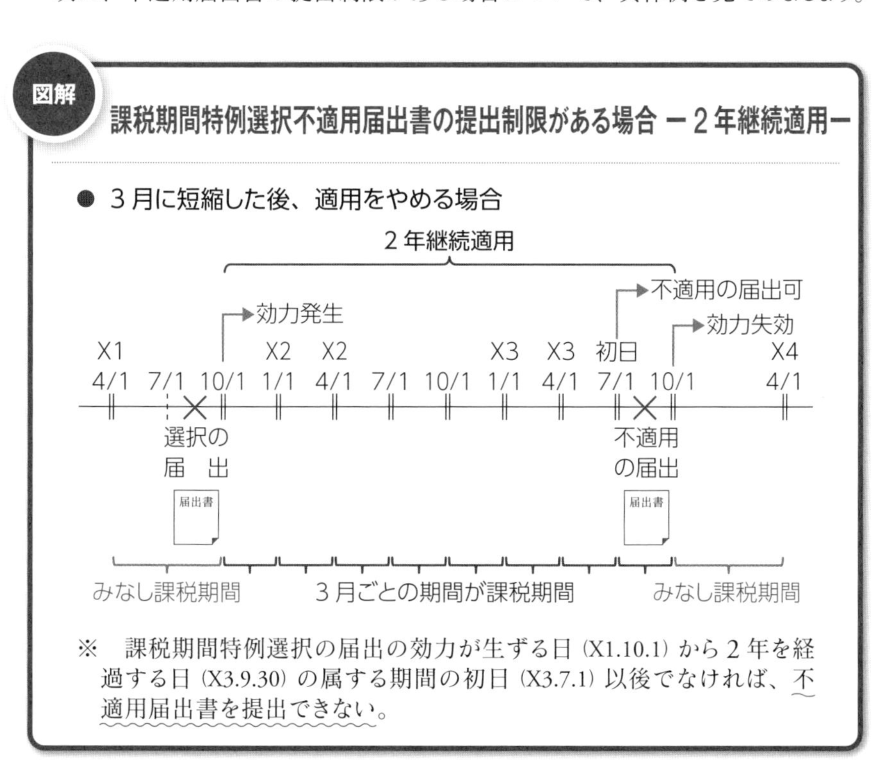

※ 課税期間特例選択の届出の効力が生ずる日（X1.10.1）から2年を経過する日（X3.9.30）の属する期間の初日（X3.7.1）以後でなければ、不適用届出書を提出できない。

日付や期間の数え方に注意しましょう。
タイムテーブルを書いてみると整理しやすいです。

次の例題で、課税期間の特例を適用した場合の課税期間について確認してみましょう。

例題

課税期間の特例を適用した場合の課税期間

問題

次のそれぞれのケースのX社及びY社に係る、X3年４月１日からX4年３月31日までの事業年度に係る消費税の課税期間を、具体的な日付で答えなさい。なお、事業年度はいずれも、毎期４月１日から翌年３月31日までとする。

〈ケース1〉

X社は、X3年８月25日に課税期間を３月ごとに短縮する届出書（消費税課税期間特例選択・変更届出書）を納税地の所轄税務署長に提出した。なお、X社は、過去に消費税の課税期間に関する届出書を提出していない。

〈ケース2〉

Y社は、X1年４月１日から課税期間を１月ごとに短縮していたが、X3年５月25日に消費税課税期間特例選択不適用届出書を納税地の所轄税務署長に提出した。

解答

〈ケース1〉

● まず、原則から３月に短縮するケースであることの読み取り

● 次に、タイムテーブルを書き、課税期間を判定

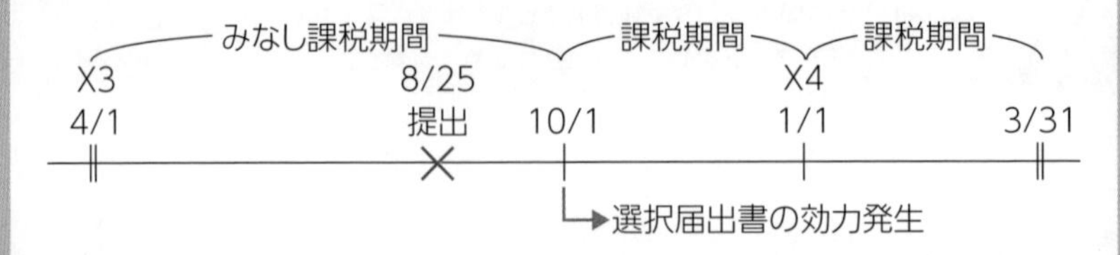

2番目　X3年 4 月 1 日～X3年 9 月30日　←　みなし課税期間

1番目　X3年10月 1 日～X3年12月31日　←　3月
　　　　X4年 1 月 1 日～X4年 3 月31日　←　3月

〈ケース2〉

- まず、１月から原則に戻すケースであることの読み取り
- 次に、２年継続適用していることを確認
- タイムテーブルを書き課税期間を判定

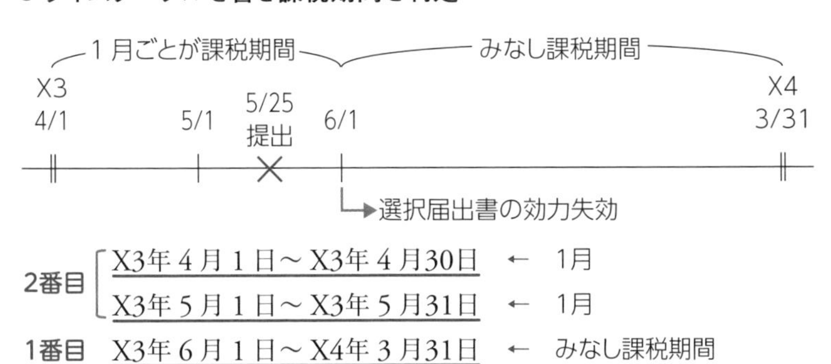

2番目　X3年 4 月 1 日～X3年 4 月30日　←　1月
　　　　X3年 5 月 1 日～X3年 5 月31日　←　1月

1番目　X3年 6 月 1 日～X4年 3 月31日　←　みなし課税期間

１番目・２番目の順番で判定するとスッキリ解答できます。
条文と照らし合わせながら整理してみましょう。

申告との関係

申告との関係

(1) 課税期間の特例の適用がある場合の確定申告書の提出期限

課税期間の特例の適用がある場合には、確定申告書の提出期限について注意が必要です。まとめると、次のとおりです。

図解

課税期間の特例の適用がある場合の確定申告書の提出期限

● 個人事業者の場合

① 1月～3月、4月～6月、7月～9月の各課税期間及び1月1日以後1月ごとに区分した各課税期間（12月31日の属する課税期間を除く。）
… 各課税期間の末日の翌日から2月以内

② 12月31日の属する課税期間
… 翌年3月31日

● 法人の場合

各課税期間の末日の翌日から2月以内

課税期間が前提となって、確定申告書の提出期限が規定されています。Chapter20の確定申告、中間申告とあわせて確認しましょう。

また、通常、事業者は課税期間の中途において、前期納税実績を基準とした事業規模に応じて中間申告義務があります。

しかし、課税期間特例選択・変更届出書を提出している事業者は、中間申告義務はありません。

(2) 申告納税方式と賦課課税方式

事業者が納付する税額の確定方式には、申告納税方式と賦課課税方式の２つがあります。まとめると、次のとおりです。

申告納税方式と賦課課税方式

納付する税額の確定方式には、納税義務者の申告によって行う「申告納税方式」と、納付する税額が税務署長や税関長の処分によって確定する「賦課課税方式」の２つの方式があります。

消費税は、原則として「申告納税方式」が採用され、国内取引については、事業者が課税期間ごとに申告と納付を行い、輸入取引については、課税貨物を引き取る者がその引取りの時までに申告と納付を行います。

「申告納税方式」により税額を確定させる税目の代表的なものは、所得税・法人税・消費税などです。また、「賦課課税方式」の場合、通常、税務当局から賦課決定通知書などが送付され、その通知書にいくら納めるのかが記載されており、代表的なものは、固定資産税・自動車税などです。

最後に、課税期間を短縮する制度の活用方法について触れておきましょう。

ここでは、事業者が消費税の還付を受けられるようにする際の手続を簡単にまとめています。

課税期間短縮制度の活用方法

免税事業者が設備投資などについて消費税の還付を受けようとする場合の「課税事業者選択届出書」、又は、簡易課税制度の適用事業者が設備投資などについて消費税の還付を受けようとする場合の「簡易課税制度選択不適用届出書」は、原則として事前提出が必要です。

したがって、これらの届出書をその設備投資などがある課税期間が始まる前までに提出できなかったような場合には、消費税の還付は受けられないということになってしまいます。ただし、たとえこのような場合であっても、課税期間を短縮することにより、消費税の還付が受けられるケースもあるので覚えておくと便利です。

（例）

事業年度が毎年1/1～12/31である法人（免税事業者）がX2年4月中に設備投資の予定があり、消費税の還付が見込まれるのにもかかわらず、X1年中に「課税事業者選択届出書」を提出していないような場合には、X2年3月31日までに原則から3月に短縮する**「課税期間特例選択・変更届出書」**及び**「課税事業者選択届出書」**を提出することにより、X2年4月1日～X2年6月30日の課税期間について、消費税の還付を受けることができます。

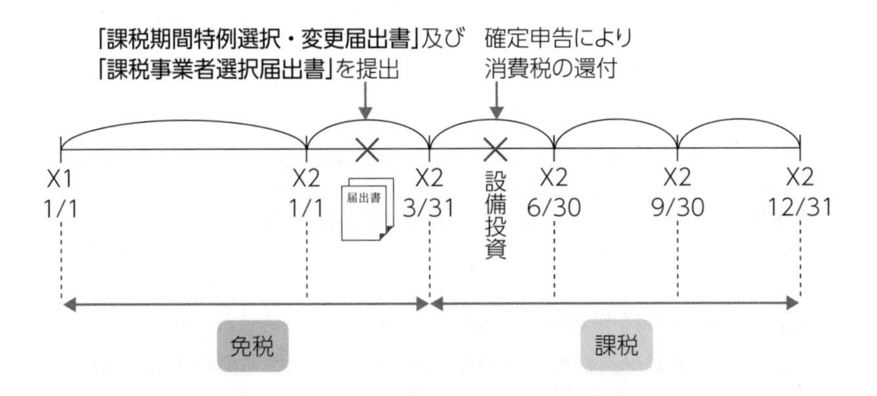

課税期間が短縮され、X2年4月1日～X2年6月30日は3月の課税期間となり、さらに課税事業者となるため、確定申告により消費税の還付を受けることができるようになります。

このように、課税期間短縮制度の活用は、消費税の還付を受けようとするときに便利です。

問題 >>> 問題編の**問題1～問題2**に挑戦しましょう！

資産の譲渡等の時期の原則

資産の譲渡等の時期を定める趣旨

国内取引の課税標準の計算をするにあたり、それぞれの取引が、どの課税期間に属するものなのかを定めなければ、正確な課税標準額を計算することはできません。

そこで、課税標準額を構成する7.8%課税売上げや6.24%課税売上げが、どの課税期間に属するかを明確にするために、資産の譲渡等の時期についての規定が設けられています。

課税資産の譲渡等に係る消費税の課税標準についてはChapter 5（1分冊目）で学習しました。また、特定課税仕入れに係る消費税の課税標準についてはChapter21で学習します。

ここではまず、売り手事業者から見た売上げの計上時期をいつにするか、という観点から説明します。

資産の譲渡等の時期の原則

資産の譲渡等の時期、つまり、売上げの計上時期は原則として引き渡しの日とされています。

図解　資産の譲渡等の時期の原則

資産の譲渡等の時期の原則は引き渡しの日（＝引渡基準）

取引ごとの資産の譲渡等の時期の原則についてまとめると、次のとおりです。

図解

取引ごとの資産の譲渡等の時期の原則

取引の態様		譲渡等の時期
①	棚卸資産の販売 （委託販売等を除く）	引渡日
②	固定資産の譲渡 （工業所有権等を除く）	引渡日
③	工業所有権等（注）の譲渡又は実施権の設定	契約の効力発生日
④請負	物を引き渡すもの	目的物の全部の完成引渡日
	物を引き渡さないもの	役務の提供の完了日
⑤	人的役務の提供（請負を除く）	人的役務の提供の完了日
⑥資産の貸付け	契約又は慣習により使用料等の支払日が定められているもの	支払日
	支払日が定められていないもの	支払を受けた日（請求があった時に支払うこととされるものは、その請求日）

（注）工業所有権等とは、特許権、実用新案権等及びこれらの権利に係る出願権及び実施権をいう。

たとえば、棚卸資産を販売した場合には、商品などを引き渡した日の属する課税期間の課税標準額の計算に含めることになります。

前受金、仮受金に係る資産の譲渡等の時期についても、売上げの計上時期は現実に資産の譲渡等を行った日の属する課税期間となります。

資産の譲渡等の時期の全体像

資産の譲渡等の時期について全体像を示すと、次のとおりです。

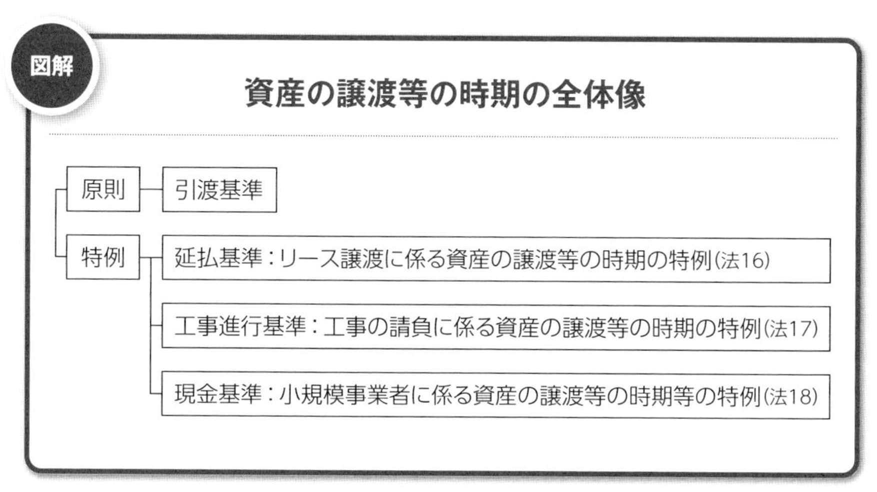

図解
資産の譲渡等の時期の全体像
原則
引渡基準
特例
延払基準：リース譲渡に係る資産の譲渡等の時期の特例(法16)
工事進行基準：工事の請負に係る資産の譲渡等の時期の特例(法17)
現金基準：小規模事業者に係る資産の譲渡等の時期等の特例(法18)

全体像を押さえたうえで、次に、特例について説明します。常にどこを学習しているか、全体像に戻って整理するようにしましょう。

問題 >>> 問題編の**問題3**に挑戦しましょう！

リース譲渡に係る資産の譲渡等の時期の特例

リース譲渡に係る資産の譲渡等の時期の特例を定める趣旨

消費税法における売上げの計上時期は、原則として引渡基準です。

しかし、所得税法・法人税法における取扱いと統一性をもたせ、消費税に関わる事務手数の複雑化を避けるため、リース譲渡について、一定の要件を満たす場合は、売上げの計上時期について特例を認めています。

リース譲渡に係る資産の譲渡等の時期の特例では、事業者が「リース譲渡」を行った場合について、一定の要件を満たす場合には、リース延払基準等により売上げを計上することができます。

この規定は、個人事業者と法人に共通して適用されます。

リース譲渡の意義

リース譲渡とは、ファイナンス・リース取引（所得税法又は法人税法に規定するリース取引）のことをいいます。

図解

ファイナンス・リース取引

ファイナンス・リース取引とは、資産の賃貸借で次に掲げる要件に該当するものをいいます。

① 中途解約禁止
② 賃借人が経済的利益を享受し、費用を実質的に負担しているもの

延払基準とは

延払基準による計算方法を「資産を引渡した課税期間」及び「資産を引渡した課税期間後の課税期間」に分けて説明します。

それぞれの課税期間をタイムテーブルで示すと、次のとおりです。

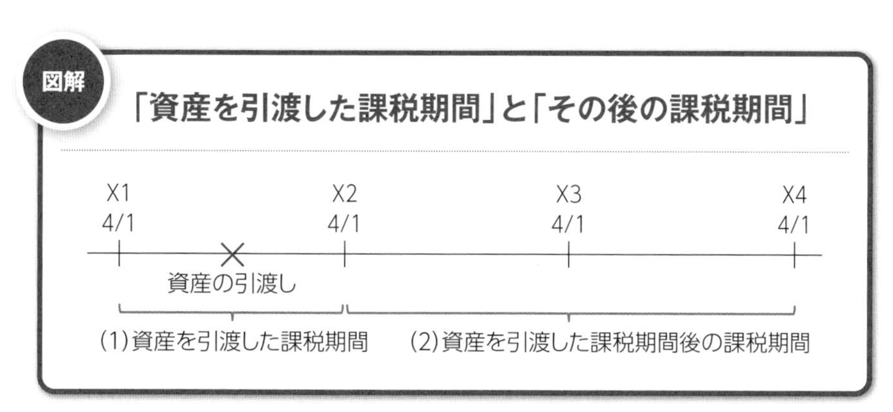

「資産を引渡した課税期間」と「その後の課税期間」

(1) 資産を引渡した課税期間

リース譲渡をした課税期間中に「支払期日が到来しない部分」については、その課税期間において資産の譲渡等を行わなかったものとみなして、その課税期間における引渡基準に基づく売上高から控除して計算します。

図解

延払基準による「資産を引渡した課税期間」の売上計上金額

その課税期間に引渡した資産の対価の額	−	左のうちその課税期間の支払期日未到来額	+	未到来部分のうちすでに支払を受けた金額

※ すでに支払いを受けたものの取扱い

支払期日が到来しない部分のうち、その課税期間においてすでに支払いを受けた部分は、その受けた課税期間の売上高に含まれることになる。

(2) 資産を引渡した課税期間後の課税期間

「資産を引渡した課税期間」において「資産の譲渡等を行わなかったものとみなされた部分」については、その翌期以後の「支払期日が到来する各課税期間」において、それぞれ資産の譲渡等を行ったものとみなして売上高を計算します。

図解

延払基準による「資産を引渡した課税期間後の課税期間」の売上計上金額

その課税期間の支払期日到来額	－	左のうち前課税期間以前に支払を受けた金額	＋	未到来部分のうちすでに支払を受けた金額

※　すでに支払いを受けたものの取扱い

支払期日が到来する前にすでに支払いを受けた部分があるときは、その受けた課税期間の売上高に含まれることとなり、支払期日が到来する課税期間の売上高には含めない。

ひとことで言えば、会計上の収益認識基準である回収期限到来基準に回収基準を加味したものです。一部の売上げを「資産を引き渡した課税期間後の課税期間」に計上することで課税の繰延べ効果があります。

適用要件

事業者が次の要件を満たした場合には、「延払基準」により売上計上できます。

図解

延払基準の適用要件

(1) 「資産」又は「請負」のリース譲渡を行っていること。
(2) そのリース譲渡に係る対価の額につき「所得税法」又は「法人税法」上の「延払基準」の方法により経理することとしていること。
(3) この規定の適用を受ける旨を申告書に付記していること。

所得税法・法人税法との適用関係をまとめると、次のとおりです。

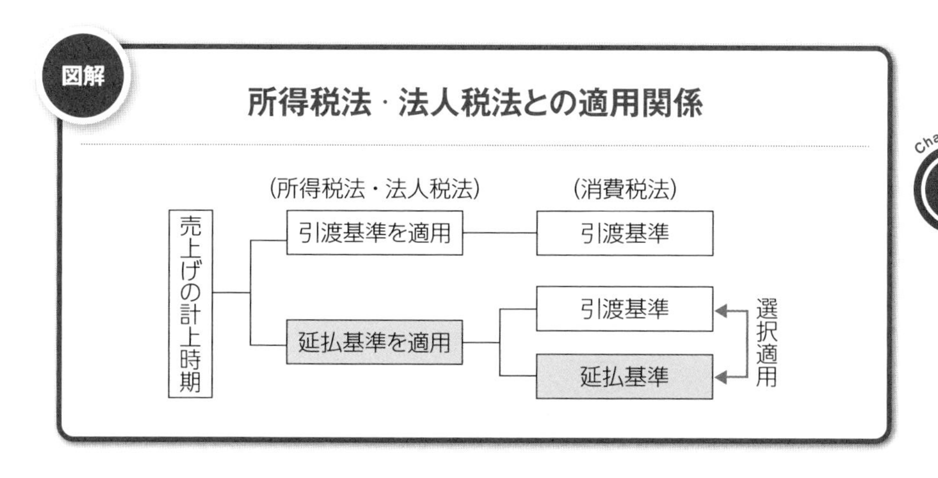

次の例題で、延払基準の計算方法を確認してみましょう。

例題

延払基準の計算方法

問題

当社は、次のリース譲渡を行っている。X1、X2、X3事業年度に売上計上する金額を求めなさい。

なお、当社は、法人税法に規定する延払基準の方法により経理することとしている。また、与えられた金額はすべて税抜金額とする。

販売価額：26,000円

引渡日　：X1年８月31日

回収方法：X1年８月31日を初回に毎月末日 1,000円の26回均等払い。

回収状況：イ　X2年４月30日に回収期日が到来する賦払金につきX2年３月31日に支払いを受けている。

ロ　X3年３月31日に回収期日が到来する賦払金につきX3年４月30日に支払いを受けている。

解答

● 引渡基準と延払基準により計算

原則（引渡基準）

① X1事業年度 26,000円

特例（延払基準）

① X1事業年度 8,000円 ＋ 1,000円（X2.4月分） ＝ 9,000円

② X2事業年度 12,000円 − 1,000円（X2.4月分（前期計上分）） ＝ 11,000円

③ X3事業年度 6,000円

〈計算イメージ〉
回収期限到来基準
＋
現金基準
（期日前回収分を調整）

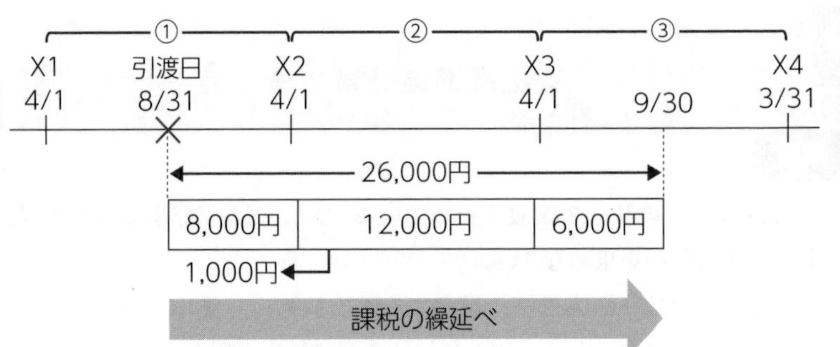

X1

26,000円	1,000円×8回+1,000円=9,000円
	17,000円

X2

17,000円	1,000円×12回−1,000円=11,000円
	6,000円

簿記で習った割賦販売の計算の下書きを応用してもよいでしょう。
どの課税期間の売上高を計算する際でも、手順としてまず、「引渡日の属する課税期間」から計算するとよいでしょう。

延払基準の不適用

リース譲渡について、所得税法・法人税法において延払基準の方法により経理しなかった場合には、それぞれに定める課税期間以後については、その譲渡につき延払基準による売上計上はできません。

リース譲渡に係る資産の譲渡等の時期の特例について、条文では次のように規定されています。

条文

リース譲渡に係る資産の譲渡等の時期の特例

◆ 1 リース譲渡を行った課税期間（法16①）

事業者がリース譲渡を行った場合において、その対価の額につき所得税法又は法人税法に規定する**延払基準**の方法により経理することとしているときは、そのリース譲渡をした日の属する課税期間においてその支払期日が**到来**しない賦払金の額（その課税期間において支払を受けたものを除く。）に係る部分については、その課税期間において資産の譲渡等を行わなかったものと**みなして**、その部分に係る対価の額を、その対価の額から控除することができる。

◆ 2 翌課税期間以後（法16②、令32～33）

リース譲渡をした日の属する課税期間において資産の譲渡等を行わなかったものとみなされた部分は、原則として、その賦払金の支払期日の属する各課税期間においてそれぞれその賦払金に係る部分の資産の譲渡等を行ったものと**みなす**。

ただし、所得税法又は法人税法に規定する**延払基準**の方法により経理しなかった場合には、この限りでない。

問題 >>> 問題編の**問題4**に挑戦しましょう！

工事の請負に係る資産の譲渡等の時期の特例

工事の請負に係る資産の譲渡等の時期の特例を定める趣旨

消費税法における売上げの計上時期は、原則として引渡基準です。

しかし、所得税法・法人税法における取扱いと統一性をもたせ、消費税に関わる事務手数の複雑化を避けるため、特定の工事の請負に係る資産の譲渡等について、一定の要件を満たす場合は、売上げの計上時期について特例を認めています。

工事の請負に係る資産の譲渡等の時期の特例では、事業者が「長期大規模工事」及び一定の要件を満たす「工事」を行った場合には、工事進行基準により売上げを計上することができます。

この規定は、個人事業者と法人に共通して適用されます。

「長期大規模工事」と「工事」の意義

(1) 長期大規模工事とは

長期大規模工事とは、具体的には①工期が**1年以上**、②請負対価の額が**10億円以上**等の要件を満たす工事のことをいいます。

図解

長期大規模工事の意義

① 着手の日からその工事に係る契約において定められている目的物の引渡しの期日までの期間が1年以上であること。

② 請負対価の額が10億円以上であること。

③ その工事に係る契約において、その請負の対価の額の2分の1以上が、その工事の目的物の引渡しの期日から1年を経過する日後に支払われることが定められていないものであること。

上記3つの要件を満たす工事が長期大規模工事となります。
上の図解の③について、ひとことで言えば、あまりにも資金繰りの悪い場合は、長期大規模工事とはならないということです。

(2) 工事とは

工事とは、「長期大規模工事」以外の工事のことをいいます。

図解

工事の意義

「長期大規模工事」以外の工事で、その着工した年（事業年度）中に、その目的物の引渡しが行われないものをいう。

長期大規模工事又は工事のことを、特定工事といいます。

工事進行基準とは

工事進行基準による計算方法を「着工の課税期間から完成引渡し直前課税期間まで」及び「目的物の完成引渡し課税期間」に分けて説明します。

それぞれの課税期間をタイムテーブルで示すと、次のとおりです。

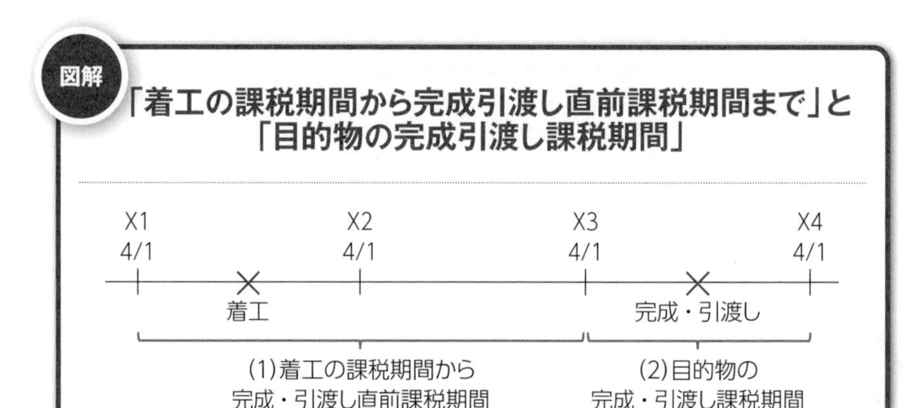

(1) 着工の課税期間から完成引渡し直前課税期間まで

その工事の「当課税期間分の完成部分」を求め、その完成部分について資産の譲渡等が行われたものとして売上計上します。

図解

工事進行基準による「着工の課税期間から完成引渡し直前課税期間まで」の売上計上金額

$$\text{当課税期間末の工事請負対価の額} \times \frac{\text{着工から当課税期間までの実際工事原価累計額}}{\text{当課税期間末の見積工事原価}} - \text{前課税期間までに売上計上済の金額}$$

$\dfrac{\text{着工から当課税期間までの実際工事原価累計額}}{\text{当課税期間末の見積工事原価}}$ のことを工事進捗度といいます。

売上げを「目的物の完成引渡し課税期間」前に計上することで課税の前倒し効果があります。

(2) 目的物の完成引渡し課税期間

目的物の引渡しを行った場合には、直前の課税期間までの各課税期間において、すでに「資産の譲渡等を行ったものとされた部分」の合計額を、その工事の「請負対価の額」から控除した額を売上計上します。

図解

工事進行基準による「目的物の完成引渡し課税期間」の売上計上金額

確定した工事請負対価の額　－　前課税期間までに売上計上済の金額

計上時期

工事進行基準による売上計上時期についてまとめると、次のとおりです。

図解

工事進行基準による売上計上時期

① 個人事業者
その工事進行基準による収入金額が、総収入金額に算入された年の12月31日の属する課税期間

② 法　人
その工事進行基準による収益の額が、益金の額に算入された事業年度終了の日の属する課税期間

「儲け」を構成する金額を、所得税法では「収入金額」といい、法人税法では「益金の額」といいます。

適用要件

事業者が次の要件を満たした場合には、「工事進行基準」により売上計上できます。

図解

工事進行基準の適用要件

(1) 長期大規模工事

① 事業者が「長期大規模工事の請負に係る契約」に基づき資産の譲渡等を行っていること。

② 長期大規模工事の目的物につき、「所得税法」又は「法人税法」上の「工事進行基準」の方法により計算していること。

③ この規定の適用を受ける旨を申告書に付記していること。

※ 「長期大規模工事」においては、所得税法・法人税法上は、「工事進行基準」が**強制適用**されるため、上記②の要件は、必ず満たされることとなる。

(2) 工事

① 事業者が「工事の請負に係る契約」に基づき資産の譲渡等を行っていること。

② 工事の目的物につき、「所得税法」又は「法人税法」上の「工事進行基準」の方法により経理することとしていること。

③ この規定の適用を受ける旨を申告書に付記していること。

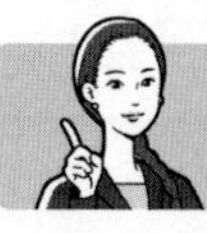

長期大規模工事については、工事進行基準が強制適用され、工事については、経理要件を満たす場合にのみ工事進行基準が適用されます。

所得税法・法人税法との適用関係をまとめると、次のとおりです。

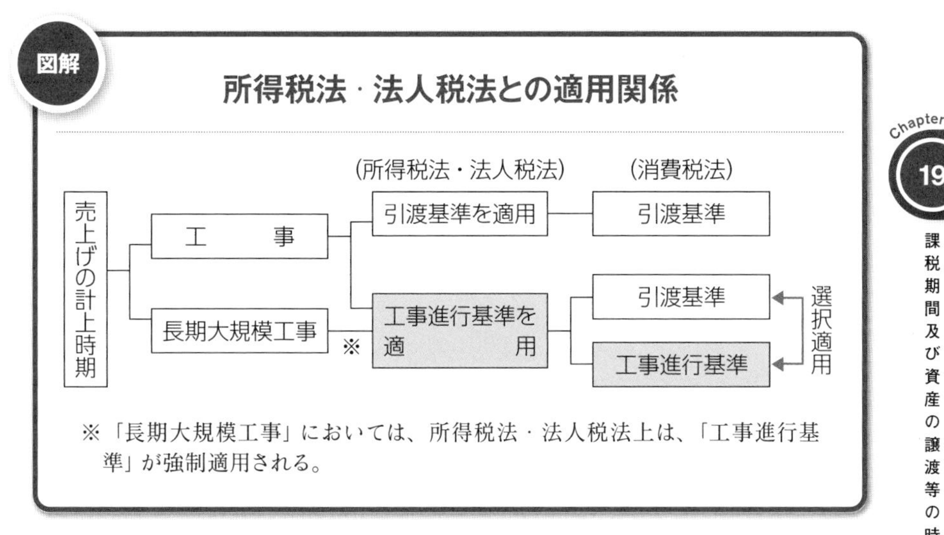

次の例題で、工事進行基準の計算方法を確認してみましょう。

例題

工事進行基準の計算方法

問題

当社は、次の工事の請負（特定工事に該当する。）を行っている。X1、X2、X3事業年度に売上計上する金額を求めなさい。なお、事業年度はいずれも、毎期４月１日から翌年３月31日までとする。

また、当社は、法人税法に規定する工事進行基準の方法により経理することとしており、与えられた金額はすべて税抜金額とする。

請負金額：100,000,000円　着工日：X1年７月10日

引渡日：X3年12月１日

見積工事原価：80,000,000円

実際工事原価：X1期（10,000,000円）X2期（50,000,000円）
　　　　　　　X3期（20,000,000円）

解答

● 引渡基準と工事進行基準により計算

原則（引渡基準）

① X3事業年度　100,000,000円

特例（工事進行基準）

① X1事業年度

$$100{,}000{,}000円 \times \frac{10{,}000{,}000}{80{,}000{,}000} = \underline{12{,}500{,}000}円$$

② X2事業年度

$$100{,}000{,}000円 \times \frac{10{,}000{,}000+50{,}000{,}000}{80{,}000{,}000} - ① = \underline{62{,}500{,}000}円$$

③ X3事業年度

$$100{,}000{,}000円 - (①+②) = \underline{25{,}000{,}000}円$$

【下書き】

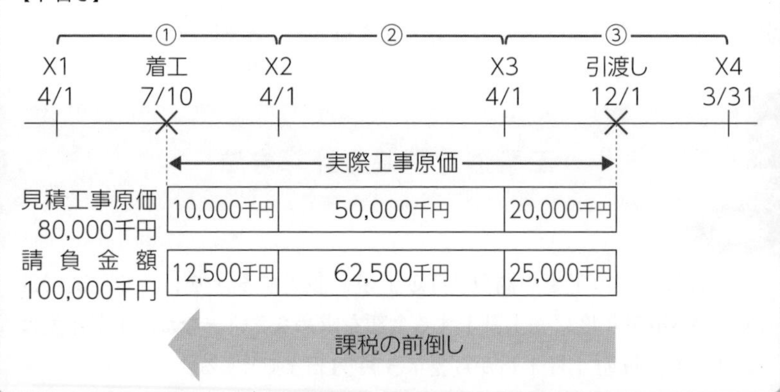

どの課税期間の売上高を計算する際にも、手順としてまず、「着工日の属する課税期間」から計算するとよいでしょう。

工事進行基準の不適用

工事について、所得税法・法人税法において工事進行基準により経理しなかった場合には、それぞれに定める課税期間以後については、その工事につき工事進行基準による売上計上はできません。

工事についてのみ工事進行基準の不適用の規定があります。長期大規模工事については、所得税法・法人税法では工事進行基準が強制適用されるため、不適用の規定はありません。

また、工事進行基準は、納税義務の有無によって適用あるいは、不適用となることはなく、納税義務に変更があった場合にも引き続き適用が受けられます。

さらに、工事進行基準の方法により経理しなかった場合には、経理しなかった決算に係る事業年度終了の日の属する課税期間については、工事進行基準を適用することはできず、その工事に係る目的物の完成引渡し課税期間において、請負対価の残余の額を一括して売上計上します。

図解

工事進行基準の不適用の場合の売上計上金額

工事の請負対価の額　－　不適用となるまでに売上計上済の金額

工事の請負に係る資産の譲渡等の時期の特例について、条文では次のように規定されています。

条文

工事の請負に係る資産の譲渡等の時期の特例

◆ 1　引渡し課税期間の直前課税期間まで（法17①②）

① 長期大規模工事
事業者が長期大規模工事の請負に係る契約に基づき資産の譲渡等を行う場合には、所得税法又は法人税法に規定する**工事進行基準**の方法により計算した収入金額又は収益の額に係る部分については、次の③の課税期間に資産の譲渡等を行ったものとすることが**できる**。

② 工　事
事業者が工事の請負に係る契約に基づき資産の譲渡等を行う場合において、その対価の額につき所得税法又は法人税法に規定する**工事進行基準**の方法により経理することとしているときは、その方法により経理した収入金額又は収益の額に係る部分については、次の③の課税期間に資産の譲渡等を行ったものとすることが**できる**。
ただし、所得税法又は法人税法に規定する**工事進行基準**の方法により経理しなかった場合には、この限りでない。

③ 計上時期
イ　個人事業者
収入金額が総収入金額に算入された年の12月31日の属する課税期間
ロ　法　人
収益の額が益金の額に算入された事業年度終了の日の属する課税期間

◆ 2　引渡し課税期間（法17③）

法17①②の適用を受けた事業者が特定工事（長期大規模工事又は工事をいう。）の目的物の引渡しを行った場合には、その着手日の属する課税期間からその引渡日の属する課税期間の直前課税期間までの各課税期間において資産の譲渡等を行ったものとされた部分については、引渡日の属する課税期間においては資産の譲渡等がなかったものとして、その部分に係る対価の額の合計額を、その特定工事の請負に係る対価の額から控除する。

問題 >>> 問題編の**問題5**に挑戦しましょう！

小規模事業者に係る資産の譲渡等の時期等の特例

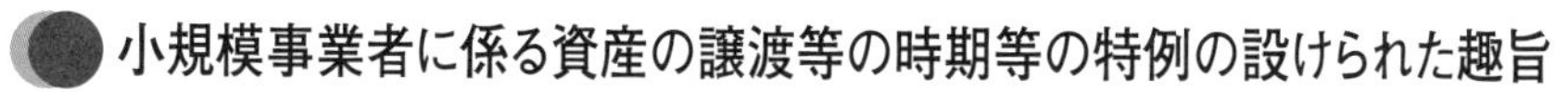

小規模事業者に係る資産の譲渡等の時期等の特例の設けられた趣旨

所得税の計算において、現金基準による処理を認められた者については、同様の処理を消費税においても認めなければ事務手数の複雑化を招いてしまうため、売上げ及び仕入れの計上時期について特例を認めています。

小規模事業者に係る資産の譲渡等の時期の特例では、小規模事業者の売上げ及び仕入れについては、次のとおり現金基準により認識することができます。

図解

小規模事業者の売上げ及び仕入れの認識

- 資産の譲渡等を行った時期
  その資産の譲渡等に係る対価の額を収入した日
- 課税仕入れを行った時期
  その課税仕入れに係る費用の額を支出した日

つまり、現金基準により売上げと仕入れを認識します。

小規模事業者の意義

小規模事業者とは、所得税法に定める「青色申告書」を提出する者で、前々年分の「不動産所得の金額」と「事業所得の金額」との合計額が300万円以下の者のうち、「現金基準による所得計算の特例」の適用を受ける旨の届出書を提出している者等のことをいいます。

適用要件

事業者が次の要件を満たした場合には、「現金基準」により売上計上できます。

図解

適用要件

(1) 個人事業者で、所得税法上「現金基準による所得計算の特例」の適用を受ける旨の届出書を提出している者等であること。
(2) この規定の適用を受ける旨を申告書に付記していること。

確定申告制度・中間申告制度

Chapter 20

確定申告制度・中間申告制度

超重要　重要

Section

消費税の申告制度は、どのようになっているのでしょうか。

Point Check

①確定申告制度とは	課税事業者が、課税期間ごとに、その課税期間の末日の翌日から2月以内に確定申告書を税務署長に提出し、その税額を納付しなければならない制度のこと		
②中間申告制度とは	前課税期間の年税額が48万円を超える課税事業者が、課税期間の中途において中間申告書を税務署長に提出し、その税額を納付しなければならない制度のこと	③中間申告の2つの方法	・前期納税実績による場合 ・仮決算による場合
④前期納税実績による場合	一月中間申告・三月中間申告・六月中間申告のいずれかの方法により中間申告を行わなければならない	⑤任意による六月中間申告	前課税期間の年税額が48万円以下の場合であっても、届出書を提出しているときは中間申告書を提出することができる

確定申告制度

申告納税方式

これまで消費税をいくら納付するのかという消費税の納付税額の計算方法や、誰が消費税を申告・納付するのかという納税義務の判定などを学習してきましたが、これは、国税の納付税額の確定方式に**申告納税方式**が採用されているためです。

申告納税方式とは、納付する税額を自ら計算して申告を行う方式のことをいいます。

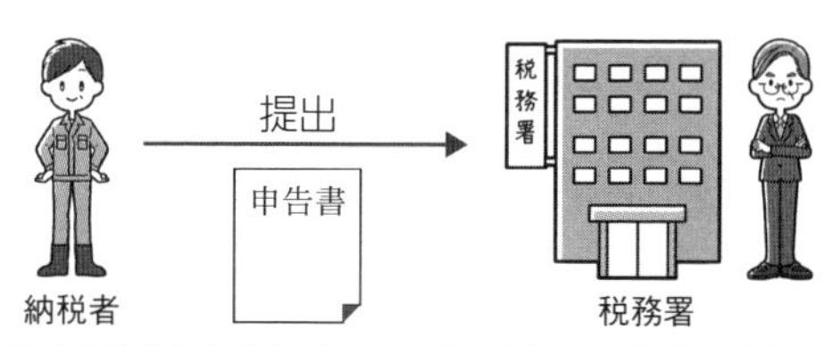

一方、税務署長などの処分によって納付する税額が確定する方式のことを「賦課課税方式」といいます。Chapter19でも、申告納税方式と賦課課税方式についてまとめてあります。

確定申告制度

(1) 確定申告制度とは

確定申告制度とは、課税事業者が、一課税期間に係る消費税の納付税額を計算し、課税期間ごとに、その課税期間の末日の翌日から2月以内に確定申告書を税務署長に提出し、その提出期限までにその消費税額を国に納付しなければならない制度のことをいいます。

また、確定申告制度の下で、一課税期間に係る消費税の納付税額を計算した結果、還付税額があるときは、税務署長から還付されます。

確定申告は、一定の課税事業者に義務付けられています。

一方、Section[2]で説明する「還付を受けるための申告制度」は確定申告書を提出する義務がない場合において、還付を受けるための制度です。

また、適格請求書発行事業者は納税義務があるため、確定申告をしなければなりません。

(2) 提出義務者

消費税の確定申告書の提出義務者は、7.8%課税売上げ・6.24%課税売上げ又は特定課税仕入れがある、又は消費税の申告書において差引税額がある課税事業者です。

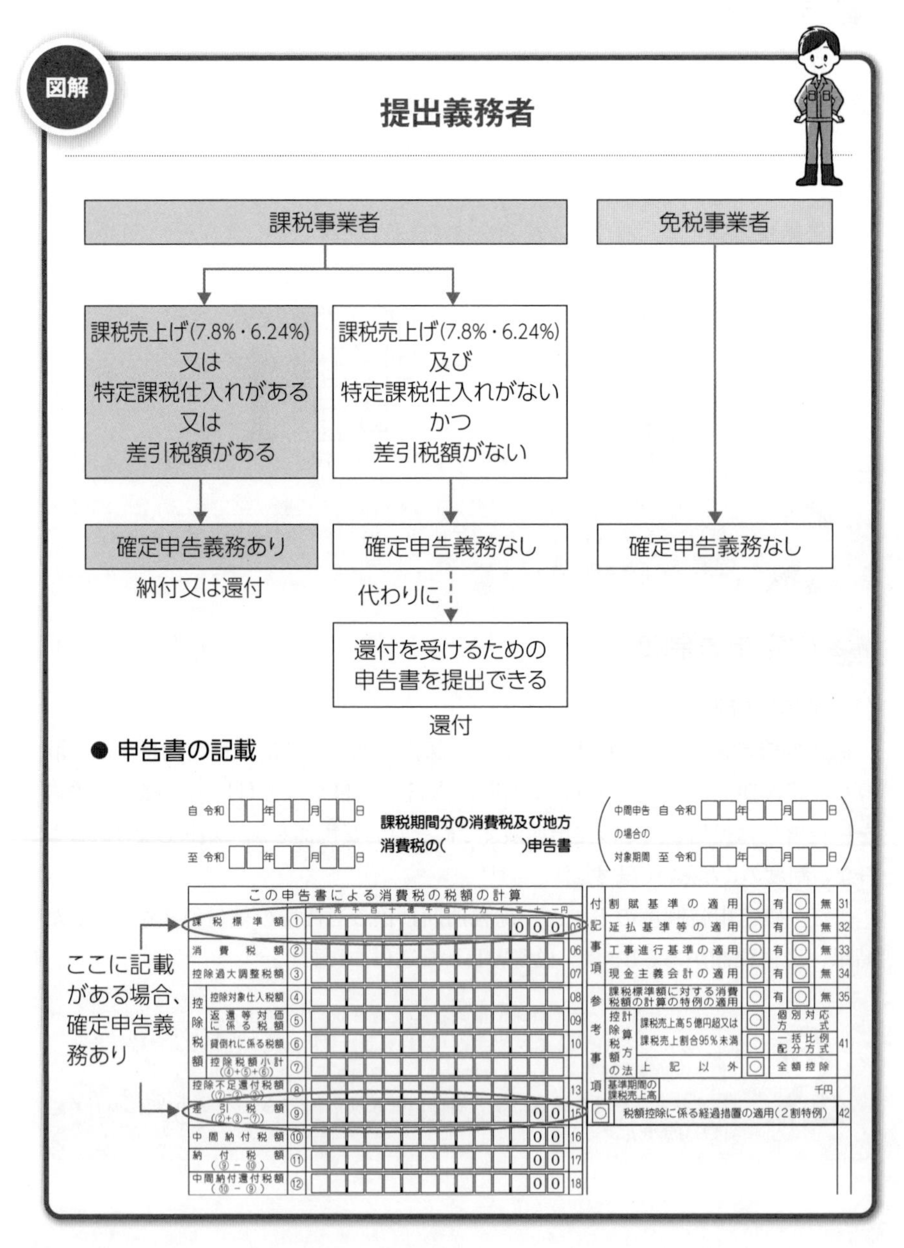

確定申告制度では、誰が申告書を提出するのか（提出義務者）と、いつまでに申告するのか（提出期限）がポイントです。
また、特定課税仕入れについては、Chapter21で学習します。

課税事業者で7.8%課税売上げ・6.24%課税売上げ又は特定課税仕入れがあり、又は差引税額がある者は、確定申告書を提出する義務があります。

一方、免税事業者や、7.8%課税売上げ・6.24%課税売上げ及び特定課税仕入れがなく、かつ、消費税の申告書において差引税額がない者については、確定申告書を提出する義務はありません。

(3) 提出期限

続いて、確定申告書の提出期限について説明します。

① 個人事業者の確定申告書の提出期限

個人事業者については、暦年を課税期間の原則としているため、その提出期限は原則として翌年の**３月31日**とされています。

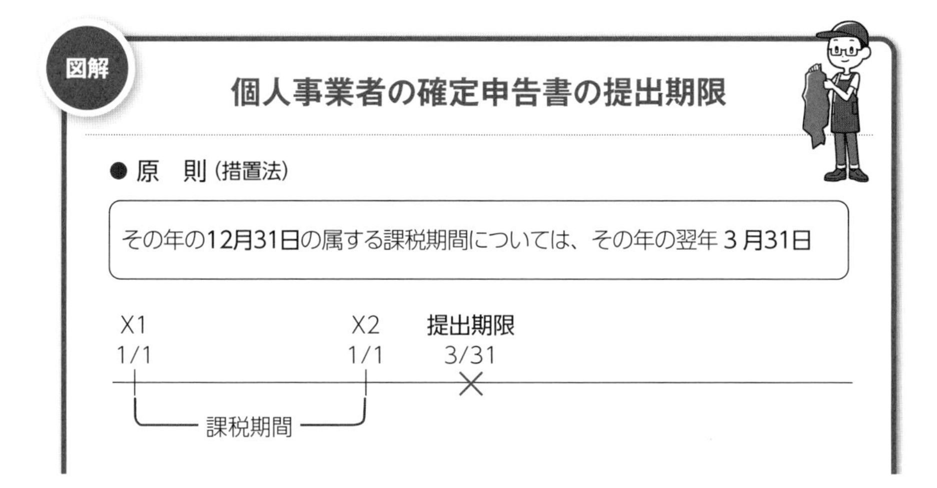

図解
個人事業者の確定申告書の提出期限
● 原　則（措置法）
その年の12月31日の属する課税期間については、その年の翌年３月31日
X1
1/1
X2
1/1
提出期限
3/31
課税期間

● 個人事業者が死亡した場合

相続人が死亡した人に代わって申告書を提出

相続人が、その相続の開始があったことを知った日の翌日から**4月**以内に、その死亡した者の納税地の所轄税務署長に提出しなければならない。

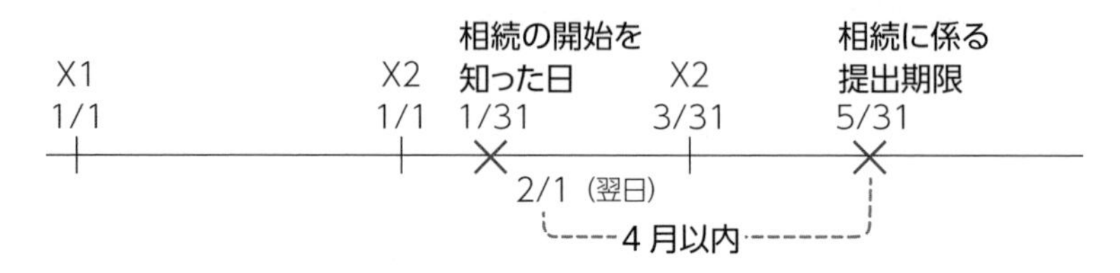

個人事業者がその課税期間の中途で死亡した場合には、相続人が被相続人に代わって申告・納付する規定を設けています。

② 法人の確定申告書の提出期限

法人については、事業年度を課税期間の原則とし、その提出期限は原則としてその課税期間の末日の翌日から**2月以内**とされます。

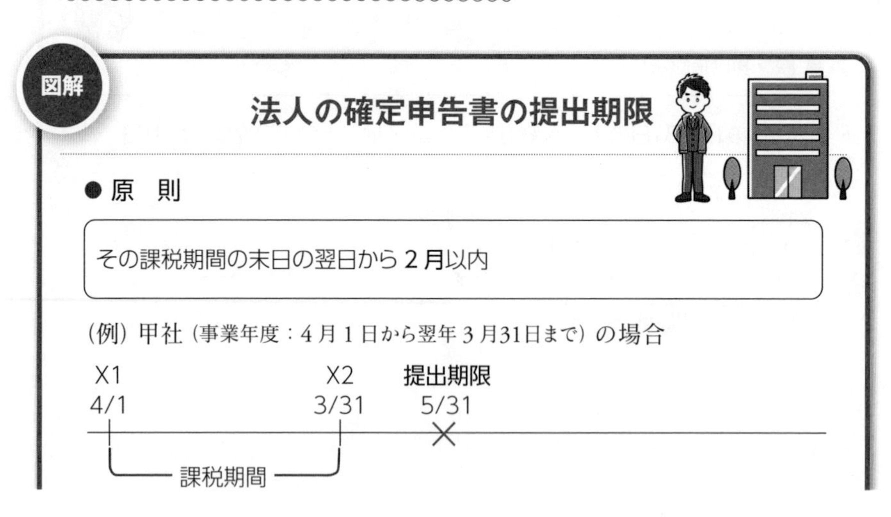

図解
法人の確定申告書の提出期限
● 原 則
その課税期間の末日の翌日から2月以内
（例）甲社（事業年度：4月1日から翌年3月31日まで）の場合
X1
4/1
X2
3/31
提出期限
5/31
課税期間

● 清算中の法人の残余財産が確定した日の属する課税期間の場合

1月以内（1月以内に残余財産の最後の分配等が行われる場合には、その行われる日の前日まで）

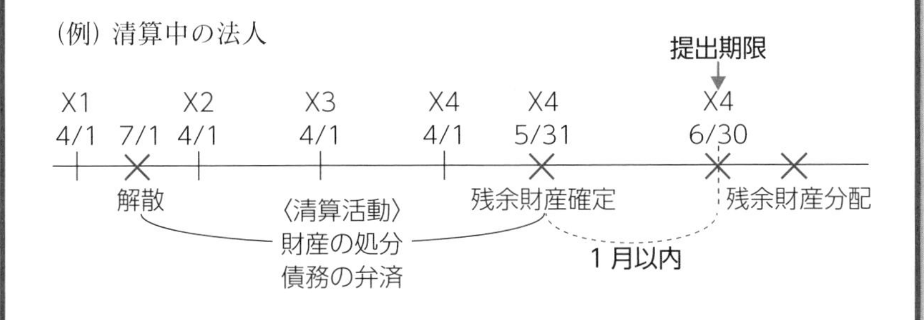

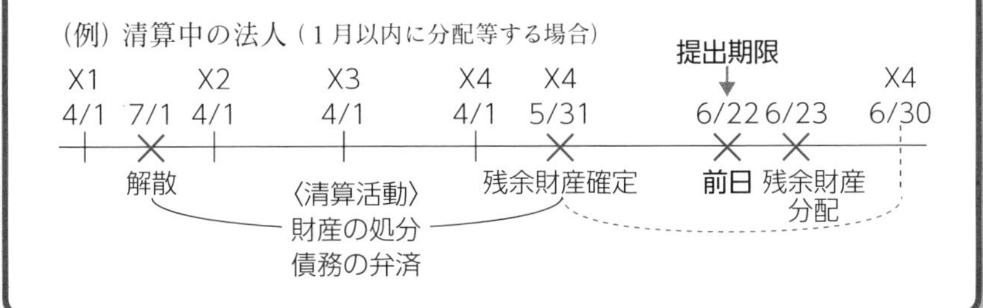

法人が事業をやめると、会社を解散して清算手続きに入ります。財産が残っていれば、それを処分して価値を確定させます。

法人が清算活動をし、残余財産が確定して1ヶ月以内に残余財産の分配が行われる場合には、早めに確定申告書を提出する規定を設けています。

また、Chapter19④申告との関係を合わせて確認しましょう。

(4) 納　付

確定申告書を提出した者は、その**提出期限**までに、その消費税額を**国**に納付しなければなりません。

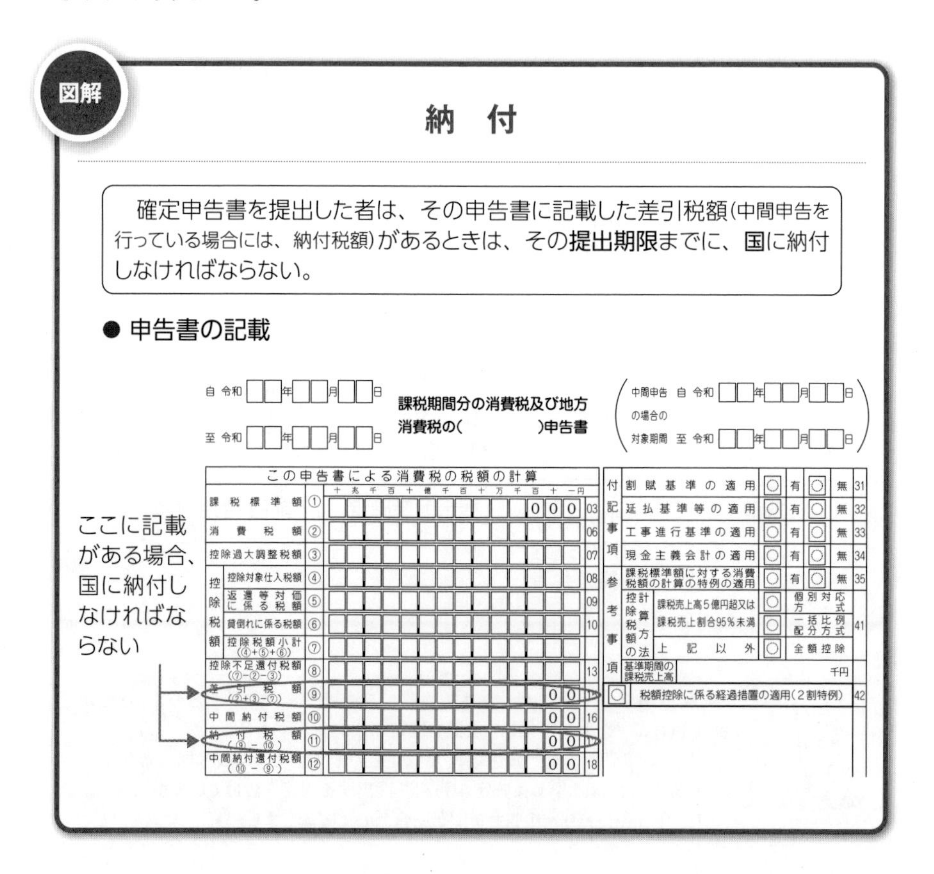

図解

納　付

確定申告書を提出した者は、その申告書に記載した差引税額（中間申告を行っている場合には、納付税額）があるときは、その**提出期限**までに、**国**に納付しなければならない。

● 申告書の記載

自 令和□□年□□月□□日
至 令和□□年□□月□□日
課税期間分の消費税及び地方消費税の（　　　　）申告書
中間申告の場合の対象期間 自 令和□□年□□月□□日 至 令和□□年□□月□□日

この申告書による消費税の税額の計算			
課税標準額	①	000	03
消費税額	②		06
控除過大調整税額	③		07
控除税額 控除対象仕入税額	④		08
控除税額 返還等対価に係る税額	⑤		09
控除税額 貸倒れに係る税額	⑥		10
控除税額 控除税額小計（④+⑤+⑥）	⑦		
控除不足還付税額（⑦−②−③）	⑧		13
差引税額（②+③−⑦）	⑨	00	15
中間納付税額	⑩	00	16
納付税額（⑨−⑩）	⑪	00	17
中間納付還付税額（⑩−⑨）	⑫	00	18

付記事項			
割賦基準の適用	○有	○無	31
延払基準等の適用	○有	○無	32
工事進行基準の適用	○有	○無	33
現金主義会計の適用	○有	○無	34
課税標準額に対する消費税額の計算の特例の適用	○有	○無	35

参考事項			
控除税額の計算方法 課税売上高5億円超又は課税売上割合95%未満	○個別対応方式	○一括比例配分方式	41
控除税額の計算方法 上記以外	○全額控除		
基準期間の課税売上高	千円		
○ 税額控除に係る経過措置の適用（2割特例）			42

ここに記載がある場合、国に納付しなければならない

また、確定申告書には、その課税期間中の**資産の譲渡等の対価の額**及び**課税仕入れ等の税額**の明細その他の事項を記載した書類を**添付**しなければなりません。

預かった消費税額や支払った消費税額についての明細を記載した書類を添付することで、確定申告書に記載された納付税額の裏付けを取っています。
また、確定申告での納税額は「納付税額」に記載された金額です。

(5) 還　付

確定申告書の提出があった場合において、還付税額があるときは、税務署長から還付されます。

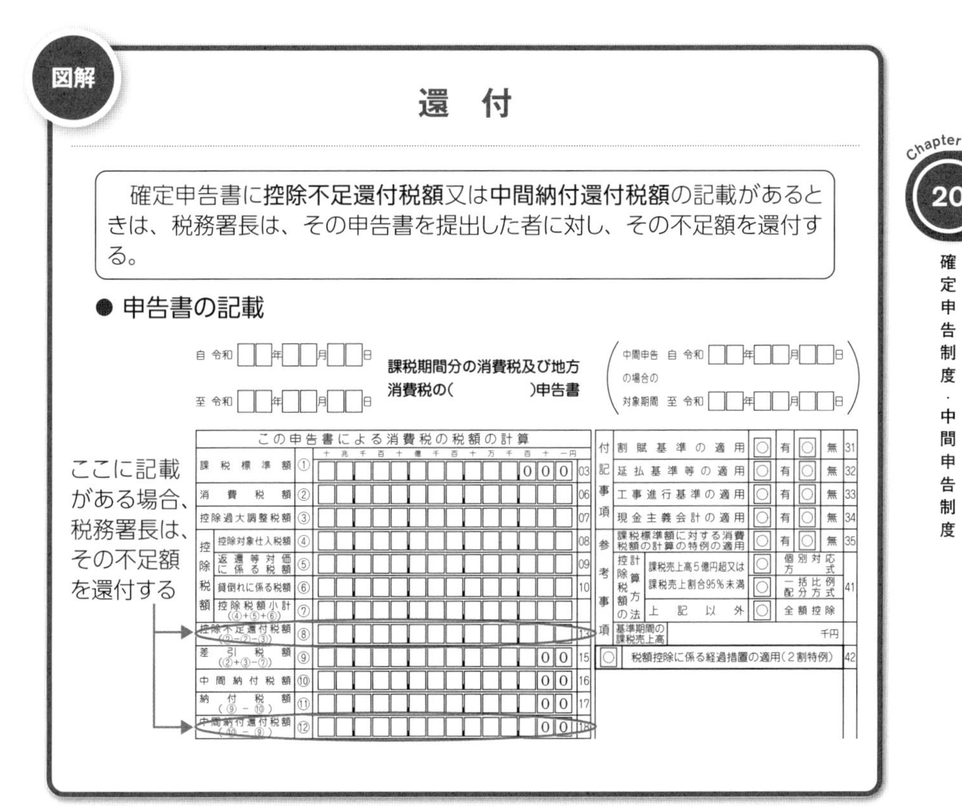

図解

還　付

確定申告書に**控除不足還付税額**又は**中間納付還付税額**の記載があるときは、税務署長は、その申告書を提出した者に対し、その不足額を還付する。

● 申告書の記載

自 令和　年　月　日
至 令和　年　月　日

課税期間分の消費税及び地方消費税の(　　　)申告書

(中間申告の場合の対象期間 自 令和　年　月　日 至 令和　年　月　日)

この申告書による消費税の税額の計算			十兆千百十億千百十万千百十一円	
課税標準額		①	000	03
消費税額		②		06
控除過大調整税額		③		07
控除税額	控除対象仕入税額	④		08
	返還等対価に係る税額	⑤		09
	貸倒れに係る税額	⑥		10
	控除税額小計(④+⑤+⑥)	⑦		
控除不足還付税額(⑦−②−③)		⑧		13
差引税額(②+③−⑦)		⑨	00	15
中間納付税額		⑩	00	16
納付税額(⑨−⑩)		⑪	00	17
中間納付還付税額(⑩−⑨)		⑫	00	18

付記事項	割賦基準の適用		○ 有	○ 無	31
	延払基準等の適用		○ 有	○ 無	32
	工事進行基準の適用		○ 有	○ 無	33
	現金主義会計の適用		○ 有	○ 無	34
参考事項	課税標準額に対する消費税額の計算の特例の適用		○ 有	○ 無	35
	控除税額の計算方法	課税売上高5億円超又は課税売上割合95%未満	○ 個別対応方式		41
			○ 一括比例配分方式		
		上記以外	○ 全額控除		
	基準期間の課税売上高		千円		
○	税額控除に係る経過措置の適用(2割特例)				42

ここに記載がある場合、税務署長は、その不足額を還付する

預かった消費税額よりも支払った消費税額が多い場合や、差引税額よりも中間納付税額が多い場合には、国から還付されます。

図解

法人の確定申告書の提出期限の特例

法人税の確定申告書の提出期限の延長の特例の適用を受ける法人が、
「**消費税申告期限延長届出書**」を提出した場合

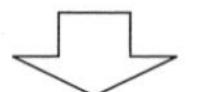

当該提出日の属する事業年度以後の各事業年度終了の日の属する
課税期間に係る**消費税申告書の提出期限**については、
原則にかかわらず、その課税期間の末日の翌日から**3月**以内とする。

(例) A株式会社の消費税の確定申告書の提出期限

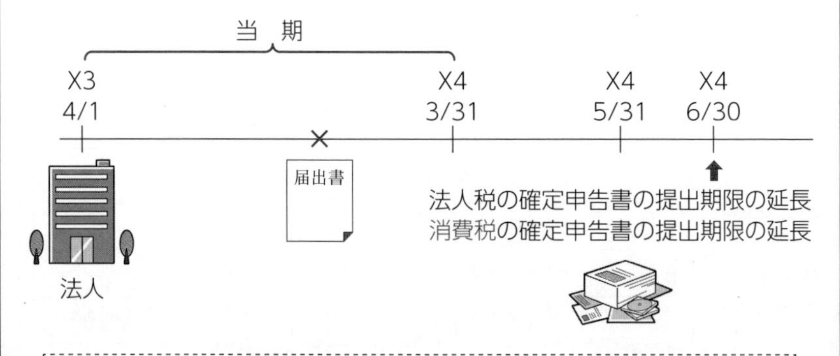

原則として、消費税の課税期間は法人の事業年度です。

上の例では、課税期間がX3年4月1日～X4年3月31日のA株式会社の消費税の確定申告書の提出期限について、原則的には、その課税期間の末日であるX4年3月31日の翌日から2月以内、X4年5月31日までに一定の事項を記載した確定申告書を税務署長に提出しなければなりません。

しかし、特例により「消費税申告期限延長届出書」を提出し、この特例の適用を受ける場合には、法人税の確定申告書の提出期限の延長が認められている場合と同じく、X4年6月30日まで消費税の確定申告書の提出期限を延長することが認められます。

要するに、この特例は、法人税の確定申告書の提出期限の延長が認められている場合には、それに合わせて消費税の確定申告書の提出期限の延長も認めるというものです。消費税の納付税額が確定してからでないと、正確な法人税の納付税額の計算は難しいのですね。ただし、延長された期間については利子税を納付しなければなりません。

また、この特例は、令和３年３月31日以後に終了する事業年度の末日の属する課税期間から適用されています。

図解

電子情報処理組織による申告の特例

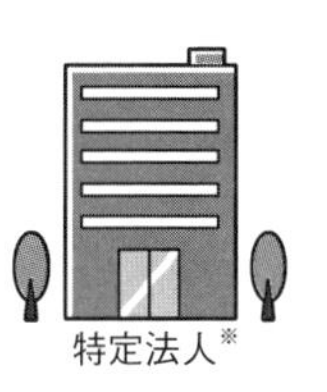

※　特定法人とは

- 事業年度開始の時における資本金の額又は出資の金額が１億円を超える法人（外国法人を除く。）
- 相互会社
- 投資法人
- 特定目的会社
- 国・地方公共団体

特定法人について電子情報処理組織（e-Tax）による申告が義務付けられています。

特定法人とは、事業年度開始の時における資本金の額又は出資の金額が１億円を超える法人（外国法人を除く。）、相互会社、投資法人、特定目的会社、国・地方公共団体のことをいいます。

この特例は令和２年４月１日以後開始する課税期間から適用されています。また、すでに令和５年10月１日から開始されているインボイス制度に伴う登録申請手続等もe-Taxにより行うことができます。インボイス制度について、詳しくはChapter22で説明します。

確定申告制度について、条文では次のように規定されています。

条文

確定申告制度

◆ 内　容（法45①、措法86の4①）

事業者（免税事業者を除く。）は、**課税期間**ごとに、その課税期間の末日の翌日から**2月**以内に、一定の事項を記載した確定申告書を税務署長に提出しなければならない。

ただし、国内における**課税資産の譲渡等**（消費税が免除されるものを除く。）及び**特定課税仕入れ**がなく、かつ、**差引税額**がない課税期間については、この限りでない。

なお、個人事業者のその年の12月31日の属する課税期間に係る確定申告書の提出期限は、その年の翌年**3月31日**とする。

◆ 提出期限の特例

① 個人事業者が死亡した場合（法45②③）

相続人は、次のイ又はロの場合には、その相続の開始があったことを知った日の翌日から**4月**以内に、税務署長に確定申告書を提出しなければならない。

イ　確定申告書を提出すべき個人事業者がその課税期間の末日の翌日からその提出期限までの間に提出しないで死亡した場合

ロ　個人事業者が課税期間の中途に死亡した場合において、その課税期間分の消費税について確定申告書を提出しなければならない場合

② 法人の残余財産が確定した場合（法45④）

清算中の法人の**残余財産**が確定した場合には、その確定日の属する課税期間に係る確定申告書の提出期限は、その課税期間の末日の翌日から**1月**以内（その翌日から1月以内に残余財産の最後の分配等が行われる場合には、その行われる日の前日まで）とする。

◆ 添付書類（法45⑥）

その課税期間中の**資産の譲渡等の対価の額**及び**課税仕入れ等の税額**の明細その他の事項を記載した**書類**を添付しなければならない。

◆ 記載事項 (法45①)

① 課税標準額
② **税率**の異なるごとに区分した課税標準額に対する消費税額
③ 控除税額
　イ　仕入れに係る消費税額
　ロ　売上げに係る対価の返還等の金額に係る消費税額
　ハ　特定課税仕入れに係る対価の返還等を受けた金額に係る消費税額
　ニ　貸倒れに係る消費税額
④ 差引税額
⑤ 控除不足還付税額
⑥ 納付税額
⑦ 中間納付還付税額
⑧ 上記金額の計算の基礎その他の事項

◆ 法人の確定申告書の提出期限の特例 (法45の2①～⑤)

確定申告書(以下「消費税申告書」という。)を提出すべき**法人**(注)が、**申告期限延長届出書**を納税地の所轄税務署長に提出した場合には、その提出日の属する事業年度以後の各事業年度(一定のものに限る。)終了の日の属する課税期間に係る消費税申告書の提出期限については、原則にかかわらず、その課税期間の末日の翌日から**3月**以内とする。
(注)法人税法による確定申告書の提出期限の延長の特例の適用を受ける**法人**に限る。

◆ 納　付 (法49)

確定申告書を提出した者は、その申告書に記載した差引税額(中間申告を行っている場合には、納付税額)があるときは、その**提出期限**までに、その消費税額を**国**に納付しなければならない。

◆ 還　付 (法52①、法53①)

確定申告書の提出があった場合において、**控除不足還付税額**又は**中間納付還付税額**の記載があるときは、税務署長は、その者に対し、その不足額を還付する。

条文では、課税事業者を「事業者(免税事業者を除く。)」と規定しています。
また、条文で「～しなければならない」とあるものは義務となります。
あわせて、「法人の確定申告書の提出期限の特例(法45の2)」、「電子情報処理組織による申告の特例(法46の2)」の条文も確認しておきましょう。

国税通則法に規定する申告手続

(1) 概　要

そもそも消費税は国税であるため、所得税や法人税など他の国税と同様に、申告や納付について共通に定められた法律（**国税通則法**）に従わなければなりません。

国税通則法とは、国税に関する申告及び納付の基本的な概念について定められた法律のことをいい、消費税などの各税法よりも上位の概念になります。

「国税通則法」に規定する申告手続には、申告・納付をする「納税義務者」（＝納税者）と、申告書や税金を受け取ったり税額を決定したりする「税務署長」という２つの立場の人が登場します。

(2) 納税者の手続

国税通則法に規定する納税者側の手続は、次のとおりです。

図解

国税通則法に規定する申告手続（納税者側）

名　称	内　容
期限内申告書	手　続：納税義務が成立した場合に提出しなければならない 期　限：法定申告期限 提出先：税務署長
期限後申告書	手　続：「期限内申告書」を提出すべき者が、法定申告期限までに提出しなかった場合に提出できる 期　限：「決定」を受けるまで 提出先：税務署長
修正申告書	手　続：確定税額につき不足が生じた場合に提出できる 期　限：①「期限内申告書」「期限後申告書」を提出した者 …「更正」があるまで ②「更正」「決定」を受けた者 …「再更正」があるまで 提出先：税務署長

更正の請求	手　続：「期限内申告書」「期限後申告書」を提出した者は、確定税額が過大となった場合に請求できる 提出先：税務署長

更正とは、納税者の申告に誤りがある場合に税務署長が訂正を加えることをいいます。したがって、更正の請求とは、税務署長に訂正をお願いする（請求する）ことをいいます。

(3) 税務署長の手続

国税通則法に規定する税務署長側の手続は、次のとおりです。

図解

国税通則法に規定する申告手続（税務署長側）

名　称	内　容
更　正 再更正	納税義務者が「期限内申告書」「期限後申告書」「修正申告書」を提出した場合に、その税額に過不足があるとき、税務署長がその税額を更正することをいう。 一度更正されたものについて再び行う場合は、再更正という。
決　定	申告書を提出すべき者が、提出しなかった場合において、税務署長がその税額を決定することをいう。

「～しなければならない」という義務なのか、「～できる」という任意規定なのかに注意しましょう。

(4) 国税通則法に規定する「税額確定までの流れ」

納税義務者が申告書を提出してから税額確定までの流れをまとめると、次のとおりです。

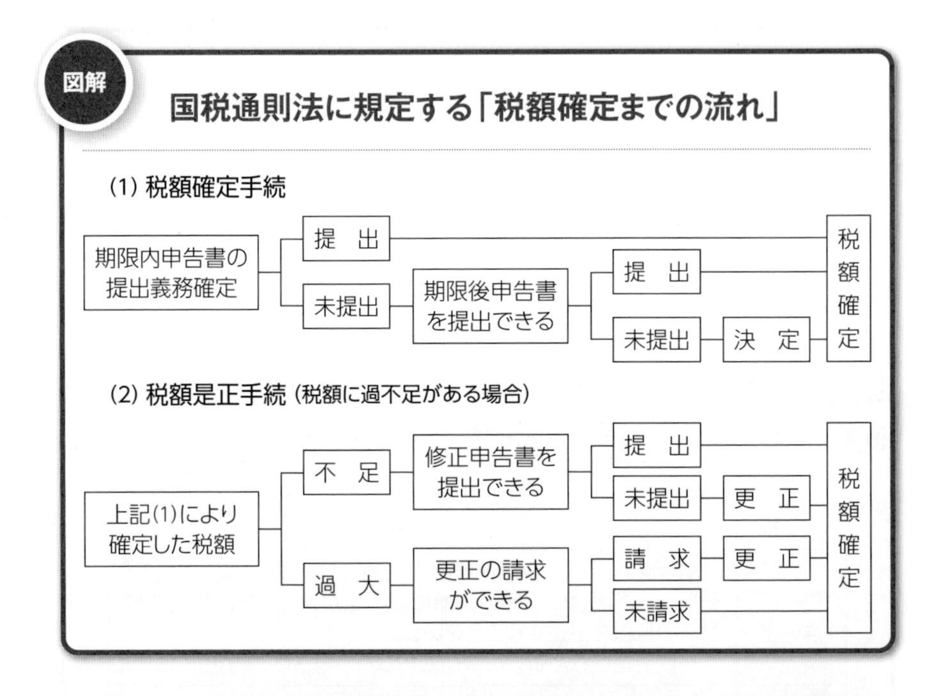

申告及び納付の基本的な概念が「国税通則法」に規定され、その上で消費税法などの各税法の申告の規定が定められているため、「国税通則法」は、税法を学習する上での常識として理解しておいてください。

ただし、本試験では、消費税法の申告規定が出題されます。

還付を受けるための申告制度

還付を受けるための申告制度

(1) 還付を受けるための申告制度とは

還付を受けるための申告制度とは、確定申告書の**提出義務がない課税事業者**であっても消費税額を計算した結果、消費税の還付を受けられるような場合には、その還付を受けるために、申告書を提出することができる制度のことをいいます。

「還付を受けるための申告制度」は「確定申告制度」とは別に設けられています。

(2) 提出可能者

消費税の還付を受けるための申告書の提出可能者は、確定申告書を提出する義務のない課税事業者で、具体的には7.8%課税売上げ・6.24%課税売上げ及び特定課税仕入れがない、かつ、消費税の申告書において差引税額がない課税事業者です。

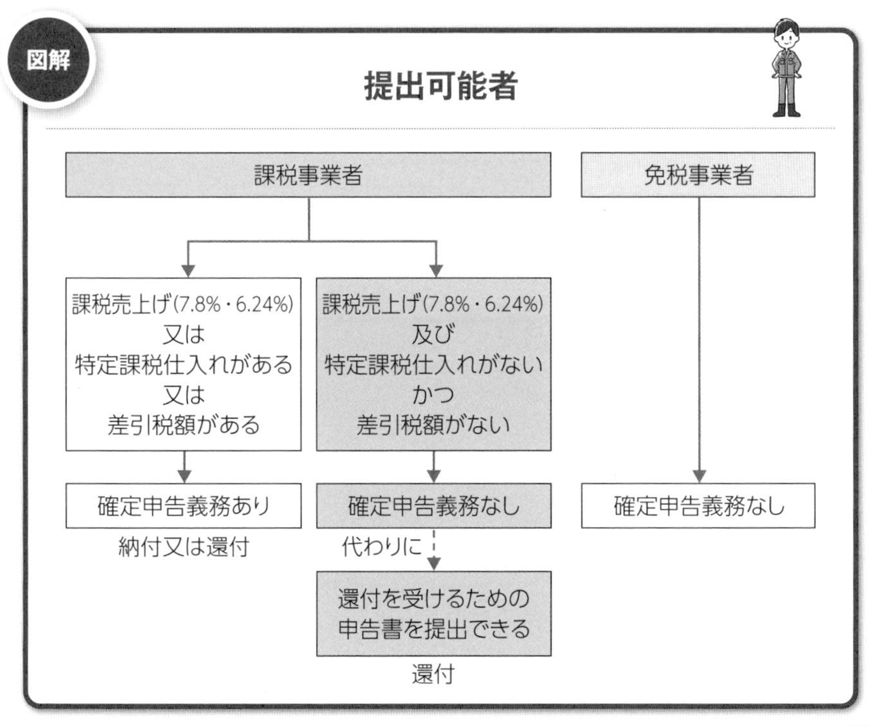

「還付を受けるための申告制度」では、誰が申告書を提出できるのか（提出可能者）がポイントです。

還付を受けるための申告書の提出があった場合、還付税額があるときは、税務署長から還付されます。

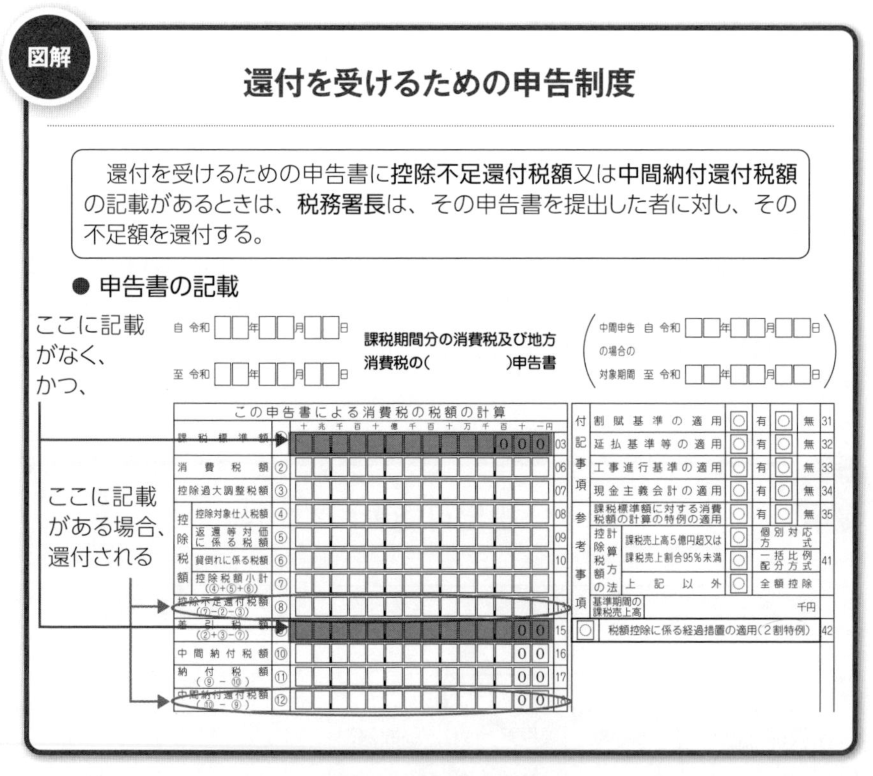

還付税額があるときというのは、端的に言えば、預かった消費税額よりも支払った消費税額の方が大きい場合のことをいいます。

国税通則法により定められている還付金等の消滅時効は5年とされています。

なお、控除不足還付税額は差引税額と異なり、「百円未満切捨」はしません。

また、還付を受けるための申告書には、その課税期間中の**資産の譲渡等の対価の額**及び**課税仕入れ等の税額**の明細その他の事項を記載した書類を添付しなければなりません。

中間申告制度

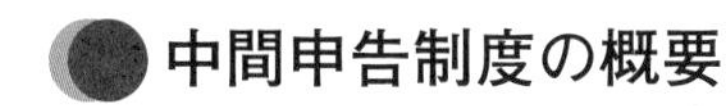

中間申告制度の概要

(1) 中間申告制度とは

消費税は間接税であるため、事業者が受け取る税額（預かった消費税）は一時的に預かっているにすぎません。したがって、預かった消費税は、できるだけ早く国に納付されることが望ましいといえます。

そこで、事業者に課税期間の中途において、**事業規模（前期納税実績）に応じた**中間申告義務を負わせています。このような制度のことを**中間申告制度**といいます。

このため事業者が納付すべき消費税額は、通常、中間申告と確定申告により複数回に分けて国に納付されることになります。

中間申告制度の趣旨は、1年より短い期間で申告するという意味では、Chapter19で学習した「課税期間の特例」が定められている趣旨と同じです。

まずは、中間申告制度の概要から見ていきましょう。中間申告制度のイメージを示すと、次のとおりです。

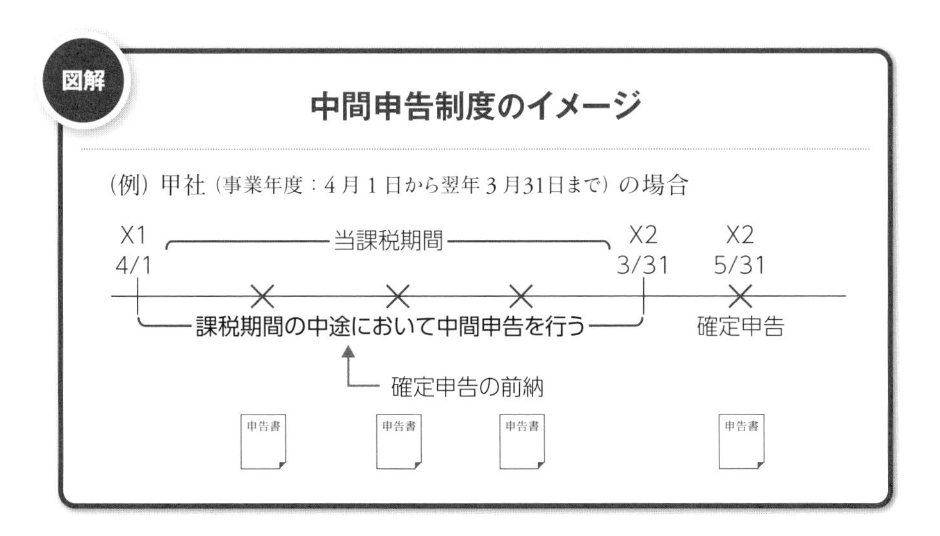

中間申告には、中間申告を行う計算対象期間が一月ごと、三月ごと、六月ごとの３つあり、各中間申告対象期間の末日の翌日から２月以内に、一定の事項を記載した申告書を税務署長に提出しなければなりません。

(2) 提出義務者

中間申告書の提出義務者は、前課税期間の消費税の年税額（≒前期の差引税額）が48万円を超える課税事業者です。

図解

提出義務者

課税事業者の前課税期間（個人の場合は前年、法人の場合は前事業年度）の消費税の年税額が48万円を超える者

※　提出不要者
①　免税事業者
②　課税期間特例選択・変更届出書を提出している事業者
③　前期納税実績がない事業者　など

前課税期間の年税額が48万円を超える課税事業者は中間申告書を提出しなければなりません。ただし、48万円以下の場合でも任意で中間申告書を提出することができます。詳しくは、後で説明します。

また、課税期間特例選択・変更届出書については、Chapter19③各種届出書を参照して下さい。

(3) 提出期限

中間申告書の提出期限は、次のとおりです。

条文

提出期限

原則として、各中間申告対象期間の末日の翌日から２月以内

(4) 納　付

中間申告による納付については、次のとおりです。

条文

納　付

中間申告書を提出した者は、その申告書に記載した金額があるときは、その**提出期限**までに、**国**に納付しなければならない。

また、中間申告書には、中間納付税額及びその計算の基礎その他の事項を記載します。

中間申告の方法

中間申告の方法には、**前期納税実績による場合**と**仮決算による場合**の2つの方法があります。

前期納税実績による場合の中間申告とは、前期納税実績に基づき中間納付税額を計算する方法です。また、**仮決算による場合の中間申告**とは、中間申告対象期間を一課税期間とみなして確定申告に準じた方法により中間納付税額を計算する方法です。

まとめると、次のとおりです。

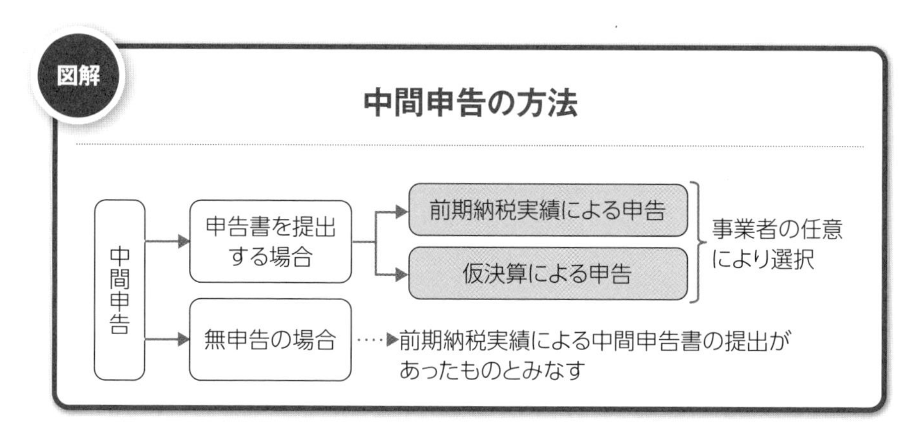

前期納税実績による申告と仮決算による申告は、事業者の任意でどちらかを選択できます。

前期納税実績による場合の中間申告

(1) 概　要

前期納税実績による場合の中間申告では、事業規模（前期納税実績）により申告回数と納付税額が決められます。事業規模は、直前期確定税額（差引税額）がどれくらいあるかにより判定されます。

ここで改めて申告書における差引税額の記載箇所を確認してみましょう。

図解

申告書における差引税額の記載箇所

自 令和□□年□□月□□日
至 令和□□年□□月□□日

課税期間分の消費税及び地方消費税の（　　　　　）申告書

（中間申告の場合の対象期間　自 令和□□年□□月□□日　至 令和□□年□□月□□日）

この申告書による消費税の税額の計算		十 兆 千 百 十 億 千 百 十 万 千 百 十 一円	
課税標準額	①	000	03
消費税額	②		06
控除過大調整税額	③		07
控除税額　控除対象仕入税額	④		08
控除税額　返還等対価に係る税額	⑤		09
控除税額　貸倒れに係る税額	⑥		10
控除税額　控除税額小計（④+⑤+⑥）	⑦		
控除不足還付税額（⑦−②−③）	⑧		13
差引税額（②+③−⑦）	⑨	00	[illegible]
中間納付税額	⑩	00	16
納付税額（⑨−⑩）	⑪	00	17
中間納付還付税額（⑩−⑨）	⑫	00	18

前期の確定申告書の差引税額を確認

付記事項			
割賦基準の適用	○有	○無	31
延払基準等の適用	○有	○無	32
工事進行基準の適用	○有	○無	33
現金主義会計の適用	○有	○無	34
課税標準額に対する消費税額の計算の特例の適用	○有	○無	35

参考事項			
控除税額の計算方法　課税売上高5億円超又は課税売上割合95％未満	○個別対応方式 / ○一括比例配分方式		41
控除税額の計算方法　上記以外	○全額控除		
基準期間の課税売上高	千円		
○税額控除に係る経過措置の適用（２割特例）			42

前期納税実績による場合の中間申告の概要をまとめると、次のとおりです。

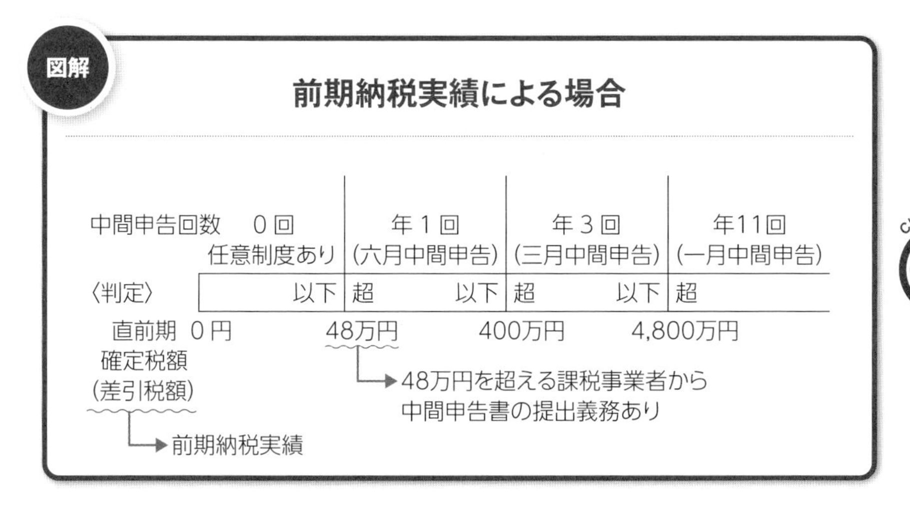

前期納税実績による場合の判定は、直前期確定税額を基に行います。48万円超400万円以下のときは年1回の六月中間申告をします。400万円超4,800万円以下のときは年3回の三月中間申告をします。そして、4,800万円超のときは年11回の一月中間申告をします。

つまり、前期納税実績による直前の課税期間の確定消費税額（＝前期差引税額）から中間申告回数が決まり、これを基に、中間納付税額が計算される仕組みになっています。

本試験では、下の図解のように簡単なボックスを書いて一月中間申告か、三月中間申告か、六月中間申告かを判定することになります。

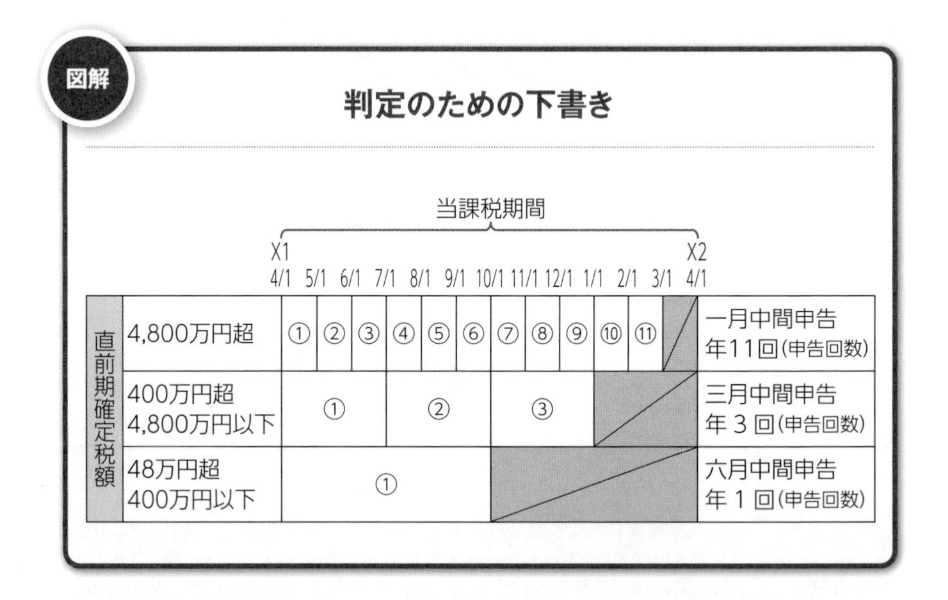

図解

判定のための下書き

当課税期間 X1 4/1 〜 X2 4/1

直前期確定税額	4/1	5/1	6/1	7/1	8/1	9/1	10/1	11/1	12/1	1/1	2/1	3/1	
4,800万円超	①	②	③	④	⑤	⑥	⑦	⑧	⑨	⑩	⑪		一月中間申告 年11回(申告回数)
400万円超 4,800万円以下	①			②			③						三月中間申告 年3回(申告回数)
48万円超 400万円以下	①												六月中間申告 年1回(申告回数)

このように、前期納税実績に応じて中間申告回数、提出期限、納付税額が決められます。前期納税額が多ければ、当期の予定納税である中間申告回数も増える点が特徴です。

上の図解では、分かりやすくするため、前期納税実績を示す直前期確定税額を書いていますが、実際に判定をする際は、それぞれの中間申告を行う期間における直前期確定税額の最低金額を基準金額として使います。

具体的には、一月中間申告は4,800万円÷12ヶ月＝400万円なので１ヶ月あたり400万円で判定します。また、三月中間申告は400万円÷12ヶ月×３ヶ月≒100万円なので３ヶ月あたり100万円で判定します。さらに、六月中間申告は48万円÷12ヶ月×６ヶ月＝24万円なので６ヶ月あたり24万円で判定します。

(2) 中間申告対象期間

前期納税実績による**直前の課税期間の確定消費税額**から、中間申告回数が決まると、中間納付税額を計算するために、中間申告を行う対象期間（**中間申告対象期間**という。）が決まります。

中間申告対象期間は３種類あり、それぞれの課税期間についてイメージをまとめると、次のとおりです。

図解

中間申告対象期間

（事業年度：4/1 ～ 3/31の法人を前提）

● 一月中間申告対象期間

課税期間開始の日以後１月ごとに区分した各期間

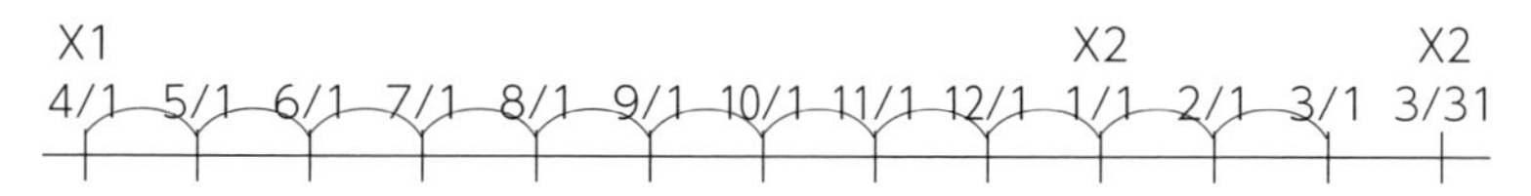

● 三月中間申告対象期間

課税期間開始の日以後３月ごとに区分した各期間

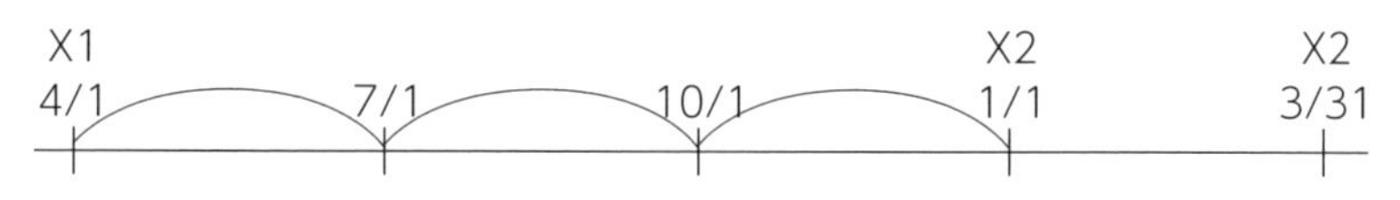

● 六月中間申告対象期間

課税期間開始の日以後６月の期間

※　最後の期間は確定申告を行うため、中間申告の対象期間からは除かれます。

(3) 判定上の留意点

「直前の課税期間の確定消費税額」とは、基本的には前期の差引税額のことをいいます。ただし、前期の確定申告に誤りがあり、当期に修正申告などをする場合は、「直前の課税期間の確定消費税額」は修正後の金額になります。

詳しくは、後述の「● 直前の課税期間の確定消費税額が増減した場合」にて説明します。

また、「直前の課税期間の確定消費税額」による判定には順序があり、まず、頻繁に納税される「一月中間申告」からはじめて、「三月中間申告」・「六月中間申告」の順に行います。

(4) 確定申告書での記載

ここで改めて確定申告書における中間納付税額の記載箇所を確認してみましょう。

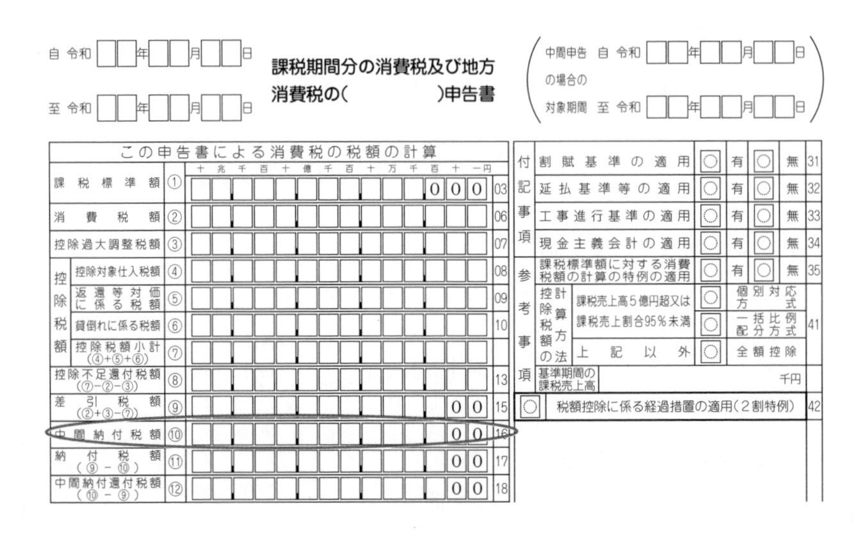

自 令和 年 月 日
至 令和 年 月 日

課税期間分の消費税及び地方消費税の(　　　　)申告書

中間申告の場合の対象期間 自 令和 年 月 日 至 令和 年 月 日

この申告書による消費税の税額の計算		十兆千百十億千百十万千百十一円	
課税標準額	①	000	03
消費税額	②		06
控除過大調整税額	③		07
控除税額 控除対象仕入税額	④		08
控除税額 返還等対価に係る税額	⑤		09
控除税額 貸倒れに係る税額	⑥		10
控除税額 控除税額小計(④+⑤+⑥)	⑦		
控除不足還付税額(⑦−②−③)	⑧		13
差引税額(②+③−⑦)	⑨	00	15
中間納付税額	⑩	00	16
納付税額(⑨−⑩)	⑪	00	17
中間納付還付税額(⑩−⑨)	⑫	00	18

付記事項			
割賦基準の適用	○ 有	○ 無	31
延払基準等の適用	○ 有	○ 無	32
工事進行基準の適用	○ 有	○ 無	33
現金主義会計の適用	○ 有	○ 無	34
参考事項			
課税標準額に対する消費税額の計算の特例の適用	○ 有	○ 無	35
控除税額の計算方法 課税売上高5億円超又は課税売上割合95%未満	○ 個別対応方式	○ 一括比例配分方式	41
控除税額の計算方法 上記以外	○ 全額控除		
基準期間の課税売上高	千円		
○ 税額控除に係る経過措置の適用(2割特例)			42

問題 >>> 問題編の**問題1**に挑戦しましょう!

一月中間申告

一月中間申告は、「直前の課税期間の確定消費税額」の1ヶ月あたりの税額が400万円を超えると判定された場合に適用されます。一月中間申告では、年11回申告をすることになります。確定申告書に記載される中間納付税額は、その課税期間に納付した年11回の中間申告による納付税額をすべて合計して求めます。

一月中間申告の具体的な内容をまとめると、次のとおりです。

図解

一月中間申告

● 判定と税額

(1) 判定 ⟶ 直前の課税期間の確定消費税額の1ヶ月あたりの税額により判定

$$\frac{\text{直前の課税期間の確定消費税額}}{\text{直前の課税期間の月数}} = A > 4{,}000{,}000\text{円} \quad \therefore \text{適用あり}$$

直前の課税期間の月数 ⟶ 通常12月　　A ↓ 1ヶ月分が400万円超

(2) 中間納付税額
A（百円未満切捨）× 11回 ＝ ×××

● 直前の課税期間の確定消費税額 ⟶ 判定の基礎となる金額

直前の課税期間に係る確定消費税額で**確定日**までに確定したものをいう。
（直前の課税期間に係る確定消費税額 ← 前期納税実績額（修正申告等があった場合は修正後の金額））

● 確定日 ⟶ 判定の基礎となる金額を確定させる日

次の区分に応じそれぞれの日をいう。

① その課税期間開始の日から２月を経過した日の前日までの間に終了した一月中間申告対象期間
…その課税期間開始の日から２月を経過した日の前日

② ①以外の一月中間申告対象期間
…その一月中間申告対象期間の末日

（例）甲社（事業年度：４月１日から翌年３月31日まで）の場合

● 提出期限

一月中間申告対象期間の末日の翌日(※)から2月以内

※ 一月中間申告対象期間がその課税期間開始の日以後1月の期間である場合には、その課税期間開始の日から2月を経過した日

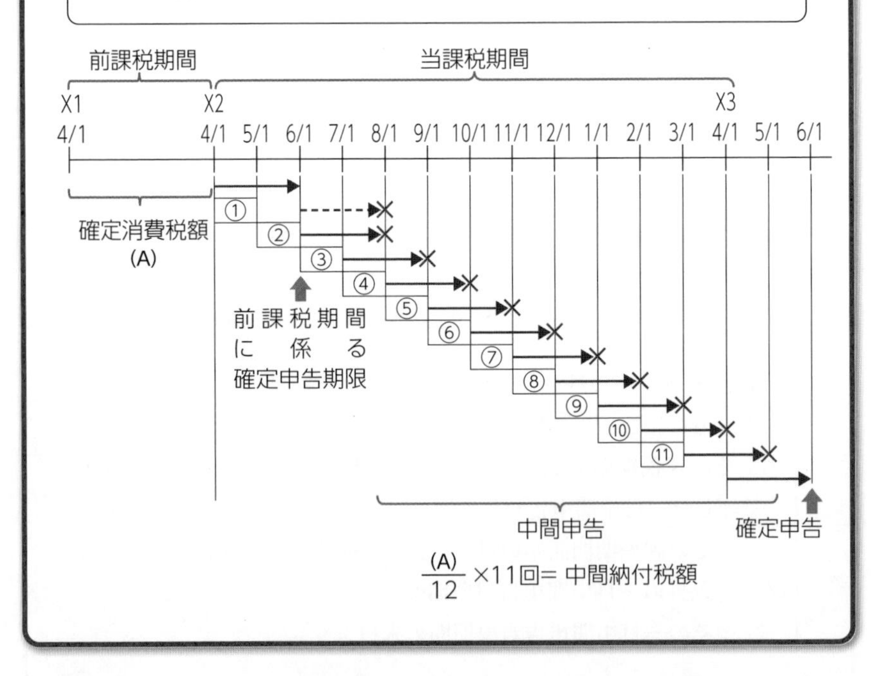

×印は、中間申告書の提出期限です。

判定の計算式では「直前の課税期間の確定消費税額の1ヶ月あたりの税額」をAとして表し、提出期限では「直前の課税期間の確定消費税額」(前期納税実績額)を(A)として表しています。

なお、個人事業者は、課税期間の原則が暦年であり確定申告書の提出期限が翌年の3月31日であるため、中間申告の提出期限に関してもそれに合わせた形で特例を設けています。

個人事業者に係る特例

● 提出期限

一月中間申告対象期間の末日の翌日(※)から２月以内

※ 一月中間申告対象期間がその課税期間開始の日以後２月の期間である場合には、その課税期間開始の日から３月を経過した日

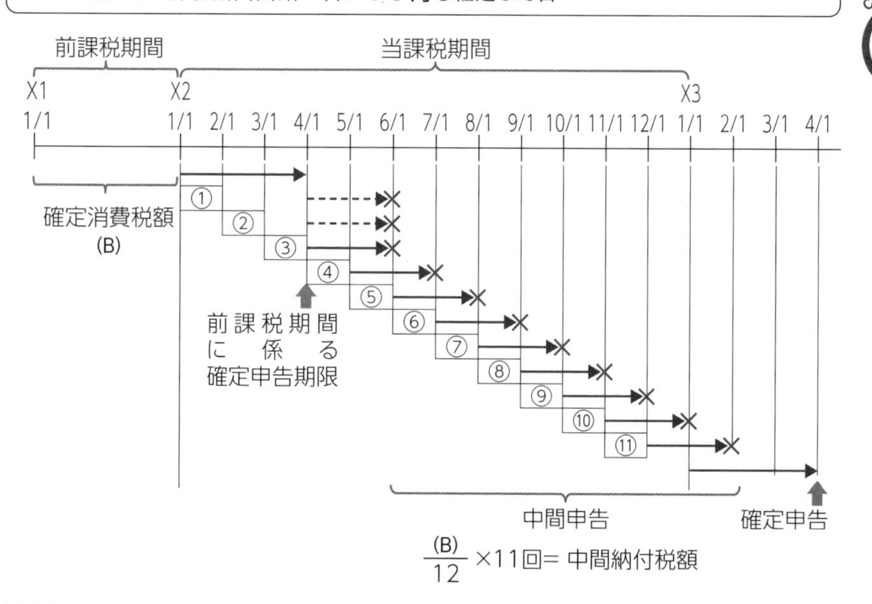

判定と税額計算の方法については、法人の場合と同様です。

また、このタイムテーブルでは、「直前の課税期間の確定消費税額」を(B)と表しています。また、この考え方は、Section①に出てきた法人の確定申告書の提出期限の特例の適用を受ける場合も同じです。

次の例題で、一月中間申告の判定と税額計算について確認してみましょう。

例題

一月中間申告の判定と税額計算

問題

前課税期間（X1年４月１日～X2年３月31日）の確定消費税額が54,000,000円である場合の、当課税期間（X2年４月１日～X3年３月31日）の中間納付税額を求めなさい。

解答

●まず、「一月中間申告」の判定を行い税額を計算

① 判定

$$\frac{54,000,000円}{12} = 4,500,000円 > 4,000,000円$$

∴ 適用あり

② 中間納付税額

4,500,000円（百円未満切捨）× 11回 ＝ 49,500,000円

→ １回あたりの中間納付税額の計算をする時に百円未満切捨をする

●次に、「三月中間申告」「六月中間申告」の判定の有無を確認

三月中間申告、六月中間申告　∴ 適用なし

【下書き】

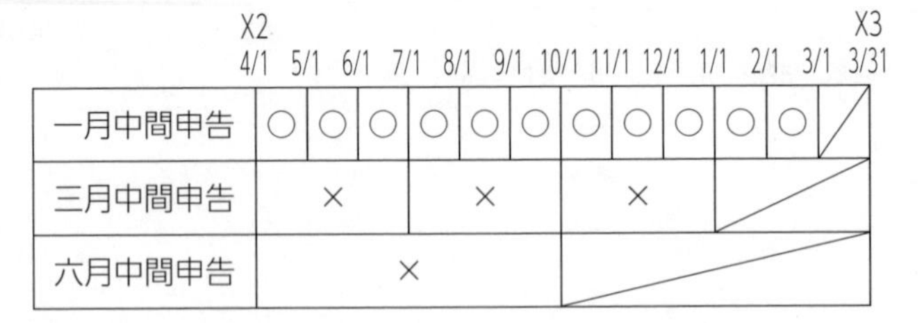

	X2 4/1	5/1	6/1	7/1	8/1	9/1	10/1	11/1	12/1	1/1	2/1	3/1	X3 3/31
一月中間申告	○	○	○	○	○	○	○	○	○	○	○	／	
三月中間申告	×			×			×			／			
六月中間申告	×						／						

一月中間申告で申告した場合には、三月や六月による中間申告は行いません。すでに一月中間申告対象期間で申告済みとなるからです。
計算過程では、「三月・六月中間申告の適用なし」と明記しましょう。
また、中間申告の判定を行う際は、「適用あり」または「適用なし」の判定結果を書き、納付税額の計算の際は、「百円未満切捨」のコメントをきちんと書きましょう。

前期納税実績による場合における一月中間申告について、条文では次のように規定しています。

条文

一月中間申告（法42①⑫、措令46の4）

① 内　容
事業者（**免税事業者**を除く。）は、一月中間申告対象期間の末日の翌日（その期間がその課税期間開始の日以後１月（個人事業者については２月）の期間である場合には、その課税期間開始の日から２月（個人事業者については３月）を経過した日）から**２月**以内に、一定の事項を記載した申告書を税務署長に提出しなければならない。
ただし、②イの金額が**400万円**以下の場合にはこの限りでない。

② 記載事項
イ　直前の課税期間の確定申告書に記載すべき**確定消費税額**で**確定日**までに確定したものをその直前の課税期間の月数で除して計算した金額
ロ　イの金額の計算の基礎その他の事項
※　１月未満の端数は、１月とする。

③ 確定日
次の日をいう。
イ　その課税期間開始の日から**２月**（個人事業者については３月）を経過した日の前日までの間に終了した一月中間申告対象期間
その課税期間開始の日から**２月**（個人事業者については３月）を経過した日の前日
ロ　イ以外の一月中間申告対象期間
その一月中間申告対象期間の末日

④ 一月中間申告対象期間
その課税期間（注1）開始の日以後**１月**ごとに区分した各期間（注2）をいう。

(注1) 個人事業者…**事業を開始した日の属する課税期間**を除く。
法人…**3月**を超えない課税期間及び新たに設立された法人(合併により設立されたものを除く。)の設立の日の属する課税期間を除く。
(注2) 最後に1月未満の期間を生じたときはその期間とし、最後の期間を除く。

三月中間申告

三月中間申告は、一月中間申告が適用されず、「直前の課税期間の確定消費税額」の3ヶ月あたりの税額が100万円を超えると判定された場合に適用されます。三月中間申告では、年3回申告をすることになります。確定申告書に記載される中間納付税額は、その課税期間に納付した年3回の中間申告による納付税額をすべて合計して求めます。

三月中間申告の具体的な内容をまとめると、次のとおりです。

図解

三月中間申告

● **判定と税額**

(1) 判定 → 直前の課税期間の確定消費税額の3ヶ月あたりの税額により判定

$$\frac{\text{直前の課税期間の確定消費税額}}{\text{直前の課税期間の月数}} \times 3 = B > 1{,}000{,}000\text{円} \quad \therefore \text{適用あり}$$

↓ 3ヶ月分が100万円超

(2) 中間納付税額
B(百円未満切捨)× 3回 = ×××

● **直前の課税期間の確定消費税額** → 判定の基礎となる金額

直前の課税期間に係る確定消費税額で三月中間申告対象期間の末日までに確定したものをいう。

→ 前期納税実績額
(修正申告等があった場合は修正後の金額)

● 提出期限

三月中間申告対象期間の末日の翌日から**2月**以内

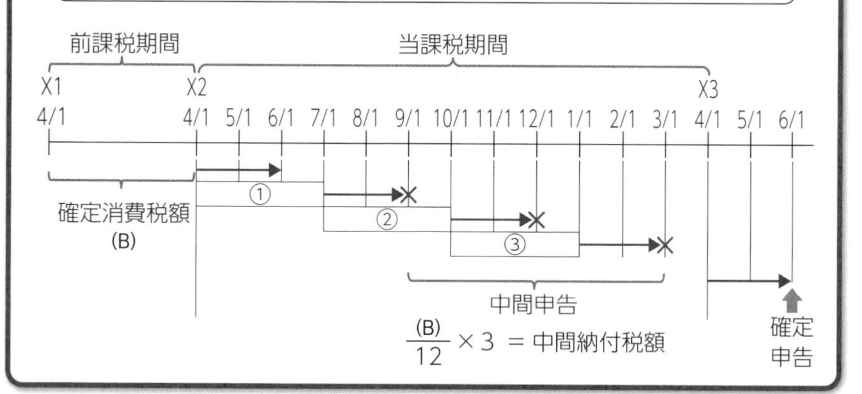

三月中間申告対象期間が一月中間申告書を提出すべき期間を含む期間である場合には、三月中間申告の適用はありません。つまり、判定をして、すでに一月中間申告をしている場合には、三月中間申告をしないことになります。

また、判定の計算式では「直前の課税期間の確定消費税額の3ヶ月あたりの税額」をBとして表し、提出期限では「直前の課税期間の確定消費税額」(前期納税実績額)を(B)として表しています。

次の例題で、三月中間申告の判定と税額計算について確認してみましょう。

例題

三月中間申告の判定と税額計算

問題

前課税期間(X1年4月1日～X2年3月31日)の確定消費税額が4,263,000円である場合の、当課税期間(X2年4月1日～X3年3月31日)の中間納付税額を求めなさい。

解答

● **判定順序に従い、まずは「一月中間申告」の判定**

① 判定

$$\frac{4,263,000円}{12} = 355,250円 \leqq 4,000,000円$$ ∴ 適用なし

次の判定へ進む

● **次に、「三月中間申告」の判定を行い税額を計算**

① 判定

$$\frac{4,263,000円}{12} \times 3 = 1,065,750円 > 1,000,000円$$ ∴ 適用あり

② 中間納付税額

1,065,700円（百円未満切捨）× 3回 ＝ 3,197,100円

→ 1回あたりの中間納付税額の計算をする時に百円未満切捨をする

● **「三月中間申告」を適用したため、「六月中間申告」適用なしのコメントを記入**

六月中間申告　∴ 適用なし

【下書き】

	X2 4/1	5/1	6/1	7/1	8/1	9/1	10/1	11/1	12/1	1/1	2/1	3/1〜X3 3/31
一月中間申告	×	×	×	×	×	×	×	×	×	×	×	
三月中間申告		○			○			○				
六月中間申告				×								

中間申告の判定を行う際は、「適用あり」または「適用なし」の判定結果を書き、納付税額の計算の際は、「百円未満切捨」のコメントをきちんと書きましょう。

前期納税実績による場合における三月中間申告について、条文では次のように規定しています。

条文

三月中間申告（法42④⑫、措令46の4）

① 内 容

事業者（**免税事業者**を除く。）は、三月中間申告対象期間の末日の翌日から**2月**以内に、一定の事項を記載した申告書を税務署長に提出しなければならない。

ただし、②イの金額が**100万円**以下の場合又はその三月中間申告対象期間が一月中間申告書を提出すべき期間を含む期間である場合にはこの限りでない。

② 記載事項

イ 直前の課税期間の確定申告書に記載すべき**確定消費税額**でその期間の末日までに確定したものをその直前の課税期間の月数で除し、3を乗じて計算した金額

ロ イの金額の計算の基礎その他の事項

※ 1月未満の端数は、1月とする。

③ 三月中間申告対象期間

その課税期間（注1）開始の日以後**3月**ごとに区分した各期間（注2）をいう。

（注1）個人事業者…**事業を開始した日の属する課税期間**を除く。
法人…**3月**を超えない課税期間及び新たに設立された法人（合併により設立されたものを除く。）の設立の日の属する課税期間を除く。

（注2）最後に3月未満の期間を生じたときはその期間とし、最後の期間を除く。

六月中間申告

六月中間申告制度は、前期納税実績による場合（義務によるもの）と、届出による場合（任意によるもの）の2つの制度があります。ここではまず、前期納税実績による六月中間申告から説明します。

この六月中間申告は、前述した一月中間申告及び三月中間申告が適用されず、「直前の課税期間の確定消費税額」の6ヶ月あたりの税額が24万円を超えると判定された場合に適用されます。六月中間申告では、年1回申告をすることになります。

六月中間申告の具体的な内容をまとめると、次のとおりです。

図解

六月中間申告

● 判定と税額

(1) 判定 ──▶ 直前の課税期間の確定消費税額の６ヶ月あたりの税額により判定

$$\frac{\text{直前の課税期間の確定消費税額}}{\text{直前の課税期間の月数}} \times 6 = C > 240{,}000\text{円} \therefore \text{適用あり}$$

↓ ６ヶ月分が24万円超

(2) 中間納付税額

C（百円未満切捨）× １回 ＝ ×××

● 直前の課税期間の確定消費税額 ──▶ 判定の基礎となる金額

直前の課税期間に係る確定消費税額で六月中間申告対象期間の末日までに確定したものをいう。

└▶前期納税実績額（修正申告等があった場合は修正後の金額）

● 提出期限

六月中間申告対象期間の末日の翌日から２月以内

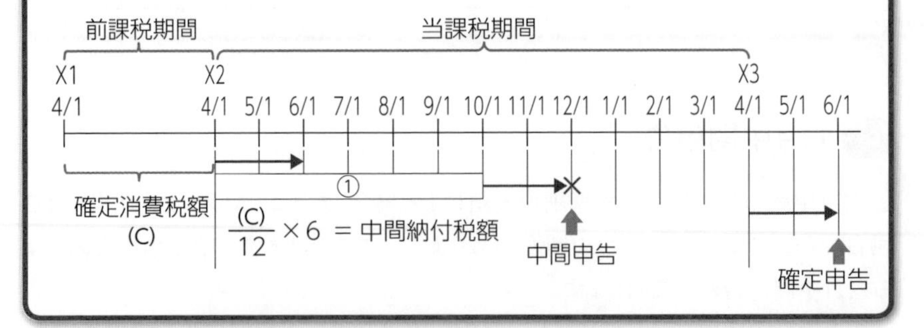

六月中間申告対象期間が一月中間申告書又は三月中間申告書を提出すべき期間を含む期間である場合には、六月中間申告の適用はありません。つまり、判定をして、すでに一月中間申告又は三月中間申告をしている場合には、六月中間申告をしないことになります。

また、判定の計算式では「直前の課税期間の確定消費税額の６ヶ月あたりの税額」をCとして表し、提出期限では「直前の課税期間の確定消費税額」（前期納税実績額）を（C）として表しています。

任意による中間申告制度

ここまで見てきたとおり、中間申告制度は税金を前納する制度で、国の立場から見ると、税収を安定的に確保するという効果があります。また、事業者の立場から見ると、税金を分割して納付することができるため、納税資金の管理に役立ちます。

消費税や源泉所得税などの税金は利益に関係なく発生するため、特に中小零細企業では、納税資金をプールしておくことが困難であり、期限内に申告・納付できないことも多いようです。その結果、不納付加算税や延滞税などが課せられ悪循環を招いていることが課題となっていました。

前課税期間の消費税の年税額が48万円以下の場合は、中間申告書の提出義務はありませんでしたね。

そこで、自主的に中間申告書（年１回）を提出することができる任意の中間申告制度が設けられました。

任意による六月中間申告の計算方法等は、前期納税実績による場合（義務による六月中間申告）と同じですが、**届出書の提出**が必要です。

(1) 任意による六月中間申告

任意による六月中間申告については、次のとおりです。

任意による六月中間申告

● 内　容

「直前の課税期間の確定消費税額」の６月分が24万円以下（年税額48万円以下）の場合であっても、**任意の中間申告書を提出する旨の届出書**を納税地の所轄税務署長に提出しているときは、届出書の提出日以後にその末日が最初に到来する六月中間申告対象期間から、自主的に中間申告・納付を行うこととなる。

→「直前の課税期間の確定消費税額」の６ヶ月分が24万円以下の場合に限る

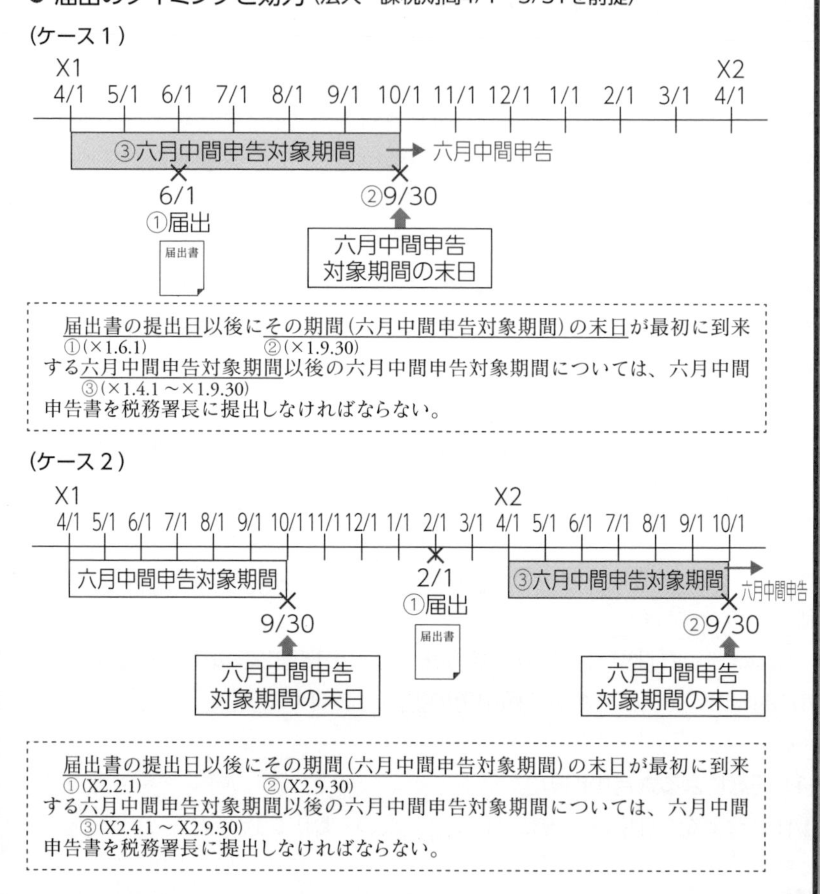
● 届出のタイミングと効力（法人・課税期間4/1～3/31を前提）
（ケース1）
X1
4/1 5/1 6/1 7/1 8/1 9/1 10/1 11/1 12/1 1/1 2/1 3/1 4/1
X2
③六月中間申告対象期間
六月中間申告
6/1
①届出
届出書
②9/30
六月中間申告対象期間の末日
届出書の提出日以後にその期間（六月中間申告対象期間）の末日が最初に到来
①（×1.6.1）
②（×1.9.30）
する六月中間申告対象期間以後の六月中間申告対象期間については、六月中間
③（×1.4.1 ～×1.9.30）
申告書を税務署長に提出しなければならない。
（ケース2）
X1
4/1 5/1 6/1 7/1 8/1 9/1 10/1 11/1 12/1 1/1 2/1 3/1 4/1 5/1 6/1 7/1 8/1 9/1 10/1
X2
六月中間申告対象期間
9/30
六月中間申告対象期間の末日
2/1
①届出
届出書
③六月中間申告対象期間
六月中間申告
②9/30
六月中間申告対象期間の末日
届出書の提出日以後にその期間（六月中間申告対象期間）の末日が最初に到来
①（X2.2.1）
②（X2.9.30）
する六月中間申告対象期間以後の六月中間申告対象期間については、六月中間
③（X2.4.1 ～ X2.9.30）
申告書を税務署長に提出しなければならない。

(2) 任意による六月中間申告の取りやめ

任意による六月中間申告の取りやめについては、次のとおりです。

図解

任意による六月中間申告の取りやめ

● 内　容

> 任意による六月中間申告の適用を受けることをやめようとするとき又は事業を廃止したときは、その旨を記載した届出書(**任意の中間申告書を提出することの取りやめ届出書**)を納税地の所轄税務署長に提出しなければならない。

● 届出のタイミングと効力の失効 (法人・課税期間4/1～3/31を前提)

> 任意の中間申告書を提出することの取りやめ届出書の提出があった日以後にその期間の末日が最初に到来する六月中間申告対象期間以後は、任意の中間申告書を提出する旨の届出書はその効力を失う。

(ケース１)

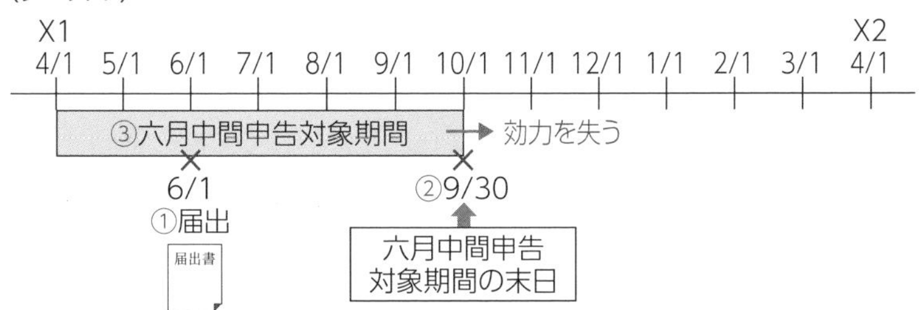

取りやめ届出書の提出日以後にその期間(六月中間申告対象期間)の末日が
①(X1.6.1)　②(X1.9.30)
最初に到来する六月中間申告対象期間以後の六月中間申告対象期間については、
③(X1.4.1 ～ X1.9.30)
任意の中間申告書を提出する旨の届出は、その効力を失う。

(ケース２)

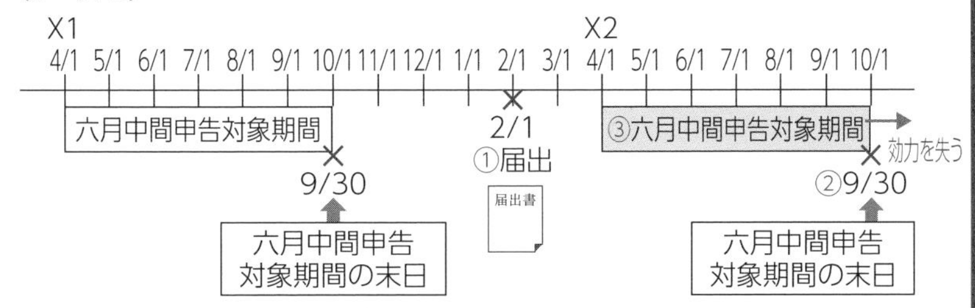

取りやめ届出書の提出日以後にその期間（六月中間申告対象期間）の末日が
①（X2.2.1）　②（X2.9.30）
最初に到来する六月中間申告対象期間以後の六月中間申告対象期間については、
③（X2.4.1～X2.9.30）
任意の中間申告書を提出する旨の届出は、その効力を失う。

また、任意の中間申告書を提出する旨の届出書を提出した事業者が、その六月中間申告書を提出しなかった場合には、取りやめ届出書の提出があったものとみなされます。

次の例題で、六月中間申告の判定と税額計算について確認してみましょう。

例題

六月中間申告の判定と税額計算

問題

問1　前課税期間（X1年４月１日～X2年３月31日）の確定消費税額が2,367,200円である内国法人Aの当課税期間（X2年４月１日～X3年３月31日）の中間納付税額を求めなさい。

問2　前課税期間（X1年４月１日～X2年３月31日）の確定消費税額が480,000円である内国法人Bの当課税期間（X2年４月１日～X3年３月31日）の中間納付税額を求めなさい。

なお、内国法人Bは任意の中間申告書を提出する旨の届出書をX2年６月に納税地の所轄税務署長に提出している。

解答

問1

● **判定順序に従い、まずは「一月中間申告」の判定**

①　判定

$$\frac{2{,}367{,}200\text{円}}{12} = 197{,}266\text{円} \leqq 4{,}000{,}000\text{円}$$

∴ 適用なし

次の判定へ進む

● **次に、「三月中間申告」の判定を行い税額を計算**

① 判定

$$\frac{2,367,200円}{12} \times 3 = 591,799円 \leqq 1,000,000円 \quad \therefore \text{適用なし}$$

さらに次の判定へ進む

● **続けて、「六月中間申告」の判定を行い税額を計算**

① 判定

$$\frac{2,367,200円}{12} \times 6 = 1,183,599円 > 240,000円 \quad \therefore \text{適用あり}$$

② 中間納付税額

1,183,500円（百円未満切捨）

【下書き】

	X2 4/1〜5/1	5/1〜6/1	6/1〜7/1	7/1〜8/1	8/1〜9/1	9/1〜10/1	10/1〜11/1	11/1〜12/1	12/1〜1/1	1/1〜2/1	2/1〜3/1	3/1〜X3 3/31
一月中間申告	×	×	×	×	×	×	×	×	×	×	×	／
三月中間申告		×			×			×		／		
六月中間申告				○			／					

問2

● **判定順序に従い、まずは「一月中間申告」の判定**

① 判定

$$\frac{480,000円}{12} = 40,000円 \leqq 4,000,000円 \quad \therefore \text{適用なし}$$

次の判定へ進む

● **次に、「三月中間申告」の判定を行い税額を計算**

① 判定

$$\frac{480,000円}{12} \times 3 = 120,000円 \leqq 1,000,000円 \quad \therefore \text{適用なし}$$

さらに次の判定へ進む

● **続けて、「六月中間申告」の判定を行い税額を計算**

① 判定

イ $\frac{480,000円}{12} \times 6 = 240,000円 \leqq 240,000円$

ロ 届出書の提出あり　∴ 適用あり

② 中間納付税額

240,000円（百円未満切捨）

【下書き】

X2 4/1 5/1 6/1 7/1 8/1 9/1 10/1 11/1 12/1 1/1 2/1 3/1 X3 3/31

	4/1	5/1	6/1	7/1	8/1	9/1	10/1	11/1	12/1	1/1	2/1	3/1
一月中間申告	×	×	×	×	×	×	×	×	×	×	×	／
三月中間申告	×			×			×			／		
六月中間申告	○任　意						／					

中間申告はボックスを描いて判定するとケアレスミスを防げます。

「任意による六月中間申告」の際にも、前期納税実績による場合と同じように判定順序に従って判定を行います。

また、電卓を叩いて計算するときの端数処理のタイミングは、申告回数を乗じた後です。たとえば、上記の例題の「三月中間申告」では、「2,367,200÷12＝」をして割り切れないまま、申告回数の3を乗じて「×3＝」と叩いて、このタイミングで端数処理をして591,799円を出して判定します。

前期納税実績による場合における六月中間申告について、条文では次のように規定しています。

条文

六月中間申告（法42⑥⑧～⑫、措令46の4）

① 内　容

事業者（免税事業者を除く。）は、六月中間申告対象期間の末日の翌日から**2月**以内に、一定の事項を記載した申告書を税務署長に提出しなければならない。

ただし、②イの金額が**24万円**以下の場合又はその六月中間申告対象期間が一月中間申告書若しくは三月中間申告書を提出すべき期間を含む期間である場合にはこの限りでない。

② 記載事項

イ 直前の課税期間の確定申告書に記載すべき**確定消費税額**でその期間の末日までに確定したものをその直前の課税期間の月数で除し、6を乗じて計算した金額

ロ イの金額の計算の基礎その他の事項

※ 1月未満の端数は、1月とする。

③ 六月中間申告対象期間

その課税期間(注1)開始の日以後**6月**の期間をいう。

(注1) 個人事業者…**事業を開始した日の属する課税期間**を除く。
法人…**6月**を超えない課税期間及び新たに設立された法人(合併により設立されたものを除く。)の設立の日の属する課税期間を除く。

④ 任意の中間申告

イ 任意の中間申告書を提出する旨の届出書

②イの金額が24万円以下の事業者が、**任意の中間申告書を提出する旨の届出書**を税務署長に提出した場合には、提出日以後に六月中間申告対象期間の末日が最初に到来するその期間以後については、六月中間申告書を税務署長に提出しなければならない。

ロ 任意の中間申告書を提出することの取りやめ届出書

(イ) イの届出書を提出した事業者は、その適用を受けることをやめようとするとき又は事業を廃止したときは、**取りやめ届出書**を税務署長に提出しなければならない。

(ロ) **取りやめ届出書**の提出があったときは、提出日以後に六月中間申告対象期間の末日が最初に到来するその期間以後については、イの届出は、その効力を失う。

(ハ) イの届出書の提出をした事業者が、提出期限までに提出しなかった場合には、**取りやめ届出書**をその六月中間申告対象期間の末日に税務署長に提出したものと**みなす**。

問題 >>> 問題編の**問題2**～**問題4**に挑戦しましょう!

直前の課税期間の確定消費税額が増減した場合

ここまで見てきたように、中間申告制度の適用の有無は、通常、前期納税実績である「直前の課税期間の確定消費税額」を基準として判定します。

しかし、事業者による「修正申告」や税務署長による「減額更正処分」があった場合、「直前の課税期間の確定消費税額」がその確定申告後に増減することがあります。

修正申告とは、納める税額が少なかったこと等の理由により税額を追加して納

める申告であり、修正申告書の提出日が納期限となるため、修正申告書の提出日以後に「直前の課税期間の確定消費税額」が増加することになります。

減額更正処分とは、納める税額が多過ぎたこと等の理由により納めた税額の一部を還付してもらえるよう税務署長に更正をお願いして（**更正の請求**という）、その請求が認められた場合に税金を還付してもらえることです。したがって、税務署長による減額更正処分があった場合は、更正をした日以後に「直前の課税期間の確定消費税額」が減少することになります。

問題 >>> 問題編の**問題5**に挑戦しましょう！

直前の課税期間の確定消費税額が増減した場合の具体例を示すと、次のとおりです。

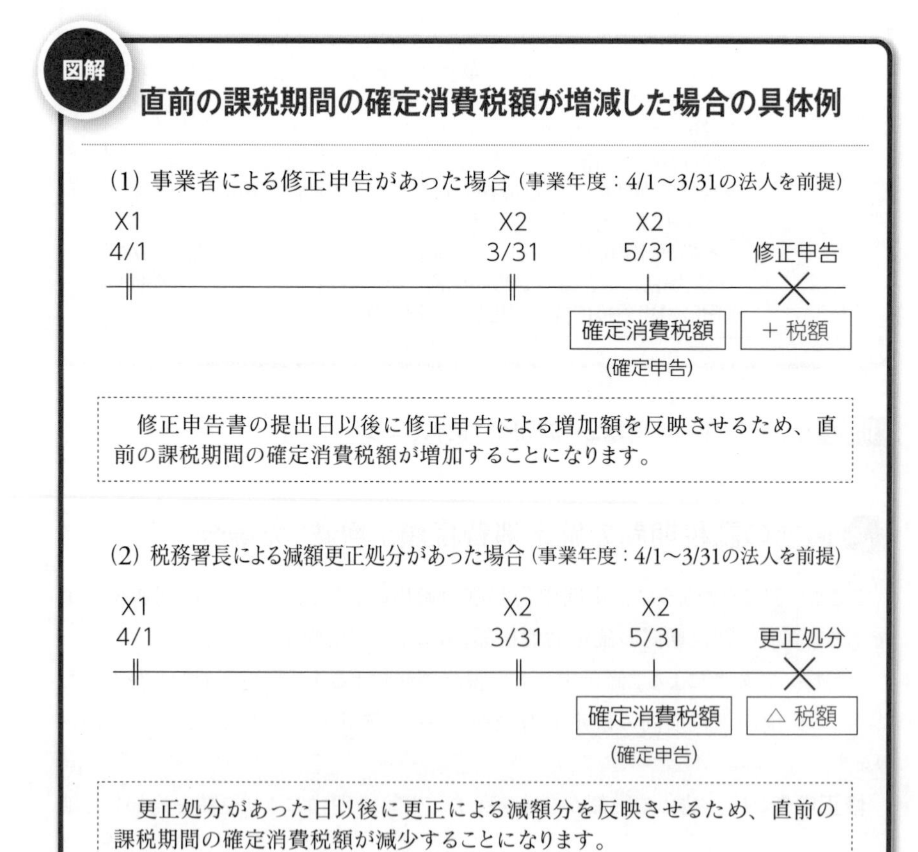

図解
直前の課税期間の確定消費税額が増減した場合の具体例
(1) 事業者による修正申告があった場合（事業年度：4/1～3/31の法人を前提）
X1
4/1
X2
3/31
X2
5/31
修正申告
確定消費税額
（確定申告）
＋ 税額
修正申告書の提出日以後に修正申告による増加額を反映させるため、直前の課税期間の確定消費税額が増加することになります。
(2) 税務署長による減額更正処分があった場合（事業年度：4/1～3/31の法人を前提）
X1
4/1
X2
3/31
X2
5/31
更正処分
確定消費税額
（確定申告）
△ 税額
更正処分があった日以後に更正による減額分を反映させるため、直前の課税期間の確定消費税額が減少することになります。

修正申告は、当初の申告内容を事業者にとって不利な内容に変更する申告となります。一方、減額更正処分は、一定の手続を経て事業者に税額が還付されるため、事業者にとって有利になります。このイメージを持っていると直前の課税期間の確定消費税額にプラスするのかマイナスするのか間違えることはないでしょう。

国税通則法に規定する申告手続についてはSection①にまとめてありますので、参考にしてください。

このように、「直前の課税期間の確定消費税額」がその確定申告後に増減する場合には、各中間申告対象期間の末日（一月中間申告対象期間にあっては、確定日）までに確定した税額を基準として判定することになります。

「各中間申告対象期間の末日までに確定した税額」とは、直前の課税期間の確定消費税額（年税額）に修正又は更正分を加味した金額になります。

それでは、次の例題を見ながら、「直前の課税期間の年税額」が増減した場合の中間申告の判定方法と税額計算について説明していきます。

まず、「直前の課税期間の年税額」が増加した場合について見てみましょう。

例題

直前の課税期間の年税額が増加した場合

問題

当社の前課税期間（X1年４月１日～X2年３月31日）に係る消費税額は次のとおりであるが、これに基づき、当課税期間（X2年４月１日～X3年３月31日）の中間納付税額を求めなさい。

(1) 当初申告分（期限内申告）　47,520,000円

(2) 修正申告分（X2年９月15日提出）　600,000円（増加税額）

解答

【解答のポイント】

・「一月中間申告」→「三月中間申告」→「六月中間申告」の順に判定します。

・それぞれの中間申告の判定の中で、修正前と修正後に分けて計算を行います。
・直前の課税期間の年税額が増減した場合の判定は、はじめにボックス図を描いて整理するとよいでしょう。

● 判定順序に従い、まずは「一月中間申告」の判定

(1) 一月中間申告

① 4月～8月（修正前）← 修正申告書を提出したX2.9月前まで

イ 判定

$$\frac{47{,}520{,}000\text{円}}{12} = 3{,}960{,}000\text{円} \leqq 4{,}000{,}000\text{円} \quad \therefore \text{適用なし}$$

↑当初申告した前期確定申告書に記載された金額

「適用なし」と判定されたため、ボックス図の一月中間申告の欄の４月～８月までに×印を付けましょう。

この期間は、一月中間申告の対象外となります。

② 9月～2月（修正後）← 修正申告書を提出したX2.9月以後

イ 判定

$$\frac{47{,}520{,}000\text{円}+600{,}000\text{円}}{12} = 4{,}010{,}000\text{円} > 4{,}000{,}000\text{円}$$

∴ 適用あり

↑当初申告した前期確定申告書に記載された金額に修正分を加算した「確定消費税額」

ロ 中間納付税額

4,010,000円（百円未満切捨）× 6回 ＝ 24,060,000円

↑ 9月～2月までの６回分

９月～２月分については一月中間申告で終了。次の三月中間申告を判定する際、９月を含んでいる７月～９月分（三月分）及び10月～12月（三月分）については申告を終了したものとして、ボックス図の三月中間申告の欄の７月～９月分及び10月～12月分に×印を付けましょう。

● **次に、修正前の４月～６月分までについて「三月中間申告」の判定**

(2) 三月中間申告

① ４月～６月（修正前）

イ 判定

$$\frac{47,520,000円}{12} \times 3 = 11,880,000円 > 1,000,000円$$

∴ 適用あり

ロ 中間納付税額

11,880,000円（百円未満切捨）× １回 ＝ 11,880,000円

← ４月～６月までの１回分

② ７月～９月、10月～12月（修正後） ∴ 適用なし

↓ すでに一月中間申告で終了済みのため

● **続けて、「六月中間申告」の判定**

(3) 六月中間申告 ∴ 適用なし

↓ 手順として組み込んでおきましょう

● **それぞれの中間申告による納付税額を合計**

(1) ＋ (2) ＋ (3) ＝ 35,940,000円

【下書き】

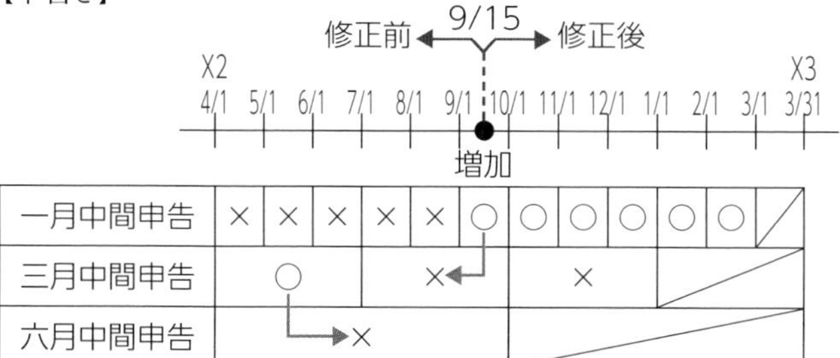

一月中間申告	×	×	×	×	×	○	○	○	○	○	○	／
三月中間申告	○			×			×			／		
六月中間申告	×（○→×）						／					

※ 前の判定で１つでも○が付けば、次の判定は×になります。

確定申告制度・中間申告制度

次に、「直前の課税期間の年税額」が減少した場合について見てみましょう。

直前の課税期間の年税額が減少した場合

問題

当社の前課税期間（X1年４月１日～X2年３月31日）に係る消費税額は次のとおりである。これに基づき、当課税期間（X2年４月１日～X3年３月31日）の中間納付税額を求めなさい。

(1) 当初申告分（期限内申告）　48,300,000円

(2) 減額更正分（X2年10月７日更正）　900,000円（減少税額）

解答

判定順序に従い、まずは「一月中間申告」の判定

(1) 一月中間申告

① ４月～９月（更正前）←減額更正のあったX2.10月前まで

イ　判定

$$\frac{48{,}300{,}000円}{12} = 4{,}025{,}000円 > 4{,}000{,}000円 \quad \therefore 適用あり$$

ロ　中間納付税額

4,025,000円（百円未満切捨）× 6回 ＝ 24,150,000円

４月～９月分については一月中間申告で終了。次の三月中間申告・六月中間申告は判定する必要がないため、ボックス図に×印を付けましょう。ただし、解答上コメントは必要になります。

② 10月～２月（更正後）←減額更正のあったX2.10月以後

$$\frac{48{,}300{,}000円 - 900{,}000円}{12} = 3{,}950{,}000円 \leqq 4{,}000{,}000円$$

∴ 適用なし

└当初申告した前期確定申告書に記載された金額から更正分を減算した「確定消費税額」

「適用なし」と判定されたため、ボックス図の一月中間申告の欄の10月～２月までに×印を付けましょう。

この期間は、一月中間申告の対象外となりますので、次の三月中間申告の判定へ進みましょう。

(2) 三月中間申告

① 4月～6月、7月～9月（更正前） ∴ 適用なし

すでに一月中間申告で終了済みのため

② 10月～12月（更正後）

イ 判定

$$\frac{48{,}300{,}000円 - 900{,}000円}{12} \times 3 = 11{,}850{,}000円 > 1{,}000{,}000円$$

∴ 適用あり

ロ 中間納付税額

11,850,000円（百円未満切捨）×1回 ＝ 11,850,000円

└ 10月～12月までの1回分

(3) 六月中間申告 ∴ 適用なし

すでに一月中間申告・三月中間申告で終了済みのため

● **それぞれの中間申告による納付税額を合計**

(1) ＋ (2) ＋ (3) ＝ 36,000,000円

【下書き】

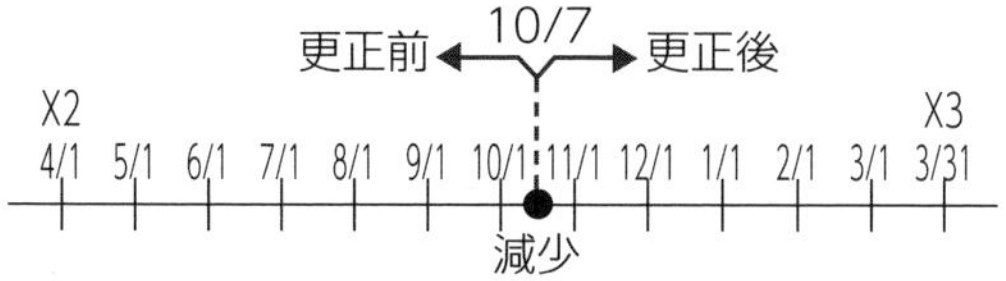

更正前 ← 10/7 → 更正後

X2 4/1　5/1　6/1　7/1　8/1　9/1　10/1　11/1　12/1　1/1　2/1　3/1　X3 3/31

減少

一月中間申告	○	○	○	○	○	○	×	×	×	×	×	／
三月中間申告	→×			→×			○			／		
六月中間申告	→×						／					

仮決算による場合の中間申告

中間申告書を提出すべき事業者は、**前期納税実績**又は**仮決算**により中間申告を行うこととなります。

仮決算により中間申告を行う場合には、中間納付税額の計算にあたり、中間申告対象期間を一課税期間とみなして、確定申告に準じた方法により税額計算を行うことができます。

なお、仮決算により中間申告を行う場合には、その課税期間中の**資産の譲渡等の対価の額**及び**課税仕入れ等の税額**の明細その他の事項を記載した書類を添付しなければなりません。

ただし、仮決算はあくまでも「中間納付税額の計算」に関する規定です。
中間申告義務の判定（申告回数の判定）については、前期納税実績を使用しますので注意して下さい。

前期納税実績と仮決算の選択

事業者は、「前期納税実績」と「仮決算」のそれぞれの方法で求めた中間納付税額のうち、税額の少ない方を選択することができます。

ただし、仮決算による場合、還付を受けることはできません。

中間申告書の提出がない場合の特例

中間申告書を提出すべき事業者が、その中間申告書をその提出期限までに提出しなかった場合には、その提出期限において、**前期納税実績**による中間申告書の提出があったものとみなします。

問題 >>> 問題編の**問題6～問題8**に挑戦しましょう！

引取りに係る申告制度

ここからは、輸入取引の申告・納税制度について見ていきます。

輸入取引では、課税貨物を保税地域から引き取る者が、一定の事項を記載した申告書を税関長に提出します。

引取りに係る申告制度は、引取る課税貨物の種類により「申告納税方式」と「賦課課税方式」に区分されます。

申告納税方式とは、納税義務者の申告によって納付税額を確定させる方式のことです。賦課課税方式とは、税務署長や税関長の処分によって納付税額を確定させる方式のことです。

引取りに係る申告制度

それでは、「申告納税方式」による引取りに係る申告制度について見ていきましょう。

この場合、一般申告と特例申告の2種類があり、輸入手続の全体的な流れを示すと、次のとおりです。

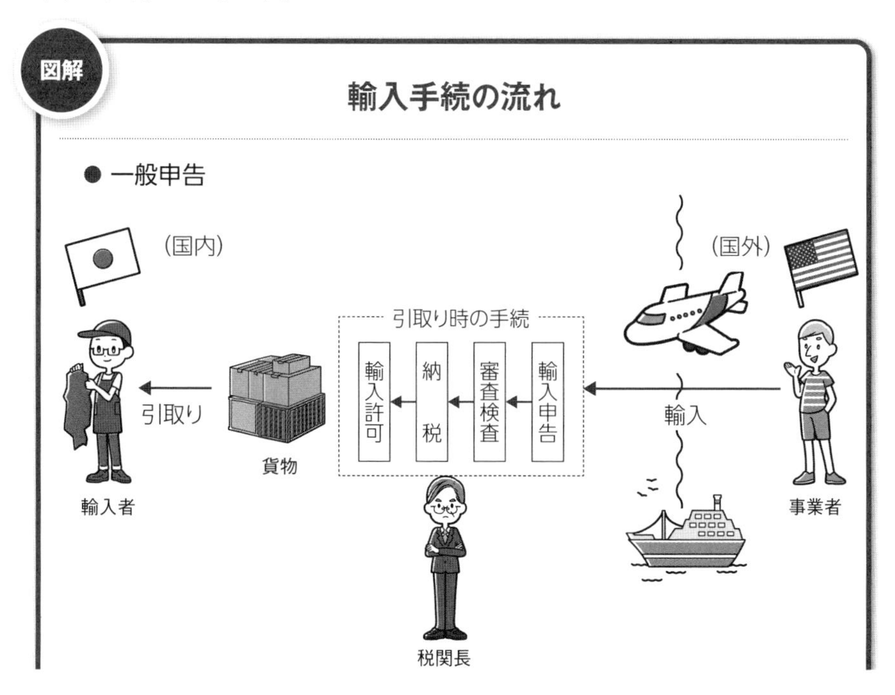

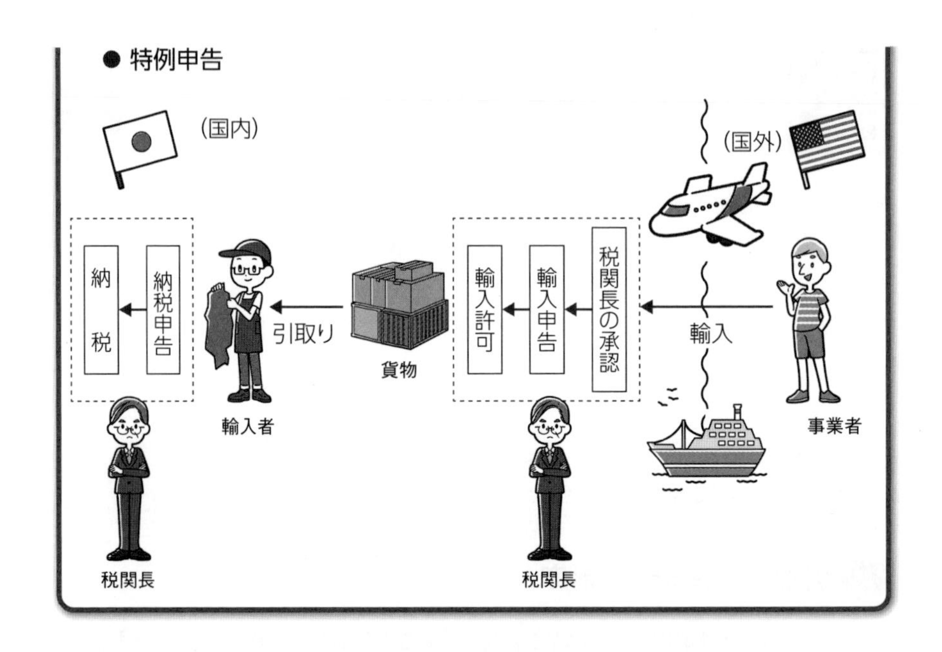

一般申告の場合、納税申告の後に貨物を引き取ります。一方、特例申告の場合、納税申告の前に貨物を引き取ることができます。また、貨物が本邦に到着する前に輸入申告を行うことにより、税関長から輸入許可の承認を受けることができます。

申告・納付等

(1) 納税義務

輸入取引については、外国貨物を保税地域から引き取る者が消費税の納税義務を負い、申告・納付を行います。

輸入取引について、課税の対象となり消費税を納めるのは、保税地域から引き取られる外国貨物のうち、非課税とされる７項目以外の課税貨物です。

(2) 引取りに係る申告

① 「申告納税方式」による引取りに係る申告

まず、「申告納税方式」による引取りに係る申告についてまとめると、次のとおりです。

引取りに係る申告（申告納税方式）

提出義務者	関税法(※)に規定する「申告納税方式が適用される課税貨物」を、保税地域から引き取ろうとする者
提　出　先	税関長
提出期限	① 一般申告 課税貨物の引取りの日 ② 特例申告 課税貨物の引取りの日の属する月の翌月末日
記載事項	① 課税貨物の品名、品名ごとの数量及び課税標準額 ② 課税標準額に対する消費税額及びその合計額 ③ その他一定の事項

※　関税法とは、関税の確定、納付、徴収及び還付、貨物の輸出入についての税関手続について定める法律のこと。

● 一般申告と特例申告

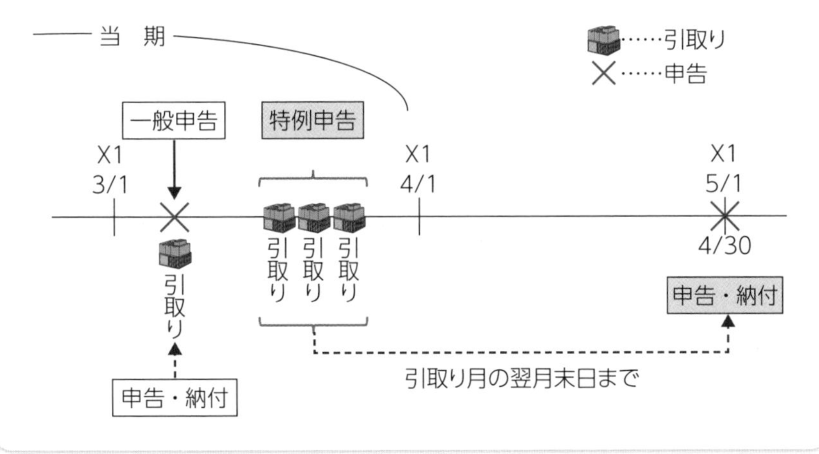

一般申告の場合、課税貨物の引取りの日に申告書を提出します。

特例申告の場合、課税貨物の引取りの日の属する月の翌月末日までに申告書を提出します。

輸入取引の論点を整理するときは、「引取り」「申告」「納付」の時期に注意しましょう。

② 「賦課課税方式」による引取りに係る申告

次に、「賦課課税方式」による引取りに係る申告についてまとめると、次のとおりです。

引取りに係る申告（賦課課税方式）

提出義務者	関税法に規定する「賦課課税方式が適用される課税貨物」を、保税地域から引き取ろうとする者
提出先	税関長
提出期限	課税貨物の引取りの日
記載事項	① 課税貨物の品名、品名ごとの数量及び課税標準額 ② その他一定の事項

輸入品に対する内国消費税の徴収等に関する法律等の法律又は条約の規定により、その引取りに係る消費税を免除されるべき課税貨物を引き取った場合には、申告書の提出は必要ありません。

(3) 引取りに係る納付

引取りに係る納付についてまとめると、次のとおりです。

参考

引取りに係る納付

● 申告納税方式

(1) 一般申告

申告納税方式の一般申告書を提出した者は、課税貨物を保税地域から引き取る時までに、その申告書に記載した消費税額を国に納付しなければなりません。

(2) 特例申告

申告納税方式の特例申告書を提出した者は、その申告書の提出期限までに、その申告書に記載した消費税額を国に納付しなければなりません。

● 賦課課税方式

賦課課税方式が適用される課税貨物に係る消費税は、その課税貨物の引取りの際、その保税地域の所在地の所轄税関長が、消費税額を徴収します。

(4) 課税貨物についての納期限の延長

申告納税方式が適用される課税貨物について、納期限の延長の申請書が提出された場合には、税関長は、次の納期限の延長をすることができることとされています。納期限の延長を受けると、貨物の引取り時に関税等が未納付でも輸入許可が下りるため、早期に貨物を引き取ることができます。

納期限の延長規定には、「都度延長」「月まとめ延長」「特例申告に係る納期限の延長」の3種類があります。

プラスα 課税貨物についての納期限の延長

(1) 都度延長

引き取る貨物、個々について適用される納期限の延長規定です。

要　件	① 申告書を税関長に提出 ② 延長を受けたい旨の「申請書」を税関長に提出 ③ 「担保」を税関長に提供
限度額	その提供された担保の額
延長期間	引取りの日の翌日から3月以内

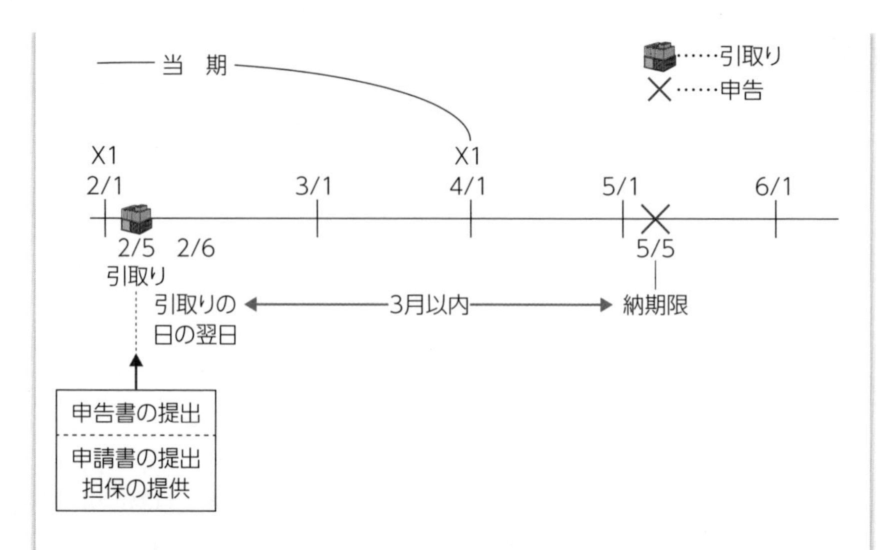

(2) 月まとめ延長

特定月に引き取る貨物につき、その特定月単位で適用される納期限の延長規定です。

要　　件	①　**特定月の前月末日まで**に、延長を受けたい旨の「**申請書**」を税関長に提出 ②　特定月の前月末日までに「**担保**」を税関長に提供
限　度　額	その提供された担保の額
延長期間	**特定月の末日の翌日から３月以内**

※　特定月とは、その引取りを行う各月をいう。

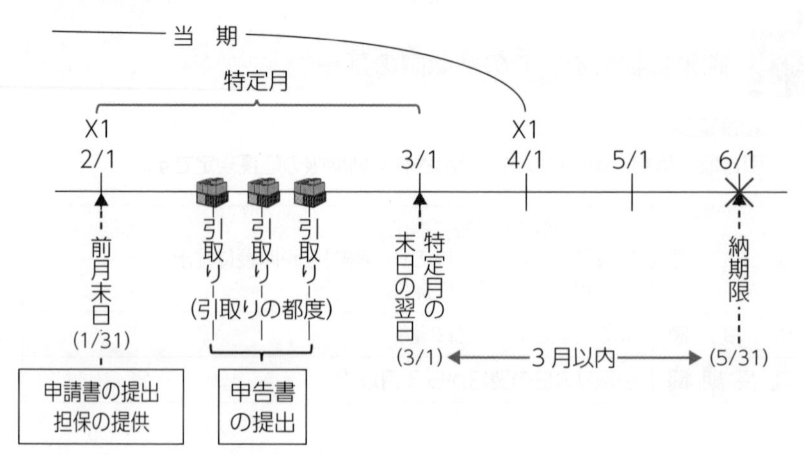

(3) 特例申告に係る納期限の延長

特例申告書を提出期限までに提出した者に対し適用される納期限の延長規定です。

要　　件	①　特例申告書を提出期限までに税関長へ提出 ②　延長を受けたい旨の「申請書」を税関長に提出 ③　「担保」を税関長に提供（※消費税の保全のために必要があると認められる場合のみ）
限　度　額	特例申告書に記載した消費税額
延長期間	提出期限の翌日から２月以内

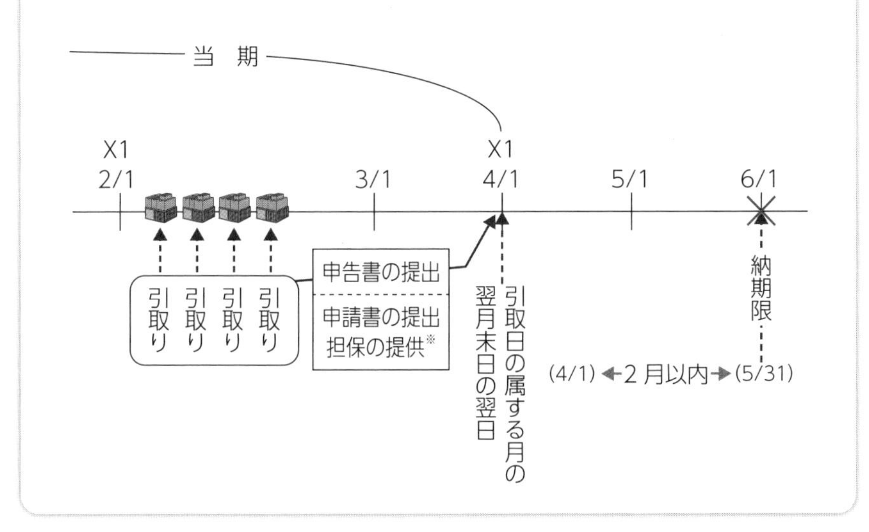

納期限とは、納付すべき税額の確定した国税を実際に納付すべき期限のことをいいます。

また、納期限の延長を受けた場合であっても、仕入税額控除の時期は、一般申告の場合、課税貨物の引取りの日の属する課税期間であり、特例申告の場合、課税貨物の引取りの翌月末日までに申告書を提出し、その特例申告書の提出日の属する課税期間となります。

仕入税額控除については、Chapter８（２分冊目）で学習しました。

Chapter 20 確定申告制度・中間申告制度

5 納税地

国内取引に係る納税地とは

納税地とは、納税義務者の申告、申請、請求、届出、納付等の手続及び税務署長の処分に関する所轄官庁を定める基準となる場所のことをいいます。消費税法における事業者の国内取引に係る納税地は、原則的に所得税法、法人税法の納税地と同じく住所地や本店又は主たる事務所の所在地などです。

個人事業者の納税地の原則

次の区分に応じ、それぞれの場所が個人事業者の納税地となります。

図解

個人事業者の納税地

区　分	納税地
国内に住所を有する場合	住所地
国内に住所を有せず、居所を有する場合	居所地
国内に住所及び居所を有せず、国内に事務所等を有する者である場合	事務所等の所在地（２以上ある場合には、主たるものの所在地）
上記以外の場合	一定の場所

所得税法に規定する納税地の特例に関する書類を提出した場合には、納税地を選択することも認められています。

この場合、消費税法においても、所得税法と同じになります。

法人の納税地の原則

次の区分に応じ、それぞれの場所が法人の納税地となります。

図解

法人の納税地

区　分	納税地
内国法人である場合	本店又は主たる事務所の所在地
内国法人以外の法人で国内に事務所等を有する法人である場合	事務所等の所在地（2以上ある場合には、主たるものの所在地）
上記以外の場合	一定の場所

（注）内国法人とは、国内に本店又は主たる事務所を有する法人をいう。

ここで、改めて「住所地」と「事務所等の所在地」についてまとめると、次のとおりです。

住所地と事務所等の所在地

住　　所　　地……住所又は本店若しくは主たる事務所の所在地

事務所等の所在地……事務所、事業所その他これらに準ずるものの所在地

「住所地と事務所等の所在地」については、Chapter 3（1分冊目）の国内取引の判定の際にも学習しました。

輸入取引に係る納税地とは

輸入取引に係る納税地は、保税地域の所在地となります。

保税地域とは、外国から輸入された貨物を、税関の輸入許可がまだ下りていない状態で関税を留保したまま置いておける場所のことを指します。保税とは関税の徴収を一時留保することをいいます。

保税地域は主に港湾や空港の近くに設けられ、貨物船や飛行機から降ろされた貨物が関税納入・輸入許可・通関完了までの間、あるいは輸出される貨物が税関手続が終了するまで蔵置されます。

電気通信利用役務の提供及び特定役務の提供

Chapter 21

電気通信利用役務の提供及び特定役務の提供

超重要 重要

Section

インターネットで電子書籍や音楽のダウンロードをした場合、クラウドサービスを利用した場合、消費税の取扱いはどうなっているのでしょうか？

Point Check

①電気通信利用役務の提供とは	インターネットを介して行われる著作物の提供を代表例とした役務の提供のこと	②電気通信利用役務の提供に係る国内取引の判定	原則的には役務の提供を受ける者の本店所在地等により行う
③特定資産の譲渡等とは	・「事業者向け電気通信利用役務の提供」 ・「特定役務の提供」	④特定仕入れ	特定資産の譲渡等を事業者が仕入れたとき、その仕入れのこと
⑤納税義務	事業者は国内において行った特定課税仕入れについて消費税を納める義務がある	⑥リバースチャージ方式による税額計算方法	「課税標準額」と「控除対象仕入税額」の計算に「特定課税仕入れに係る支払対価の額」を計上する方法

電気通信利用役務の提供と特定役務の提供の意義

インターネットを利用したサービス提供

近年、インターネットの急速な発達と普及により、私たちはネットを通してさまざまな情報や商品、サービスを手に入れることができるようになりました。

インターネットの利用例として、クラウドサービスを挙げてみましょう。クラウドサービスとは、雲の上にあるような大きい空間（≒クラウド）にデータやソフトウェアを保管する場所があって、これを手元のパソコンやスマホなどからアクセスして利用するサービスのことです。このクラウドサービスを利用すれば、たとえば、自宅で作成したデータをクラウド上に保存し、外出先でそのデータをダウンロードして手を加えることもできます。

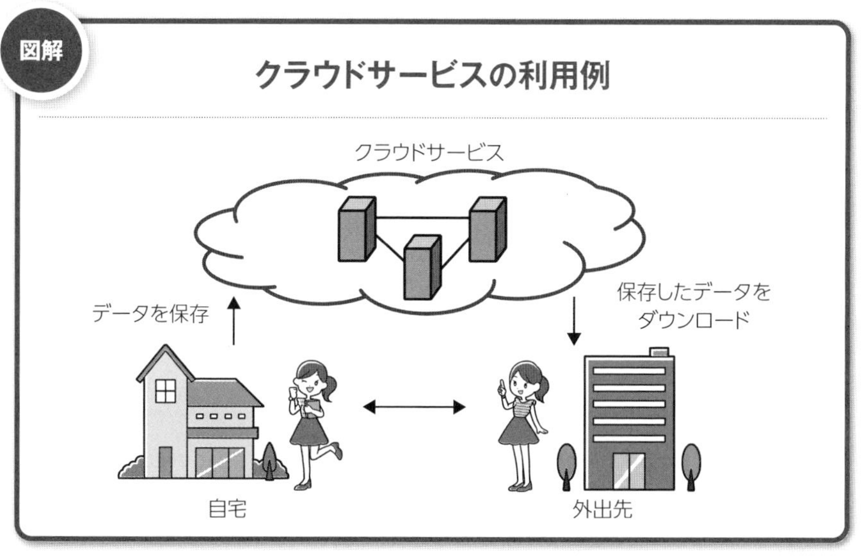

クラウドサービスを利用してテレワークも可能ですね。

このようにインターネットは便利なものですが、一方でインターネットはグローバルなものであるため、インターネットを利用した取引には国境がなく、どこの国で行われた取引なのかを特定することが困難な一面もあります。

インターネットを利用した取引について、売り手側の事業者と買い手側の事業者の立場を意識して対価の支払いの流れをもう一度確認してみましょう。

図解

インターネットを利用した取引

(例) 国内でバッグ販売業を営む事業者が国外のIT企業の提供する広告配信サービスを利用して自社商品の広告を行った。

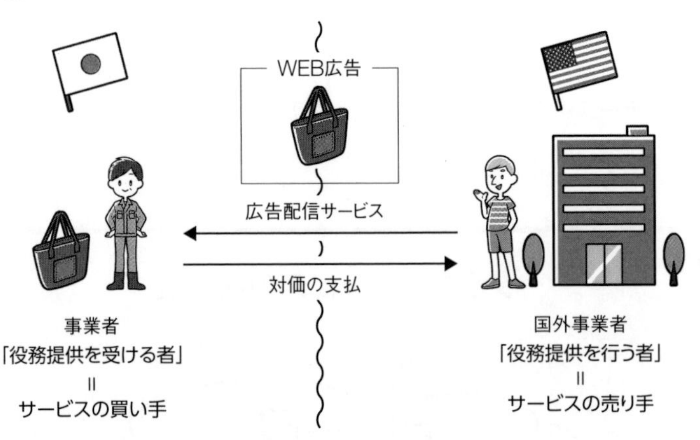

インターネットを利用した取引については、サービスを受ける者がサービスの買い手となり、代金を支払います。また、サービスを提供する者がサービスの売り手となり、代金を受け取ります。

インターネットを利用した取引のうち「電気通信利用役務の提供」については、サービスの買い手が売上げに係る消費税額を申告・納付することとなります。ここまではモノやサービスの売り手が消費税を納める取引を見てきましたので、まずは、視点を変えて取りかかりましょう。売り手と買い手の立場の違いを意識して知識を整理することがポイントです。

電気通信利用役務の提供とは

(1) 電気通信利用役務の提供とは

電気通信利用役務の提供とは、インターネットを介して行われる**著作物の提供**を代表例とした**役務の提供**のことをいいます。また、著作物の提供とは、電子書籍や音楽、ソフトウェア等の配信サービスのことをいい、その他の役務の提供としては、インターネットによる広告の配信やクラウドサービスの提供が挙げられます。

電気通信利用役務の提供についてまとめると、次のとおりです。

図解

電気通信利用役務の提供

- 著作物の提供
  - ① 電子書籍、電子新聞、音楽、映像の配信
  - ② ソフトウェアの配信

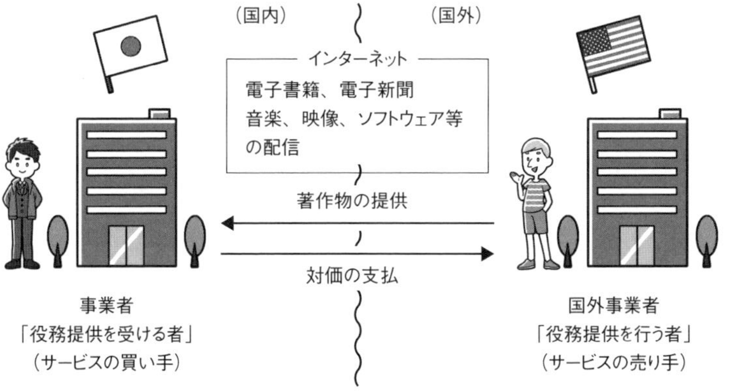

(国内)　(国外)

インターネット
電子書籍、電子新聞
音楽、映像、ソフトウェア等の配信

著作物の提供
対価の支払

事業者
「役務提供を受ける者」
(サービスの買い手)

国外事業者
「役務提供を行う者」
(サービスの売り手)

- その他のインターネットを介して行われる役務の提供
  - ① 広告の配信・掲載
  - ② ショッピングサイト・オークションサイトを運営し、事業者に商品掲載場所として利用させるサービス(商品の掲載料金等を受け取るもの)
  - ③ ゲームソフト等を販売する場所を利用させるサービス
  - ④ 宿泊予約、飲食店予約サイトを運営し、事業者に利用させるサービス(宿泊施設、飲食店等を経営する事業者から掲載料金等を受け取るもの)

⑤　オンライン英会話レッスン
⑥　電話や電子メールなどを通じたコンサルティングなど

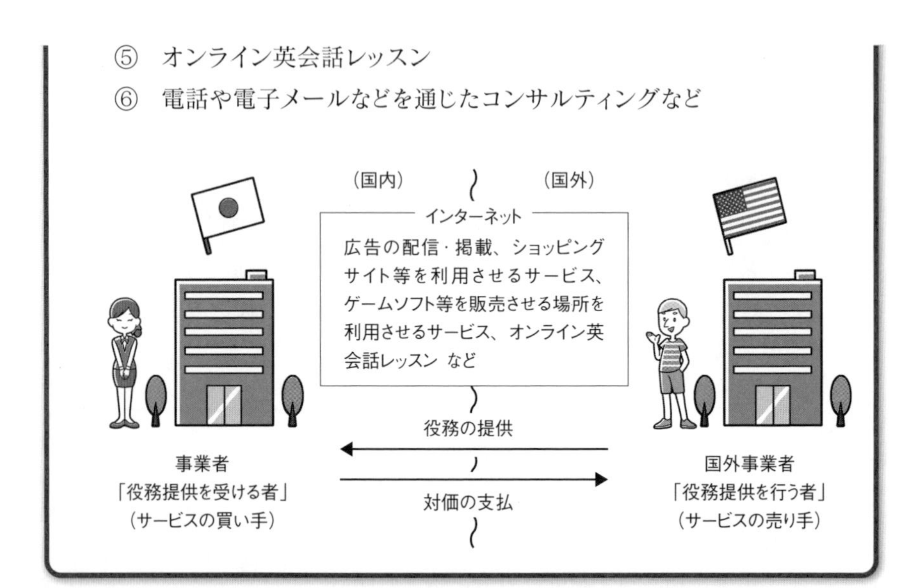

電気通信利用役務の提供とは、ひとことで言えば、インターネットを介して行われるサービスの提供というイメージです。

また、国外事業者とは、非居住者である個人事業者及び外国法人のことをいいます。

(2) 電気通信利用役務の提供に該当しない取引

一方、インターネットを介して行われるサービスであっても、電話やメール、通信そのものや、国外にある資産の管理・運用など「他の資産の譲渡等」に付随してインターネットが単に利用されるだけの取引などは、「電気通信利用役務の提供」に該当しません。まとめると、次のとおりです。

「電気通信利用役務の提供」に該当しない取引

① 電話、FAX、電報、データ伝送、インターネット回線の利用など、他者間の情報伝達を単に媒介するもの（いわゆる通信）
② 著作物の制作を国外事業者に依頼し、その成果物の受領や制作過程の指示をインターネット等を介して行うサービス
③ 国外に所在する資産の管理・運用等（ネットバンキングを含む。）
④ 国外事業者に依頼する情報の収集・分析等の結果報告をインターネット等を介して行うもの
⑤ 国外の法務専門家等が行う国外での訴訟遂行等についての状況報告等をインターネット等を介して行うもの
⑥ インターネットを介して行う著作権の譲渡・貸付け

要するに、インターネットが単なる通信手段にしかすぎないもの、メインとなる「資産の譲渡等」が他にあって、それに付随してインターネットを利用しただけのものは、電気通信利用役務の提供に該当しません。

電気通信利用役務の提供について、条文では次のとおり規定されています。

電気通信利用役務の提供（法2①八の三）

資産の譲渡等のうち、電気通信回線を介して行われる**著作物**の提供その他の電気通信回線を介して行われる役務の提供（電話、電信その他の通信設備を用いて他人の通信を媒介するものを除く。）であって、他の**資産の譲渡等**の結果の**通知**その他の他の**資産の譲渡等**に**付随**して行われるもの以外のものをいう。

電気通信回線とは、インターネット等のことをいいます。

この電気通信利用役務の提供については、「国外事業者」が「誰」に向けたサービスの提供を行ったのかにより消費税の納税義務者が異なります。

サービスを受ける者、つまり、サービスの買い手が「事業者」であれば「事業者向け電気通信利用役務の提供」、サービスの買い手が「事業者以外」であれば「事業者向け電気通信利用役務の提供以外のもの」とされます。

サービスの売り手が「国外事業者」であることが前提になっています。したがって、これらの取引を判断する際には、サービスの買い手をチェックすることがポイントです。

(3) 事業者向け電気通信利用役務の提供とは

事業者向け電気通信利用役務の提供とは、国外事業者が行う電気通信利用役務の提供で、サービスの買い手が「事業者」に限定されている取引のことをいいます。国内でこのような取引が行われる場合には、サービスの買い手である事業者が消費税を申告・納付することとなります。

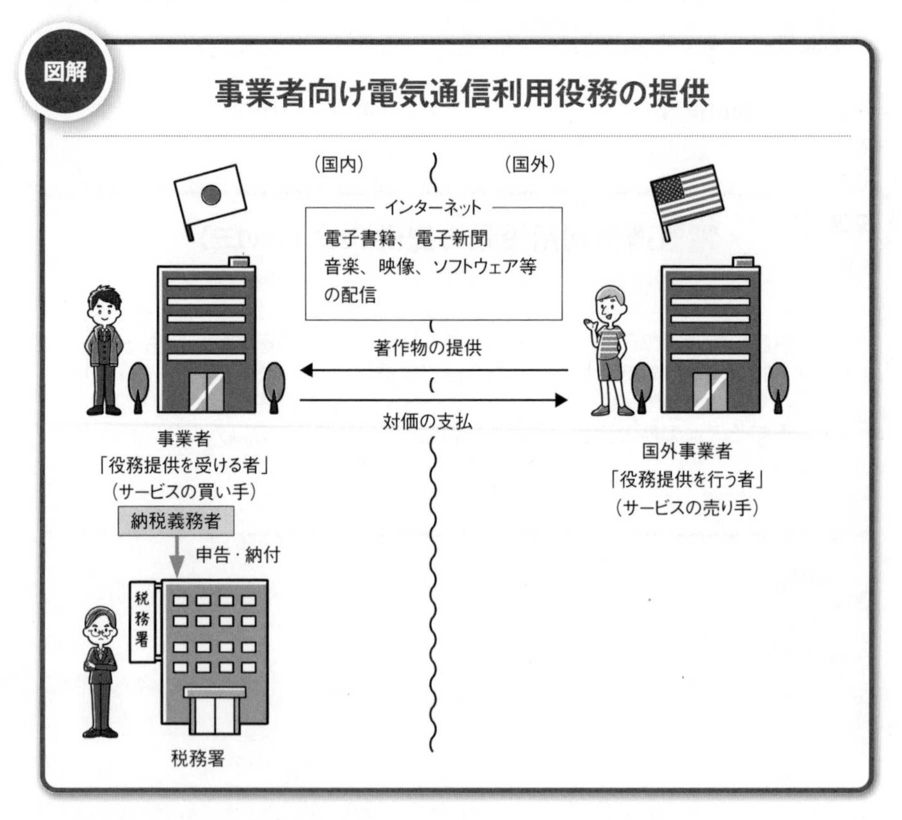

つまり、事業者向け電気通信利用役務の提供があった場合には、サービスの買い手である事業者が納税義務者となります。

事業者向け電気通信利用役務の提供は、いわゆるBtoBの取引です。事業者とは、「個人事業者」と「法人」のことをいい、国外事業者とは、非居住者である「個人事業者」と「外国法人」のことをいいます。

条文

事業者向け電気通信利用役務の提供（法2①八の四）

国外事業者が行う電気通信利用役務の提供のうち、その役務の**性質**又は**取引条件等**からその役務の提供を受ける者が通常**事業者**に限られるものをいう。

「事業者向け電気通信利用役務の提供」という用語は、その意義の中で「国外事業者が行う電気通信利用役務の提供のうち…」とあるので、国外事業者がサービスの提供を行うこと（売り手）が前提となっているのですね。

(4) 事業者向け電気通信利用役務の提供以外の電気通信利用役務の提供

一方、電気通信利用役務の提供のうち、事業者向け電気通信利用役務の提供以外のものとは、サービスの買い手が事業者以外、いわゆる国内の消費者などである電気通信利用役務の提供（消費者向け電気通信利用役務の提供という）をいいます。国内でこのような取引が行われる場合には、原則として、サービスの売り手である事業者が消費税を申告・納付することとなります。

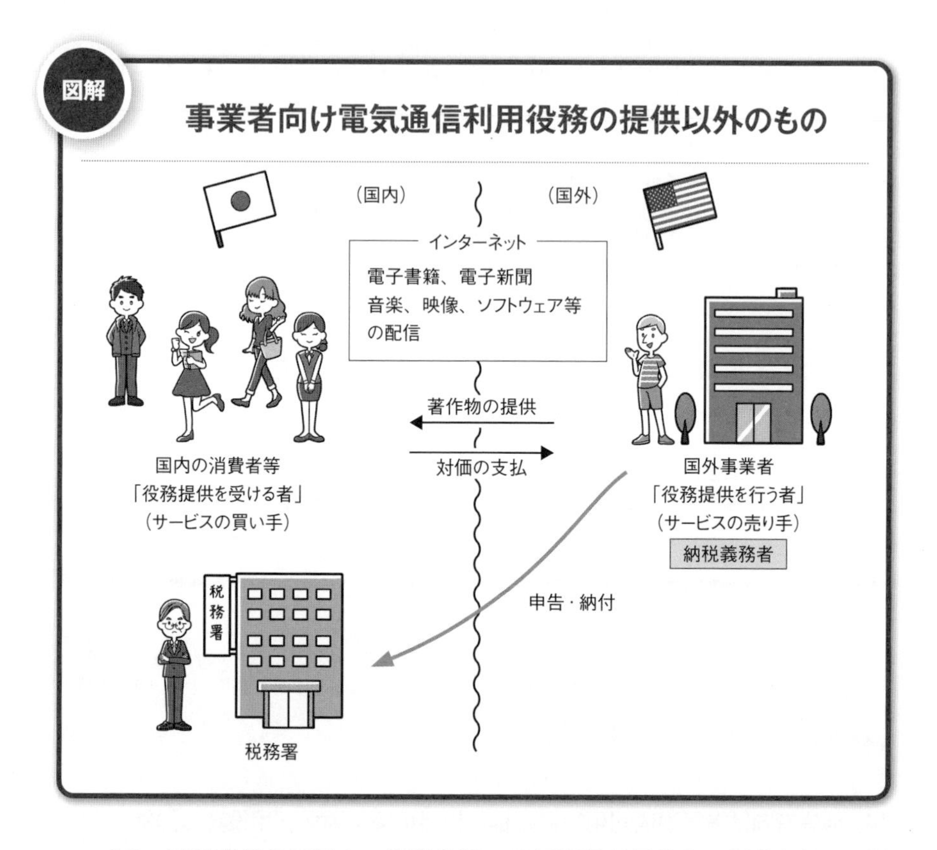

つまり、国外事業者が国内の消費者等へ電気通信利用役務の提供を行った場合には、その国外事業者が納税義務者となります。

適格請求書発行事業者の登録を受けた国外事業者から「消費者向け電気通信利用役務の提供」を受けた場合は、その国外事業者から交付を受けた適格請求書等（インボイス）を保存することにより、仕入税額控除を受けることができます。
インボイス制度について、詳しくはChapter22で解説します。

(5) プラットフォーム課税

最近では、事業者が提供するオンラインモールでショッピングをしたり、あるいは自分で売場を設けたり、アプリストアで好きなアプリを買ったり、自分で開発したアプリを売ったりすることが簡単にできるようになりました。このオンラインモールやアプリストアなどのことを「**デジタルプラットフォーム**」といいます。このようなデジタルプラットフォームを利用した取引は、年々利用者が増加し取引規模も大きくなっています。

そこで、令和６年度の消費税法の改正により、サービスの売り手側の事業者である国外事業者がこのようなデジタルプラットフォームを利用して行う消費者向け電気通信利用役務の提供で、かつ、特定プラットフォーム事業者（国税庁長官の指定を受けたもの）からサービス提供の対価を得るものについては、この特定プラットフォーム事業者がその消費者向け電気通信利用役務の提供を行ったものとみなすこととされました。これにより、この特定プラットフォーム事業者が消費税を申告・納付することとなりました。

まとめると、次のとおりです。

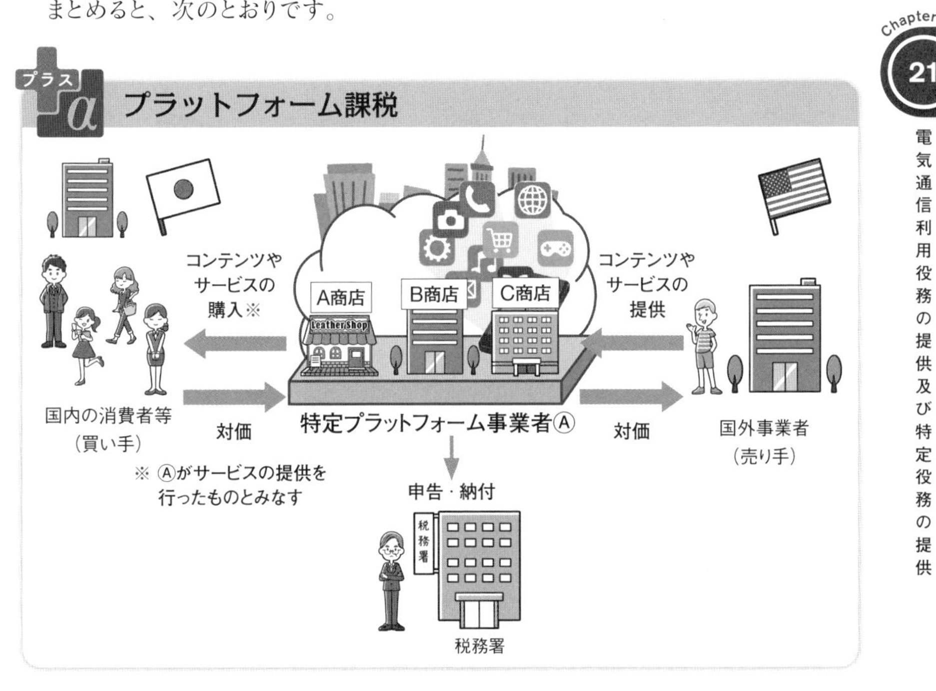

この改正は、令和７年（2025年）４月１日以後に行われる取引から適用されます。

プラットフォーム課税の対象となる消費者向け電気通信利用役務の提供については、特定プラットフォーム事業者が行ったものとみなされるため、売り手である国外事業者が適格請求書発行事業者であるか否かにかかわらず、その特定プラットフォーム事業者から交付を受けた適格請求書等を保存することにより仕入税額控除を受けることができます。

(6) 特定資産の譲渡等と特定仕入れの関係

それでは、ここまで出てきた用語の意義を整理しておきましょう。

国外事業者が行う電気通信利用役務の提供は、「事業者向け」と「事業者以外(≒消費者)向け」に分けられます。

「事業者向け電気通信利用役務の提供」と「特定役務の提供」とを合わせて**特定資産の譲渡等**といいます。この**特定資産の譲渡等**を仕入れた側の事業者においては、その仕入れを**特定仕入れ**といいます。まとめると、次のとおりです。

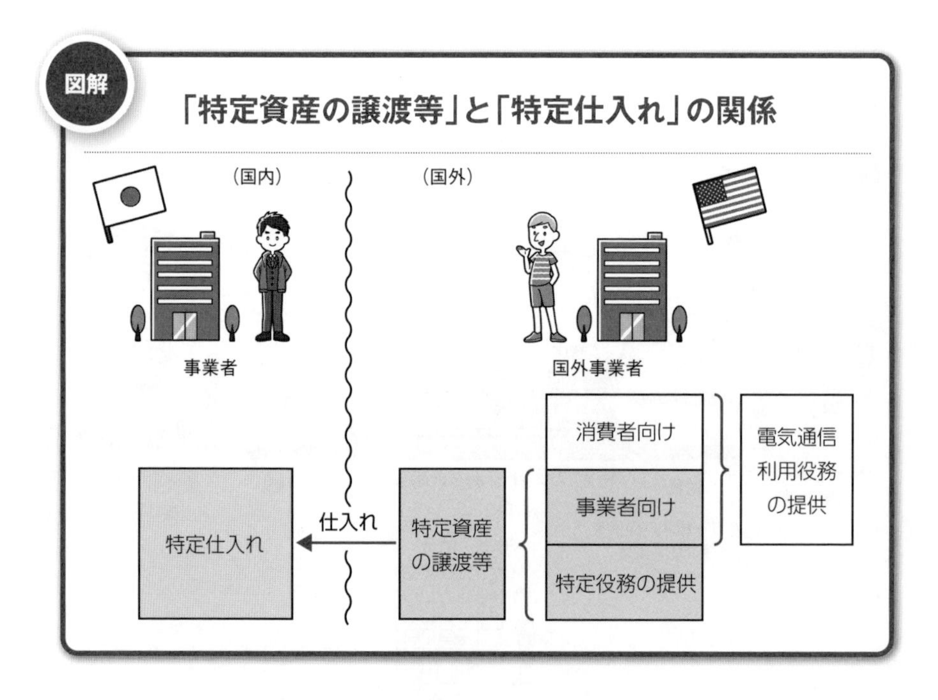

上の図解のように、特定資産の譲渡等は仕入れ側の事業者において特定仕入れとなり、その事業者において消費税の課税関係を処理していくこととなります。

「電気通信利用役務の提供」などの取引は、サービスの買い手が消費税の申告・納付を行うため、そのサービスに対して支払った対価の額を用いて納付税額を計算します。この計算方法の特徴を表すため、平成27年度の税制改正で新たに「特定仕入れ」という概念が設けられました。

また、特定役務の提供とは、国外事業者による芸能・スポーツ等の役務提供のことをいいますが、詳しくは後述します。

問題 >>> 問題編の**問題1**～**問題2**に挑戦しましょう!

電気通信利用役務の提供に係る国内取引の判定

概要

電気通信利用役務の提供について、この取引が消費税の課税の対象となるかどうかを判断する際に、国内取引の要件を満たすかどうかを判定することとなります。この場合の電気通信利用役務の提供に係る国内取引の判定の考え方について説明します。

(1) リバースチャージ方式により課税される電気通信利用役務の提供

インターネットを介して行われる著作物の提供を代表例とした電気通信利用役務の提供については、リバースチャージ方式により、サービスの買い手側の事業者が消費税を申告・納付することとなります。

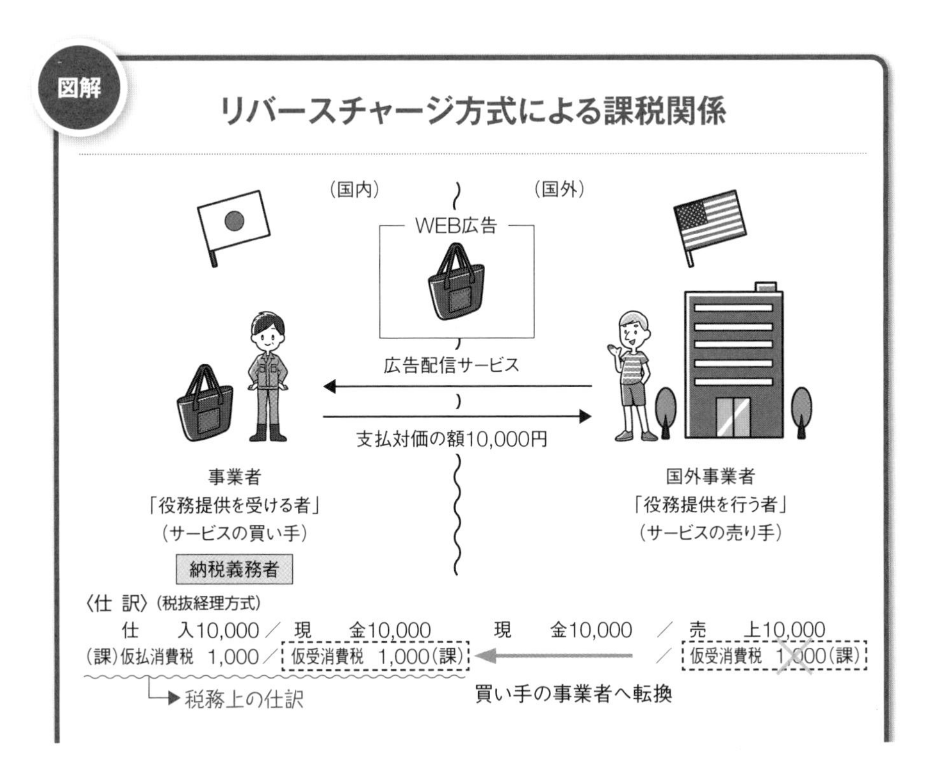

従来までは、役務提供を行う者(売上げ側)である国外事業者が負うべき消費税の納税義務を、国内取引の判定を見直すことにより、役務の提供を受ける者である事業者(仕入れ側)へ転換しました。これにより、サービスの買い手側の事業者は仕訳上、税抜経理方式による場合、「仮受消費税(預かった消費税額)」と「仮払消費税(支払った消費税額)」を両建てする形で処理を行います。

リバースチャージの英語の表記は、reverse charge です。反対側に課税するという意味です。事業者向け電気通信利用役務の提供を受けた事業者は、リバースチャージ方式により消費税を申告・納付することとなります。

(2) インターネットを利用したサービス提供に関する課税上の問題点

インターネットを利用したサービス提供については、税制改正前はサービスの売り手側の事業者が消費税を申告・納付することになっていたため、消費税法上、課税の対象となるかどうかを判断する際に、国内取引の課税の対象の4要件を満たさないため、課税の対象外とされてしまうことがあり、問題となっていました。

国境を越えて行われるインターネットを利用したサービス提供の課税上の問題点についてまとめると、次のとおりです。

インターネットを利用したサービス提供の課税上の問題点

● 「役務提供を行う者」が国外事業者A社の場合：国外取引（課税の対象外）

（例）国内でバッグ販売業を営む事業者甲社が国外のIT企業A社の提供する広告配信サービスを利用して自社商品の広告を行い、対価として10,000円を支払った。

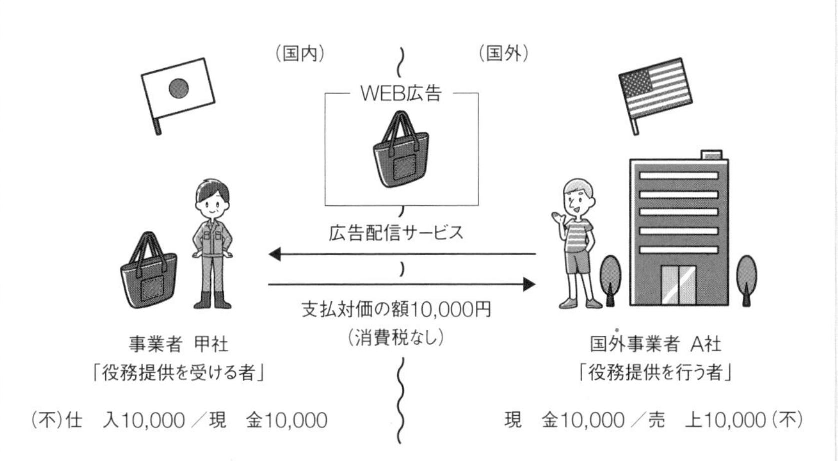

● 「役務提供を行う者」が国内事業者乙社の場合：国内取引（課税の対象）

（例）国内でバッグ販売業を営む事業者甲社が国内のIT企業乙社の提供する広告配信サービスを利用して自社商品の広告を行い、対価として11,000円（税込）を支払った。なお、会計処理方法は税込経理方式とする。

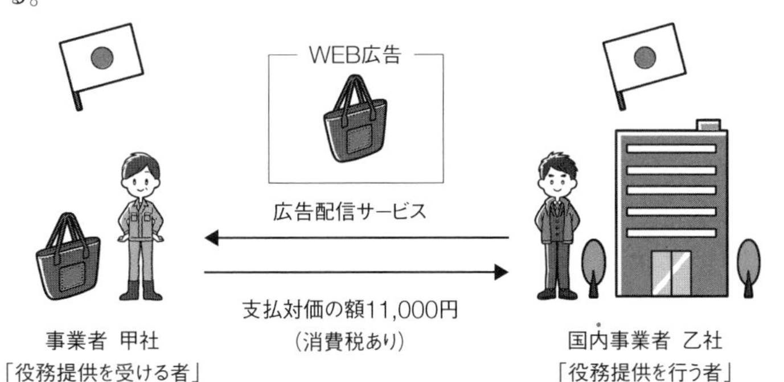

（課）仕　入11,000／現　金11,000　　　　現　金11,000／売　上11,000（課）

「役務提供を行う者」が国外事業者Ａ社の場合、課税の対象外となるため、事業者甲社はそのサービスの提供を受けたときに消費税がかかりません。一方、「役務提供を行う者」が国内事業者乙社の場合は、課税の対象となるため、事業者甲社はそのサービスの提供を受けたときに消費税がかかります。

このように国内で同じサービスを受ける（消費する）のにもかかわらず、消費税の課税上、バランスが取れていないことが問題となっていました。

税制改正前は、国内取引の判定を行う際、「役務提供を行う者（＝サービスの売り手）」の役務提供に係る事務所等の所在地により判定するというルールしかなかったため、このような問題が生じていました。

この課税上の問題点を解決し課税の公平性を確保するために税制改正が行われました。

(3) 国内取引の判定

電気通信利用役務の提供に係る国内取引の判定については、段階的に税制改正が行われ、原則的には「役務の提供を受ける者」の住所、本店等の所在地により国内取引の判定を行うことになります。

図解

電気通信利用役務の提供に係る国内取引の判定

（例）A社は、広告配信サービスを行う国外事業者である。A社は内国法人甲社の本店（所在地：日本）と国外事業者B社の本店（所在地：アメリカ）に広告配信サービスを提供している。

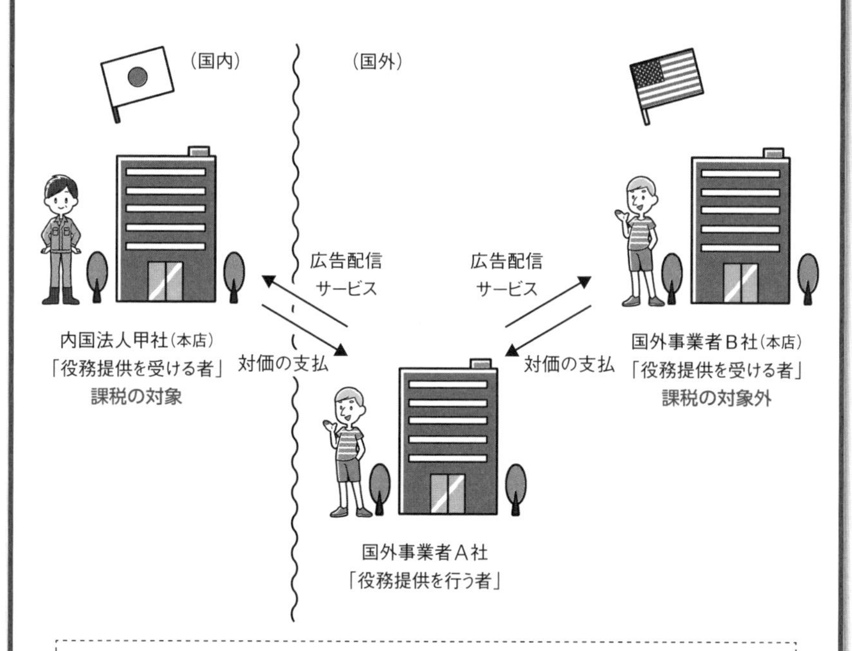

内国法人甲社が、国外事業者A社から受ける広告配信サービスについては、「役務の提供を受ける者」である内国法人甲社の本店の所在地が国内であるため、「国内取引」となり課税の対象となります。

内国法人とは、国内に本店または主たる事務所を有する法人のことをいいます。

電気通信利用役務の提供に係る国内取引の判定の見直し

(1) 変遷の歴史

電気通信利用役務の提供に係る国内取引の判定については、段階的に税制改正が行われました。まず、平成27年度の税制改正において国内取引の判定を「役務の提供を行う者」の役務提供に係る事務所等の所在地ではなく、「役務の提供を受ける者」の住所、本店等の所在地により行う点が改正されました。

しかし、企業のグローバル化が進展する中、一企業が国内外に支店を設置し事業活動を行うことも多くなったため、取引の実態に即した国内取引の判定を行うことが必要となりました。そこで、平成28年度に行われた税制改正において、国内取引の判定は一定の条件のもと、「実質的に役務の提供を受ける者」の事務所の所在地等により行うこととなりました。

電気通信利用役務の提供に係る国内取引の判定を見直すことにより、実質的にサービスの提供を受ける者の事務所等の所在地が国内であれば、消費税の課税の対象となります。

(2) 第一段階「役務の提供を受ける者の住所、本店等の所在地」へ改正

これまで課税の対象外とされていた国外事業者が行う電気通信利用役務の提供に課税するため、国内取引の判定を「役務の提供を受ける者」の住所、本店等の所在地により行うことになりました。「役務の提供を受ける者」とは、サービスの買い手のことで、いわば受益者のことです。これにより、日本向けの電気通信利用役務の提供については、国内取引となりました。

電気通信利用役務の提供に係る国内取引の判定について、条文では次のように規定されています。

条文

電気通信利用役務の提供に係る国内取引の判定（法4③）

国内取引の判定は、役務の提供を**受ける者**の**住所等**が国内にあるかどうかにより行う。
ただし、その**住所等**がないときは、**国外**で行われたものとする。

(3) 第二段階「実質的に役務の提供を受ける者の事務所等の所在地」へ改正

しかし、急速に企業のグローバル化が進展し、企業が地域を限定せず世界中で事業活動を行うことも多くなりました。よって、電気通信利用役務の提供について、国内取引の判定を「役務の提供を受ける者」の住所、本店等の所在地とすると、内国法人の国外支店等や国外事業者の国内支店が、各支店において国外事業者から役務の提供を受ける場合には、消費地課税主義の見地から消費税の課税上、取引の実態に合わないことが新たな課題となりました。

つまり、「実質的にサービスの提供を受ける者の事務所等の所在地」と「本店等の所在地」が異なる場合は、その取引が国内で行われたかどうかを判定する際、「本店等の所在地」だけを根拠にすると、消費税の課税の対象となるかorならないか、という判断結果が、その取引の実態とは異なってしまうことがあります。

電気通信利用役務の提供及び特定役務の提供

そこで、事業者向け電気通信利用役務の提供に係る国内取引の判定について、さらに平成28年度税制改正が行われました。これは、取引の実態に着目し、一定の条件のもと、**実質的に役務の提供を受ける者の事務所等の所在地**がどこにあるかにより、国内取引の判定を行うことになります。

電気通信利用役務の提供に係る国内取引の判定

（例）A社は、広告配信サービスを行う国外事業者である。A社は内国法人甲社の本店（所在地：日本）及び甲社の支店（所在地：アメリカ）と国外事業者B社の本店（所在地：アメリカ）及びB社の支店（所在地：日本）に広告配信サービスを提供している。

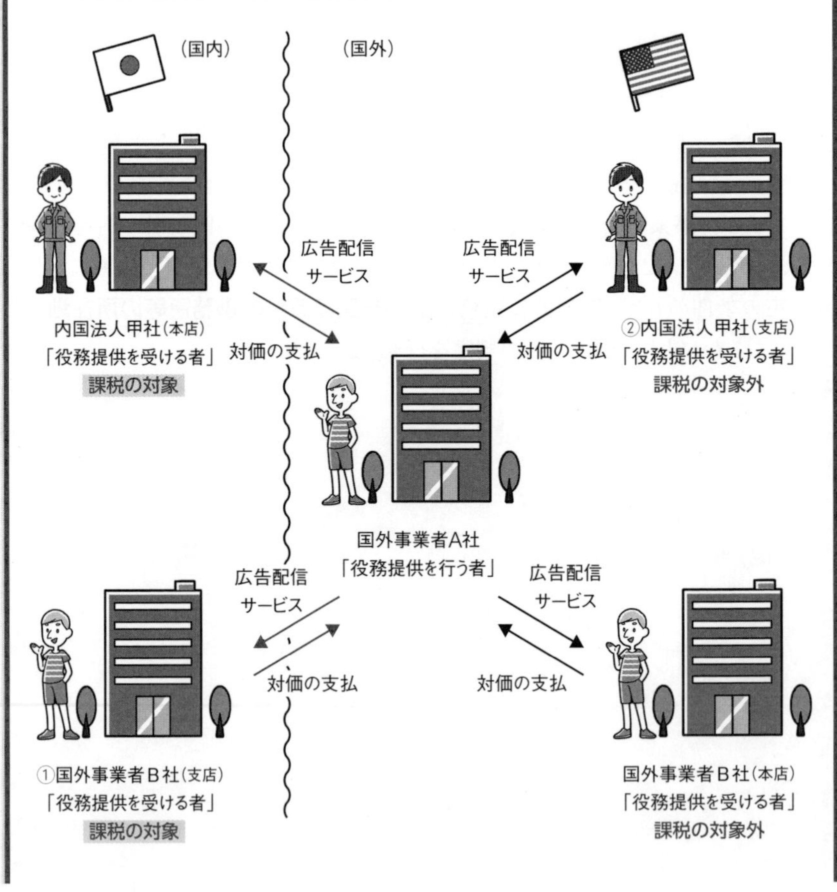

国外事業者Ｂ社の国内にあるＢ社支店等①が、国外事業者Ａ社から受ける広告配信サービスについては、役務の提供を受ける者の事務所等の所在地が国内であるため、「国内取引」となり課税の対象となります。

また、内国法人甲社の国外にある甲社支店②が、国外事業者Ａ社から受ける広告配信サービスについては、役務の提供を受ける者の事務所等の所在地が国外であるため、「国外取引」となり課税の対象とはならないこととなります。

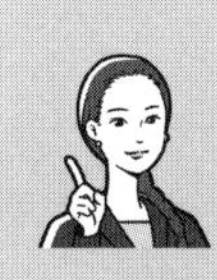

国内事業者の国外にある支店等は「国外事業所等」になります。したがって実質的にサービスの提供を受ける者の事務所等の所在地が国外のため、国外取引とされ課税の対象外となります。

また、国外事業者の国内にある支店等は「恒久的施設」になります。したがって実質的にサービスの提供を受ける者の事務所等の所在地が国内のため、国内取引とされ課税の対象となります。

なお、この改正は、平成29年１月１日以後に行われる事業者向け電気通信利用役務の提供から適用されています。まとめると、次のとおりです。

事業者向け電気通信利用役務の提供を受けた場合の国内取引の判定について

特定仕入れ(注)を行う事業者	国内取引の判定
事業者(国外事業者を除く。)	事業者(国外事業者を除く。)が国外事業所等で行う特定仕入れ(注)のうち、国外において行う資産の譲渡等にのみ要するものは、**国外**で行われたものとする
国外事業者	国外事業者が恒久的施設で行う特定仕入れ(注)のうち、国内において行う資産の譲渡等に要するものは、**国内**で行われたものとする

(注) 事業者向け電気通信利用役務の提供に限る。

「国外事業者を除く事業者」とは、国内に本店等がある内国法人を指します。
　また、「国外事業所等」とは、租税条約を締結している条約相手国等について、その条約に定める恒久的施設などのことをいいます。「恒久的施設」とは、支店・出張所・事業所・事務所・工場など事業活動の拠点となっている一定の場所等を指します。
　この「国外事業所等」や「恒久的施設」は、所得税法や法人税法で使われている用語です。少し難しい表現なので、まずは意味を理解するようにしましょう。

　次の例題で、事業者向け電気通信利用役務の提供を受けた場合の国内取引の判定を確認してみましょう。

例題

事業者向け電気通信利用役務の提供を受けた場合の国内取引の判定

問題

　次に掲げる取引が、国内取引に該当するかどうか判定しなさい。
　また、内国法人A及び国外事業者Bは支店等を有していないものとする。

(1) 内国法人A（本店）が、国外事業者B（本店）に対して広告配信サービスの提供を行った。
(2) 国外事業者B（本店）が、内国法人A（本店）に対して広告配信サービスの提供を行った。
(3) 内国法人A（本店）が、国外に住所を有する消費者Cに対して映画配信サービスの提供を行った。
(4) 国外事業者B（本店）が、国内に住所を有する消費者Dに対して音楽配信サービスの提供を行った。
(5) 内国法人A（本店）が、国内に住所を有する消費者Dに対して電子書籍配信サービスの提供を行った。
(6) 国外事業者B（本店）が、内国法人A（本店）に対して電気通信利用役務の提供以外の役務の提供（役務の提供地は明らかではない）を行った。

(7) 内国法人Eのアメリカ支店（国外事業所等に該当する。）が、国外事業者Fの日本支店（恒久的施設に該当する。）に対してソフトウェア配信サービスの提供（国内において行う資産の譲渡等に要するものである。）を行った。

(8) 国外事業者Fの日本支店（恒久的施設に該当する。）が、内国法人Eのアメリカ支店（国外事業所等に該当する。）に対してソフトウェア配信サービスの提供（国内以外の地域において行う資産の譲渡等にのみ要するものである。）を行った。

解答

(1)「役務の提供を受ける者の住所、居所、本店若しくは主たる事務所の所在地」が、国外であるため国外取引。

(2)「役務の提供を受ける者の住所、居所、本店若しくは主たる事務所の所在地」が、国内であるため国内取引。

(3)「役務の提供を受ける者の住所、居所、本店若しくは主たる事務所の所在地」が、国外であるため国外取引。

(4)「役務の提供を受ける者の住所、居所、本店若しくは主たる事務所の所在地」が、国内であるため国内取引。

(5)「役務の提供を受ける者の住所、居所、本店若しくは主たる事務所の所在地」が、国内であるため国内取引。

(6) 役務の提供が行われた場所が明らかでないものに該当するため、「役務の提供を行う者の役務の提供に係る事務所等の所在地」で判定をする。

本問では役務の提供を行う者が、国外事業者B（本店）であるため国外取引。

(7) 国外事業者Fの日本支店（恒久的施設）の実質的にサービスの提供を受ける者の事務所等の所在地が、国内であるため国内取引。

(8) 内国法人Eのアメリカ支店（国外事業所等）の実質的にサービスの提供を受ける者の事務所等の所在地が、国外であるため国外取引。

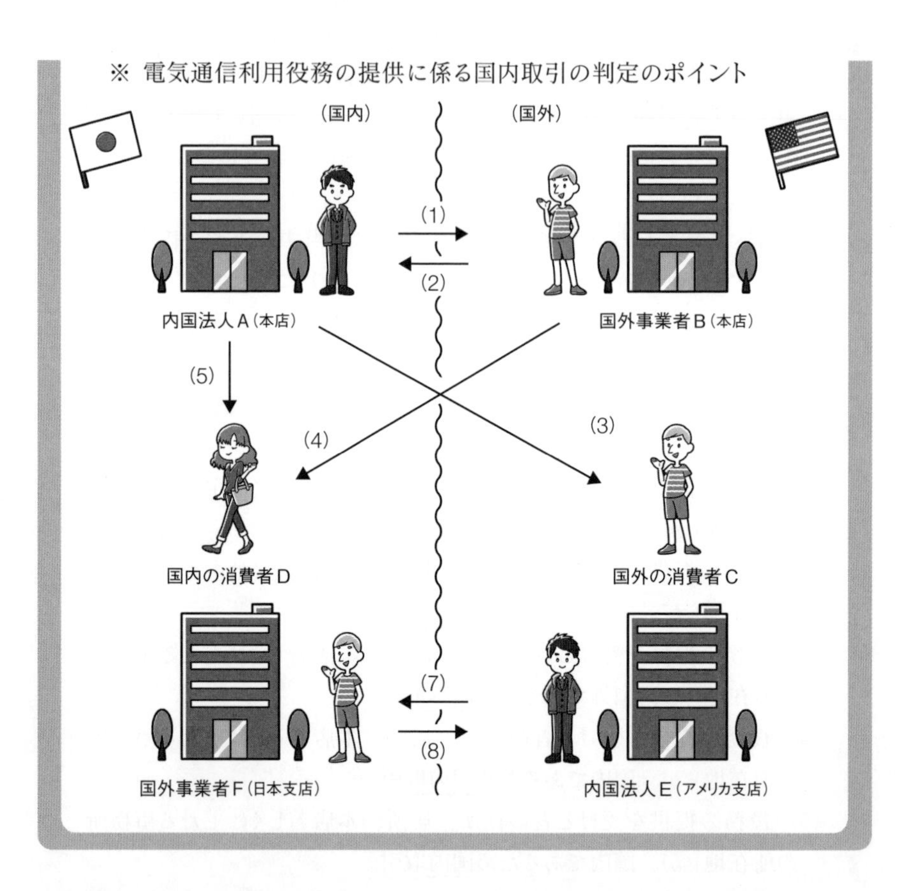

この例題を通して、事業者向け電気通信利用役務の提供やその他の役務の提供について、国内取引の判定を行う際の考え方を整理しましょう。

問題 >>> 問題編の**問題3**に挑戦しましょう！

リバースチャージ方式による消費税額の計算

リバースチャージ方式による消費税額の計算とは

(1) 概要

リバースチャージ方式とは、サービスの買い手側の事業者が売り手が申告すべき売上げに係る消費税額を申告・納付する方式のことをいいます。

リバースチャージ方式による消費税額の計算では、事業者がサービスを買ったときの支払対価の額を課税標準額の計算に計上するとともに、控除対象仕入税額の計算にも計上することとなります。

(2) 特定仕入れと特定課税仕入れ

ここでリバースチャージ方式の計算で使われる用語の意義を整理してみます。

特定仕入れとは、事業として他の者から受けた特定資産の譲渡等のことをいいます。また、**特定課税仕入れ**とは、課税仕入れのうち特定仕入れに該当するものをいいます。まとめると、次のとおりです。

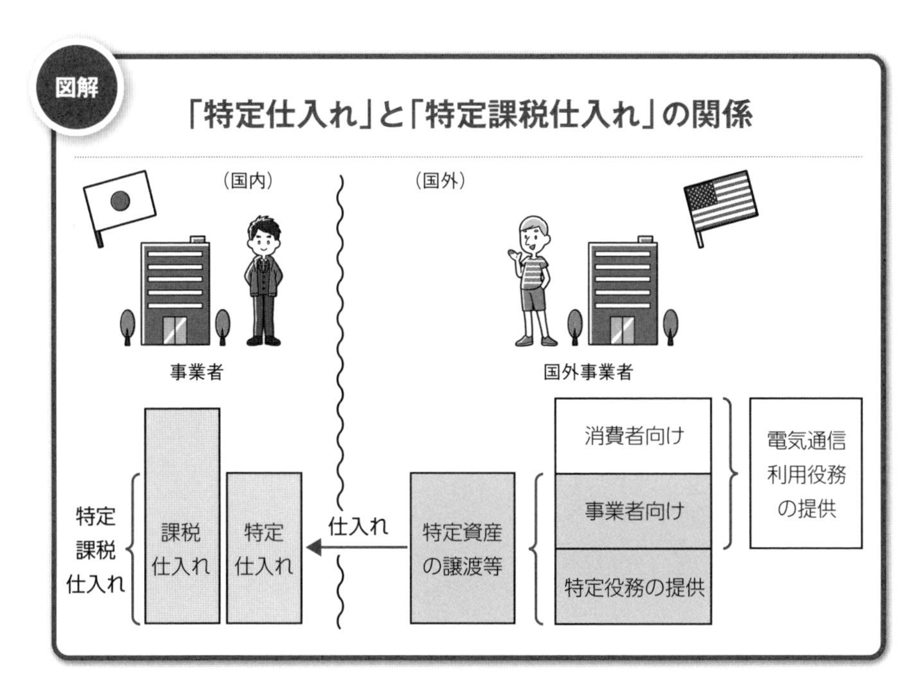

事業者は国内においてサービスの提供を受けた特定課税仕入れについて、リバースチャージ方式により消費税を納める義務があります。つまり、サービスの買い手側の事業者に消費税の申告・納付義務を負わせるため、「特定仕入れ」及び「特定課税仕入れ」という概念を設けているのです。

特定仕入れについて具体例を挙げてまとめると、次のとおりです。

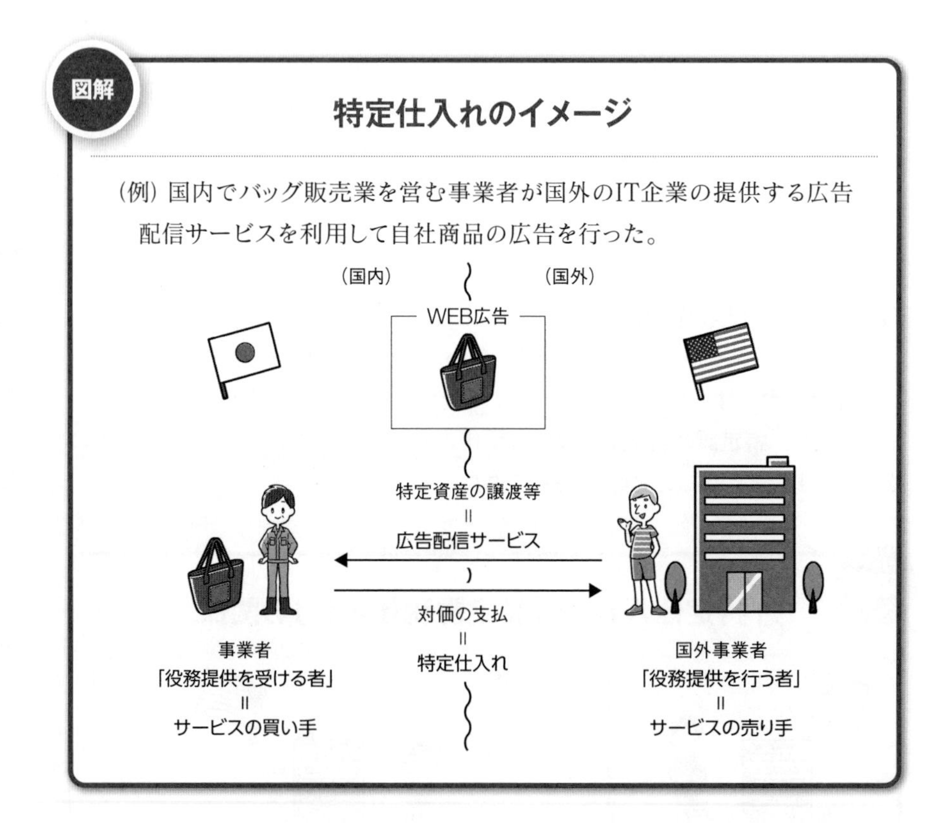

(3) リバースチャージ方式による消費税額の計算方法

リバースチャージ方式の計算について具体例を挙げて説明すると、次のとおりです。

図解 リバースチャージ方式による消費税額の計算方法

（例）国内でバッグ販売業を営む事業者が国外のIT企業の提供する広告配信サービスを利用して自社商品の広告を行い、対価として10,000千円を支払った。

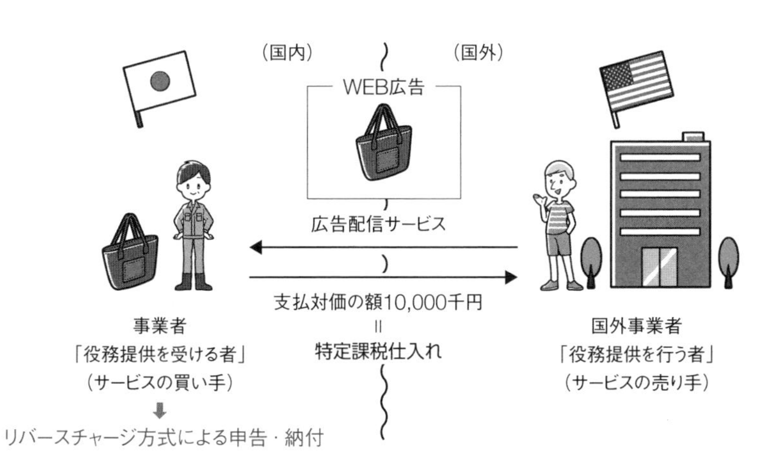

【前提】当期の課税売上割合は80%であり、一括比例配分方式を採用する。

(1) 課税標準額（特定課税仕入れ） 10,000千円

(2) 課税標準額に対する消費税額　10,000千円×7.8%＝780千円

(3) 控除対象仕入税額

① 特定課税仕入れ　10,000千円×7.8%＝780千円

② 一括比例配分方式　780千円×80%＝624千円

(4) 納付税額 (2) － (3) ＝156千円

前の例では、国内で事業を行う事業者が国外事業者から受けた広告配信サービスに対して支払った対価の額を**特定課税仕入れに係る支払対価の額**といい、リバースチャージ方式による計算では、この特定課税仕入れに係る支払対価の額を課税標準額の計算と控除対象仕入税額の計算に含めます。

リバースチャージ方式による計算では、計算過程において「特定課税仕入れに係る支払対価の額」を独立させて書くことに留意しましょう。具体的には、課税標準額の計算の際には「課税資産の譲渡等」と「特定課税仕入れ」を区別して計上すること、また、控除対象仕入税額の計算の際には「課税仕入れ」と「特定課税仕入れ」を区別して計算することです。

また、特定課税仕入れに係る支払対価の額には消費税が含まれていないため、税抜処理する必要はありません。したがって、特定課税仕入れに係る支払対価の額の7.8%国税部分の消費税額を計算する際には、特定課税仕入れに係る支払対価の額に直接7.8%を乗じます。

さらに、控除対象仕入税額を計算する際に個別対応方式を採用している場合には、「特定課税仕入れ」についても、「課税仕入れ」と同様に(A)課税売上げに対応するもの・(B)非課税売上げに対応するもの・(C)課税売上げと非課税売上げ両方に共通するものとに区分経理します。

(4) 特定課税仕入れに係る消費税の課税標準

課税標準とは、消費税を課税する基準となるものです。

事業者が国内において特定課税仕入れを行った場合には、リバースチャージ方式により消費税額の計算を行うため、特定課税仕入れに係る支払対価の額を課税標準額の計算に含めます。

特定課税仕入れに係る消費税の課税標準について、条文では次のように規定されています。

条文

特定課税仕入れに係る消費税の課税標準（法28②）

特定課税仕入れに係る消費税の課税標準は、**特定課税仕入れに係る支払対価の額**（注1）とする。

（注1）対価として支払い、又は支払うべき一切の金銭又は金銭以外の物、権利その他経済的な利益の額（注2）とする。

（注2）金銭以外の物、権利その他経済的な利益の額は、その物、権利を取得し、又はその利益を享受する時における価額とする。

(5) 特定課税仕入れに係る消費税の仕入税額控除

事業者は国内において特定課税仕入れを行った場合には、リバースチャージ方式により消費税額の計算を行うため、特定課税仕入れに係る支払対価の額を控除対象仕入税額の計算に含めます。

このとき、支払った消費税額が控除される時期は、原則としてサービスの提供を受けた日の属する課税期間とされているため、特定課税仕入れを行った場合の仕入税額控除の時期は、特定課税仕入れを行った日の属する課税期間となります。まとめると、次のとおりです。

特定課税仕入れに係る消費税額の控除時期

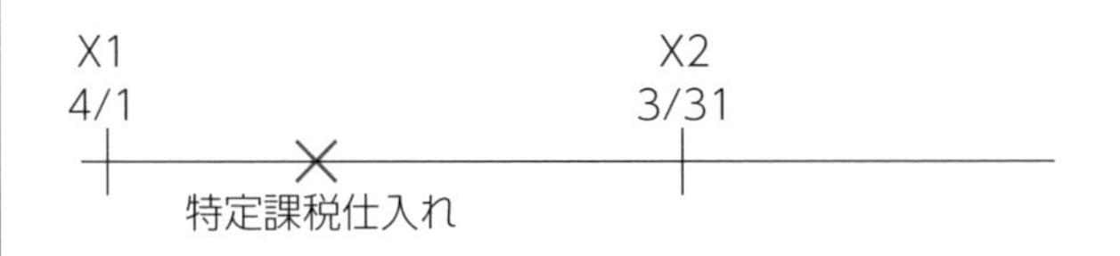

特定課税仕入れを行った日の属する課税期間（X1.4.1 ～ X2.3.31）において、仕入れに係る消費税額の控除を行います。

特定課税仕入れに係る消費税額の控除について、条文では次のように規定されています。

条文

特定課税仕入れに係る消費税額の控除（法30①）

事業者（**免税事業者**を除く。）が、国内において行う課税仕入れ若しくは**特定課税仕入れ**又は保税地域から引き取る課税貨物については、次の日の属する課税期間の**課税標準額に対する消費税額**から、その課税期間中に国内において行った課税仕入れに係る消費税額(注1)、**その課税期間中に国内において行った特定課税仕入れに係る消費税額**(注2)及びその課税期間における保税地域からの引取りに係る課税貨物(注3)につき課された又は課されるべき消費税額の合計額を**控除する。**

(1) 国内において課税仕入れを行った場合
　課税仕入れを行った日

(2) **国内において特定課税仕入れを行った場合**
　特定課税仕入れを行った日

(3) 一般申告課税貨物につき申告書を提出した場合
　一般申告課税貨物を引き取った日

(4) 課税貨物につき特例申告書を提出した場合
　特例申告書の提出日

(注1) 課税仕入れに係る適格請求書又は適格簡易請求書の記載事項を基礎として計算した金額その他の一定の方法により計算した金額

(注2) 特定課税仕入れに係る支払対価の額に**100分の7.8**を乗じて算出した金額

(注3) 消費税が免除されるものを除く。

次の例題で、リバースチャージ方式による消費税額の計算方法を確認してみましょう。

例題

リバースチャージ方式による消費税額の計算方法

問題

次の資料から、課税事業者である内国法人甲社（国外に支店等はない）の当課税期間（X1年4月1日～X2年3月31日）における、課税標準額、課税標準額に対する消費税額及び控除対象仕入税額を求めなさい。なお、甲社は軽減税率が適用される取引は行っておらず、資料以外の事項は考慮する必要はない。

1　収入に関する事項

(1)	課税売上高（税込）	132,000,000円
(2)	免税売上高	8,000,000円
(3)	非課税売上高	32,000,000円

2　支出に関する事項

(1)　課税仕入れ（税込）の金額の合計額　88,880,000円

上記金額の内訳は、次のとおりである。

①	課税売上対応	A	77,000,000円
②	非課税売上対応	B	880,000円
③	共通対応	C	11,000,000円

(2)　特定課税仕入れの金額の合計額　2,500,000円

①	課税売上対応	A	1,500,000円
②	共通対応	C	1,000,000円

解答

● 資料を読みながら区分経理

特定課税仕入れがある場合は、リバースチャージ方式により「課税標準額」と「控除対象仕入税額」の両方の計算を行います。

● 消費税額の計算対象となる課税標準額の計算

1　課税標準額

(1) 課税資産の譲渡等

$$132{,}000{,}000円 \times \frac{100}{110} = \overset{※}{120{,}000{,}000}円$$

(2) 特定課税仕入れ

2,500,000円

(3) (1) ＋ (2) ＝122,500,000円（千円未満切捨）

● 課税標準額を基に消費税額の計算

2　課税標準額に対する消費税額

122,500,000円×7.8％＝9,555,000円

リバースチャージ方式の部分 ＋
2,500,000円×7.8%=195,000円

● 課税売上割合の計算

3　課税売上割合

「課税資産の譲渡等」を転記。
「特定課税仕入れ」は含めない。

(1) 課税売上高

※120,000,000円＋8,000,000円（免税売上）＝128,000,000円

≦500,000,000円

(2) 非課税売上高

32,000,000円

(3) 課税売上割合

$$\frac{(1)}{(1)+(2)} = \frac{128{,}000{,}000円}{160{,}000{,}000円} = 80\% < 95\%$$　∴ 按分必要

● 控除対象仕入税額の計算

4　控除対象仕入税額

(1) 課税仕入れ等の区分

A ①　課税資産の譲渡等にのみ要するもの

イ　課税仕入れ

$$77{,}000{,}000円 \times \frac{7.8}{110} = 5{,}460{,}000円$$

ロ　特定課税仕入れ

1,500,000円×7.8％＝117,000円

リバースチャージ方式の部分
▲117,000円

B ② その他の資産の譲渡等にのみ要するもの

$$880{,}000円 \times \frac{7.8}{110} = 62{,}400円$$

C ③ 共通して要するもの

イ 課税仕入れ

$$11{,}000{,}000円 \times \frac{7.8}{110} = 780{,}000円$$

ロ 特定課税仕入れ

1,000,000円×7.8%＝78,000円

リバースチャージ方式の部分
▲78,000円

④ 合計

イ 課税仕入れ

$$88{,}880{,}000円 \times \frac{7.8}{110} = 6{,}302{,}400円$$

ロ 特定課税仕入れ

2,500,000円×7.8%＝195,000円

リバースチャージ方式の部分
▲195,000円

(2) 個別対応方式

A課仕 A特課仕 C課仕 C特課仕
(5,460,000円＋117,000円)＋(780,000円＋78,000円)×80%
＝6,263,400円

リバースチャージ方式の部分 ▲
117,000円+78,000円×80%=179,400円

(3) 一括比例配分方式

課仕 特課仕
(6,302,400円＋195,000円)×80%＝5,197,920円

リバースチャージ方式の部分 ▲
195,000円×80%=156,000円

(4) 有利判定

(2)＞(3) ∴ 6,263,400円

リバースチャージ方式の部分 ▲
179,400円＞156,000円

リバースチャージ方式による納付税額
預かった税額 支払った税額 納付税額
195,000円−179,400円=15,600円

リバースチャージ方式により消費税額を計算する場合、「課税標準額」と「控除対象仕入税額」の両方の計算の際に「特定課税仕入れに係る支払対価の額」を計上することとなります。また、課税標準額を計算する際は、「課税資産の譲渡等」と「特定課税仕入れ」を合計してから千円未満切捨することに注意しましょう。

上の例題では、リバースチャージ方式の部分を［　　　］で囲んでいます。リバースチャージ方式による計算方法をしっかりと理解しましょう。

問題 >>> 問題編の**問題4**に挑戦しましょう!

特定課税仕入れに係る対価の返還等を受けた場合

特定課税仕入れに係る対価の返還等を受けた場合の取扱い

(1) リバースチャージ方式による消費税額の計算方法

ここまで見てきたように、特定課税仕入れを行った事業者はリバースチャージ方式により消費税額の計算を行います。

つまり、これは、特定課税仕入れを使って、売上げの消費税額と仕入れの消費税額の両方を計算することとなります。

したがって、特定課税仕入れに係る対価の返還等を受けた場合にも、売上げの消費税額と仕入れの消費税額の両方から特定課税仕入れに係る対価の返還等に係る消費税額を差し引きます。

具体的には、「課税標準額に対する消費税額」から特定課税仕入れに係る対価の返還等に係る消費税額を差し引くとともに、「控除対象仕入税額」から特定課税仕入れに係る対価の返還等に係る消費税額を差し引くことになります。

「課税標準額に対する消費税額」から対価の返還等に係る消費税額を控除することを税額控除といい、「控除対象仕入税額」から対価の返還等に係る消費税額を差し引くことを仕入税額の修正といいます。

特定課税仕入れに係る対価の返還等を受けた場合の消費税額の計算方法についてまとめると、次のとおりです。

図解

特定課税仕入れに係る対価の返還等を受けた場合

(例) 国内でバッグ販売業を営む事業者が国外のIT企業の提供する広告配信サービスを利用して自社商品の広告を行い、対価として5,000千円を支払った。その後、割戻しによる対価の返還等により1,000千円を受け取った。また、国内店舗における当期のバッグの売上高は5,500千円であり、さらに前期に売上げたバッグの売上高のうち550千円の値引きを行った。

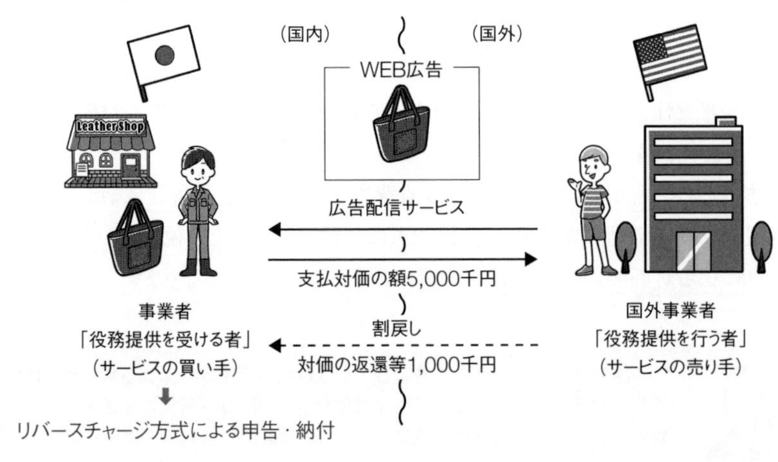

【前提】当期の課税売上割合は80%であり、一括比例配分方式を採用する。

(1) 課税標準額

① $5{,}500\text{千円} \times \frac{100}{110} = 5{,}000\text{千円}$

② 5,000千円

③ ①+②=10,000千円

(2) 課税標準額に対する消費税額

10,000千円×7.8%=780千円

(3) 控除対象仕入税額

① 特定課税仕入れ

5,000千円 ×7.8%=390千円

② **特定課税仕入れに係る対価の返還等**

1,000千円×7.8%=78千円

<仕入側>
仕入れに係る対価の返還等として「控除対象仕入税額」の中で処理

③　一括比例配分方式 390千円×80%−78千円×80%＝249.6千円

(4) 返還等対価に係る税額

①　売上げに係る対価の返還等に係る税額

$550千円×\frac{7.8}{110}＝39千円$

②　特定課税仕入れに係る対価の返還等に係る税額

1,000千円×7.8%=78千円

③　①＋②＝117千円

<売上側>
売上げに係る対価の返還等と同様に「控除税額」として別建処理

(5) 控除税額小計

(3) ＋ (4) ＝366.6千円

(6) 差引税額

(2) − (5) ＝413.4千円（百円未満切捨）

電気通信利用役務の提供及び特定役務の提供

計算過程の書き方と、税額計算をする際に特定課税仕入れに係る対価の返還等を受けた金額に直接7.8%を乗じることに注意しましょう。

(2) 税額控除の控除時期と仕入税額控除の適用時期

特定課税仕入れに係る対価の返還等を受けた場合には、売上げと仕入れの両方から特定課税仕入れに係る対価の返還等に係る消費税額を差し引くこととなります。税額控除の控除時期と仕入税額控除の適用時期について、売上げ側の処理と仕入れ側の処理の２つの側面からまとめると、次のようになります。

①　税額控除の控除時期（売上げ側の処理）

特定課税仕入れに係る対価の返還等を受けた金額に係る消費税額は、その事業者が返還等を受けた日の属する課税期間において課税標準額に対する消費税額から控除します。具体的には、国内において行う特定課税仕入れに係る支払対価の額につき「課税標準額」に計上した金額について、その特定課税仕入れにつき値引き又は割戻しを受けた場合には、「特定課税仕入れに係る対価の返還等」で控除します。

②　仕入税額控除の適用時期（仕入れ側の処理）

特定課税仕入れに係る対価の返還等を受けた金額に係る消費税額は、その事業者が返還等を受けた日の属する課税期間において控除対象仕入税額を修正計算します。具体的には、国内において行う特定課税仕入れにつき「仕入税額控除」の適用を受けた金額について、その特定課税仕入れにつき値引き又は割戻しを受けた場合には、「仕入れに係る対価の返還等」として控除対象仕入税額を修正計算します。

税額控除の控除時期と仕入税額控除の適用時期についてまとめると、次のとおりです。

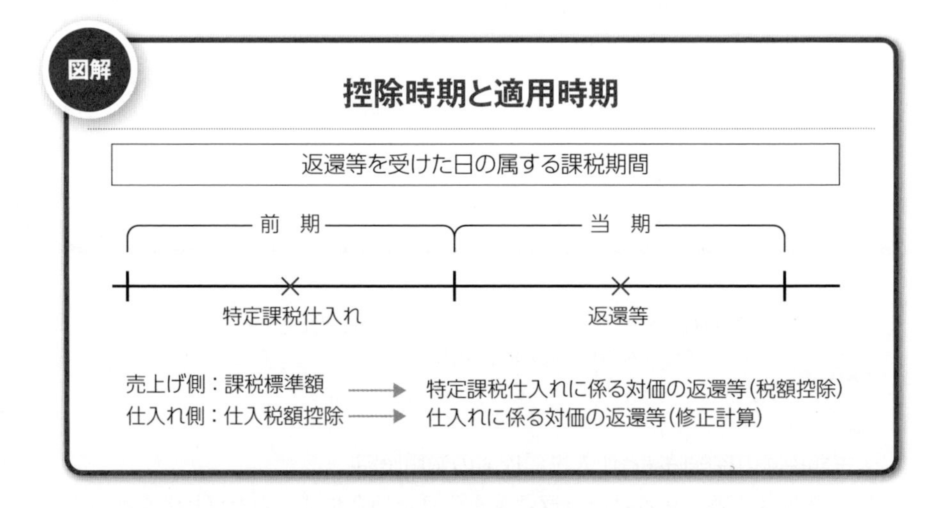

(3) 特定課税仕入れがある場合の申告書の記載

① 税額控除項目

特定課税仕入れに係る対価の返還等を受けた場合、売上げ側の処理として、その特定課税仕入れに係る対価の返還等に係る税額を課税標準額に対する消費税額から控除します。このとき、返還等対価に係る税額として税額控除します。

一方、仕入れ側の処理としては、その特定課税仕入れに係る対価の返還等に係る税額を控除対象仕入税額の計算の枠内で修正計算します。

ここで、改めて消費税法における税額控除項目を確認してみましょう。

税額控除項目（課税標準額に対する消費税額から控除する項目）

控除対象仕入税額	＋	返還等対価に係る税額※	＋	貸倒れに係る税額	＝	控除税額

※ 売上げ返還等+特定課税仕入れ返還等

② 申告書の記載

特定課税仕入れがある場合には、次のような「特定課税仕入れがある場合の課税標準額等の内訳書」の提出が必要となっています。

また、特定課税仕入れに係る対価の返還等を受けた場合、控除税額のうち返還等対価に係る税額の内訳欄に特定課税仕入れの返還等対価に係る税額の記載欄が設けられています。

				十兆千百十億千百十万千百十一円
課税標準額	課税標準額（申告書①欄へ）		①	000
	課税標準額の内訳	課税資産の譲渡等の対価の額	②	
		特定課税仕入れに係る支払対価の額	③	
控除税額	返還等対価に係る税額（申告書⑤欄へ）		④	
	返還等対価に係る税額の内訳	売上げの返還等対価に係る税額	⑤	
		特定課税仕入れの返還等対価に係る税額	⑥	

内訳書の記載箇所を見ながらリバースチャージ方式による計算パターンを確認すると、より具体的にイメージできます。

また、この「特定課税仕入れがある場合の課税標準額等の内訳書」には、売上側の特定課税仕入れに係る対価の返還等に係る税額について記載することがわかりますね。

最後に、特定課税仕入れに係る対価の返還等を受けた場合について、条文の規定を見てみましょう。

条文

特定課税仕入れに係る対価の返還等を受けた場合

◆ 特定課税仕入れに係る対価の返還等を受けた場合の消費税額の控除（法38の2①）

事業者（免税事業者を除く。）が、国内において行った**特定課税仕入れ**につき、**値引き**又は**割戻し**を受けたことにより、**特定課税仕入れに係る対価の返還等**（注1）**を受けた場合**には、その返還等を受けた日の属する課税期間の**課税標準額に対する消費税額**から**特定課税仕入れに係る対価の返還等を受けた金額に係る消費税額**（注2）**の合計額を控除する。**

（注1）**特定課税仕入れに係る対価の返還等**とは、国内において行った特定課税仕入れに係る支払対価の額の全部若しくは一部の**返還**又はその支払対価の額に係る買掛金等の全部若しくは一部の**減額**をいう。

（注2）**返還**を受けた金額又は**減額**を受けた債務の額に**100分の7.8**を乗じて算出した金額

◆ 仕入れに係る対価の返還等を受けた場合の消費税額の控除（法32①）

事業者（免税事業者を除く。）が国内において行った課税仕入れ（仕入れに係る消費税額の控除の規定の適用を受けたものに限る。）又は**特定課税仕入れ**につき、**返品**をし、又は**値引き**若しくは**割戻し**を受けたことにより、仕入れに係る対価の返還等（注1）を受けた場合には、一定の金額をその返還等を受けた日の属する課税期間の**課税仕入れ等の税額**の合計額と**みなして、仕入れに係る消費税額の控除**の規定を適用する。

（注1）仕入れに係る対価の返還等とは、国内において行った課税仕入れに係る支払対価の額若しくは特定課税仕入れに係る支払対価の額の全部若しくは一部の**返還**又はその支払対価の額に係る買掛金等の全部若しくは一部の**減額**をいう。

法38の2①は売上げ側の返還等の処理の規定です。一方、法32①は仕入れ側の返還等の処理の規定となります。

その対価の返還等の明細を記載した帳簿を保存していない場合には、「特定課税仕入れに係る対価の返還等を受けた場合の消費税額の控除」の規定は、適用が認められません。特定課税仕入れに係る手続要件は帳簿の保存のみです。

問題 >>> 問題編の**問題5**に挑戦しましょう！

5 特定課税仕入れの計算上の留意点

内容

(1) 特定課税仕入れに係る支払対価の額を使用しない計算項目

ここまで見てきたとおり、特定課税仕入れがある場合にはリバースチャージ方式により消費税額の計算を行うため、「特定課税仕入れに係る支払対価の額」を「課税標準額」及び「控除対象仕入税額」の計算に使用します。

一方、「納税義務の判定」や「原則課税による控除対象仕入税額の計算方法の判定」及び「課税売上割合の計算」には「特定課税仕入れに係る支払対価の額」を使用しません。これは、特定課税仕入れは、あくまでも仕入取引であって課税資産の譲渡等ではないからです。

「特定課税仕入れに係る支払対価の額」を使用しない計算項目をまとめると、次のとおりです。

特定課税仕入れに係る支払対価の額を使用しない計算項目

● 基準期間における課税売上高 ● 特定期間における課税売上高	納税義務の判定
● 課税期間における課税売上高 ● 課税売上割合 ● 通算課税売上割合	控除対象仕入税額の計算

特定課税仕入れに係る支払対価の額を使用しない計算項目のイメージとしては、判定等で使われる課税売上高ですね。

したがって、「特定課税仕入れに係る支払対価の額」を使用するのは、課税標準額・控除対象仕入税額・仕入れに係る対価の返還等・特定課税仕入れに係る対価の返還等の計算項目のみとなります。

(2) 特定課税仕入れがなかったものとされる課税期間

国内の事業者が事業者向け電気通信利用役務の提供などのサービスの提供を受けた場合、そのサービスに対する対価の支払いは特定課税仕入れとなり、この特定課税仕入れについてリバースチャージ方式により消費税を納める義務があります。ただし、一定の課税期間であるときはその特定課税仕入れはなかったものとされます。

一定の課税期間とは、仕入税額控除の計算を行う期間が原則課税、かつ、課税売上割合が95%以上の課税期間、又は簡易課税が適用される課税期間のことです。まとめると、次のとおりです。

図解

特定課税仕入れがなかったものとされる課税期間

- 原則課税で、課税売上割合が95%以上の課税期間

  (注) この場合、課税期間における課税売上高が5億円超か以下かは関係ありません。
- 簡易課税が適用される課税期間

要するに、原則課税のもと控除対象仕入税額の計算方法の判定を行うときに、課税売上割合が95%以上の課税期間、又は簡易課税が適用される課税期間は、特定課税仕入れについてリバースチャージ方式による消費税額の計算を行いません。

つまり、特定課税仕入れがあった場合、リバースチャージ方式による消費税額の計算は、原則課税のもと課税売上割合が95%未満のときのみ適用されることとなります。リバースチャージ方式により消費税を納める義務がある事業者についてまとめると、次のとおりです。

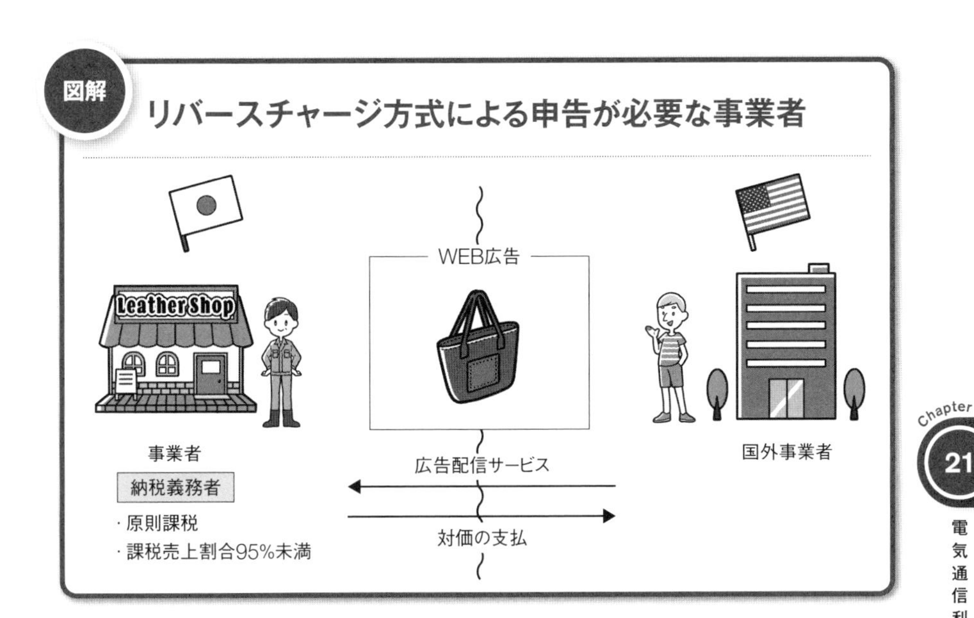
図解
リバースチャージ方式による申告が必要な事業者
WEB広告
Leather Shop
事業者
納税義務者
・原則課税
・課税売上割合95%未満
広告配信サービス
対価の支払
国外事業者

特定役務の提供

特定役務の提供とは

(1) 意義

特定役務の提供とは、国外事業者による芸能・スポーツ等の役務提供のことをいいます。具体的には、外国の映画俳優やスポーツ選手などが日本のテレビに出演するなどのサービスを提供することをいいます。まとめると、次のとおりです。

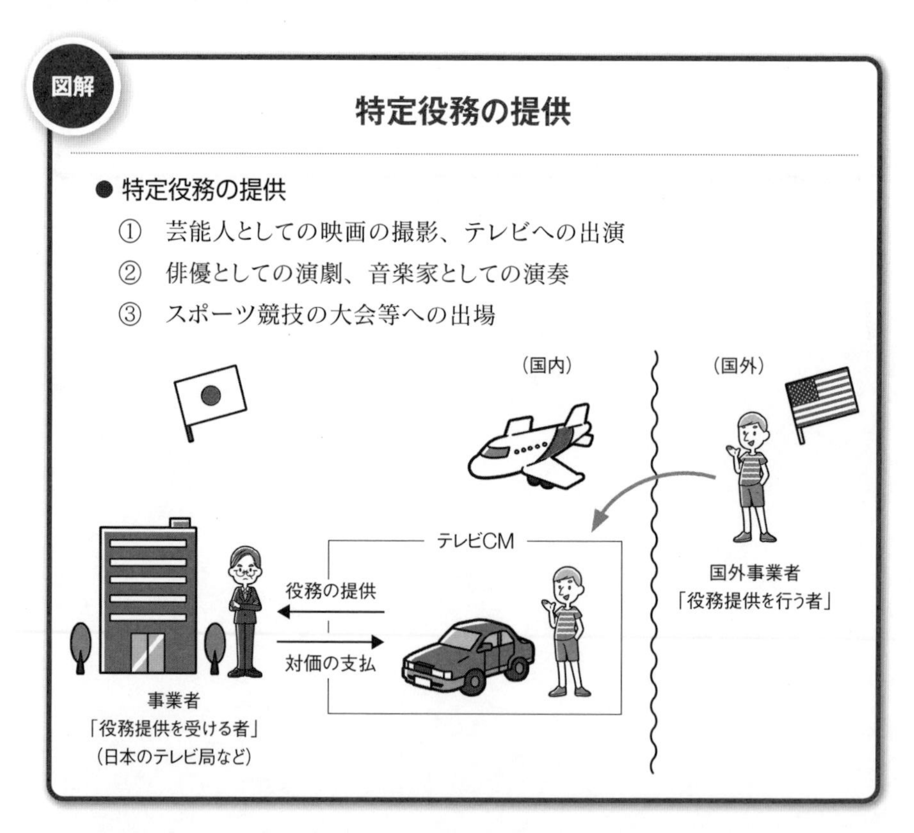

図解
特定役務の提供
● 特定役務の提供
① 芸能人としての映画の撮影、テレビへの出演
② 俳優としての演劇、音楽家としての演奏
③ スポーツ競技の大会等への出場
(国内)
(国外)
テレビCM
役務の提供
対価の支払
事業者
「役務提供を受ける者」
(日本のテレビ局など)
国外事業者
「役務提供を行う者」

特定役務の提供は、いわゆるBtoBの取引です。

(2) 特定役務の提供と特定資産の譲渡等の関係

特定役務の提供は特定資産の譲渡等の一つであり、事業者が特定役務の提供を受けたときに、それを特定仕入れといいます。まとめると、次のとおりです。

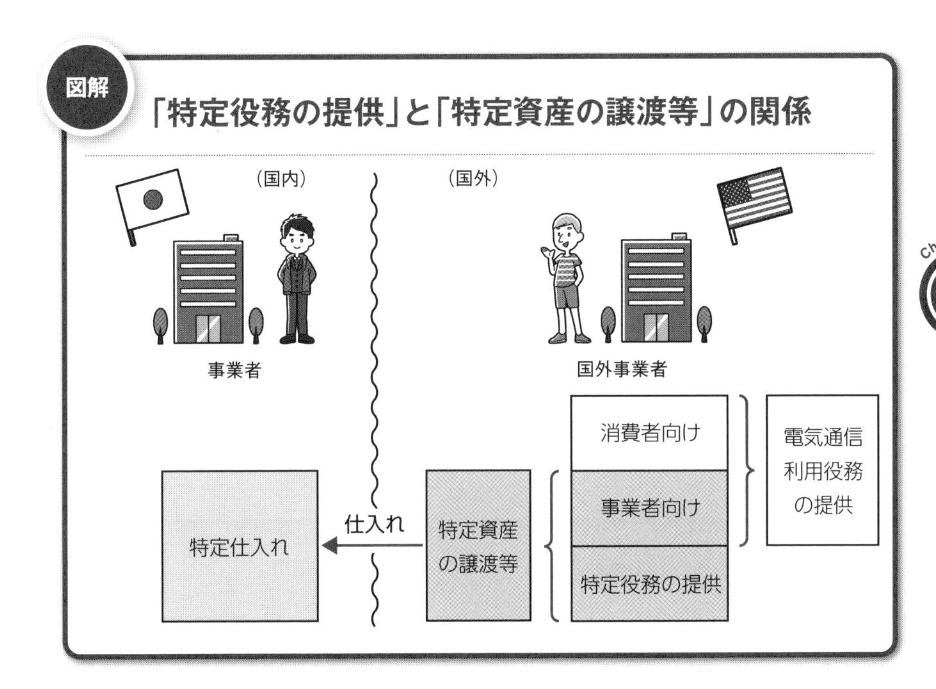

特定役務の提供について、条文では次のように規定されています。

条文

特定役務の提供(法2①八の五、令2の2)

資産の譲渡等のうち、**国外事業者**が行う演劇その他の一定の役務の提供(注1、2)をいう。

(注1) 映画等の俳優、音楽家その他の芸能人又は職業運動家の役務の提供のうち、**国外事業者**が他の**事業者**に対して行うもの(**不特定多数の者**に対して行うものを除く。)とする。

(注2) 電気通信利用役務の提供を除く。

「特定資産の譲渡等」及び「特定仕入れ」、「特定課税仕入れ」について、条文では次のように規定されています。

条文

特定資産の譲渡等・特定仕入れ・特定課税仕入れ

◆ **特定資産の譲渡等**（法2①八の二）

事業者向け電気通信利用役務の提供及び**特定役務の提供**をいう。

◆ **特定仕入れ**（法4①）

事業として他の者から受けた特定資産の譲渡等をいう。

◆ **特定課税仕入れ**（法5①）

課税仕入れのうち**特定仕入れ**に該当するものをいう。

問題 >>> 問題編の**問題6**に挑戦しましょう！

国外事業者から特定役務の提供を受けた場合の消費税額の計算

(1) リバースチャージ方式による消費税額の計算

特定役務の提供を受け、事業者が特定課税仕入れを行った場合には、その事業者は納税義務者となり、リバースチャージ方式により消費税額を計算することとなります。

「事業者向け電気通信利用役務の提供」を受けた場合と同じく、リバースチャージ方式により消費税額を計算します。

(2) 特定役務の提供を受けた場合の課税上の問題点

社会のグローバル化の進展に伴い、俳優や音楽家、スポーツ選手などが世界を舞台にして活躍するようになりました。

たとえば、海外の音楽家が国内でコンサートを開催したり、海外のスポーツ選手が国内の競技大会等へ出場するなどのサービスを行った場合、平成27年度税制改正前までは、「役務の提供が行われた場所」が国内のため国内取引に該当し、消費税の課税の対象とされ、国外事業者である海外の音楽家やスポーツ選手などに日本の消費税の申告・納税義務が課されていました。

しかし、海外の音楽家やスポーツ選手などは仕事として一時的に来日しているため、国内でのサービス提供が終わると、日本の消費税の申告をせずに帰国してしまうケースが多く見受けられたことが問題となっていました。

そこで、これまで国外事業者による消費税の申告漏れによる消費税の徴収不足となっていた実態を是正するため、平成27年度税制改正により、特定役務の提供を受けた場合についてもリバースチャージ方式により国内の事業者に消費税の申告・納税義務を課すこととなりました。

この改正により、特定役務の提供を受ける国内の事業者（サービスの買い手）が納税義務者となりました。まとめると、次のとおりです。

図解

特定役務の提供を受けた場合のリバースチャージ方式の適用

● 特定役務の提供

① 芸能人としての映画の撮影、テレビへの出演

② 俳優としての演劇、音楽家としての演奏

③ スポーツ競技の大会等への出場

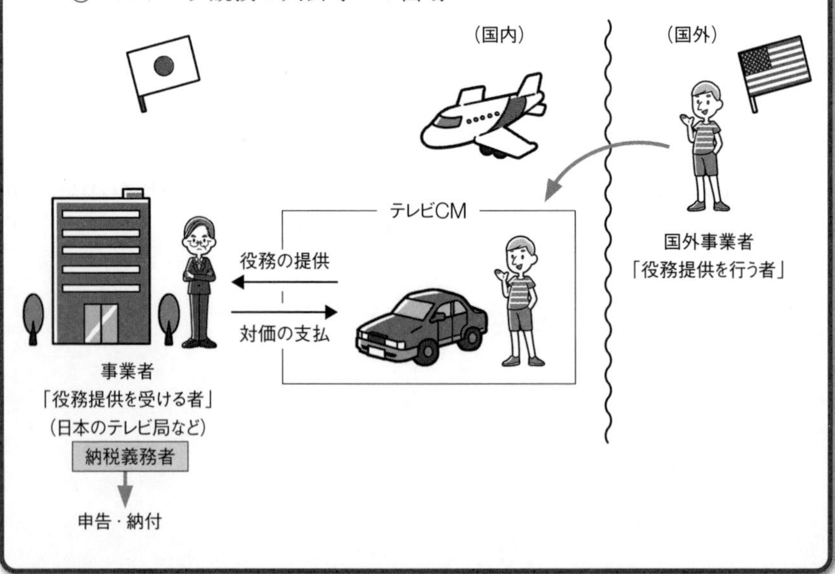

「特定役務の提供」を受けた場合には「事業者向け電気通信利用役務の提供」を受けた場合と同じく、リバースチャージ方式により消費税額を計算します。

問題 >>> 問題編の**問題7**に挑戦しましょう!

リバースチャージ方式が適用されない取引

リバースチャージ方式が適用されない取引とは

(1) 概要

「特定資産の譲渡等」に該当しない取引、具体的には消費者向け電気通信利用役務の提供については、リバースチャージ方式は適用されず、国外事業者が納税義務者となります。リバースチャージ方式が適用されない取引について図解で示すと、次のとおりです。

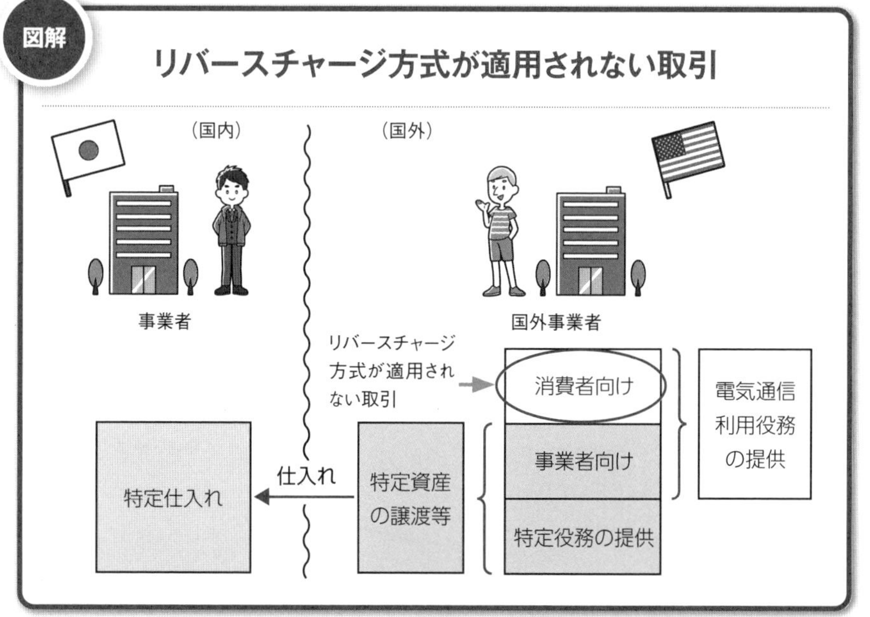

例えば、国内でサービスの提供を受ける者が、「消費者」や「不特定多数の者」であるときは消費者などは納税義務者となりません。

ここで、プラットフォーム課税を含め、特定資産の譲渡等にはどのような役務の提供があり、誰が消費税を申告・納付するのか整理しておきましょう。

(2) 特定役務の提供から除かれる不特定多数の者に対する役務の提供

特定役務の提供から除かれる不特定多数の者に対する役務の提供とは、国外事業者が行うサービスの提供でサービスの買い手が不特定多数の者である取引のことをいいます。国外事業者が不特定多数の者に対する役務の提供を行った場合には、リバースチャージ方式は適用されず、国外事業者が納税義務者となります。まとめると、次のとおりです。

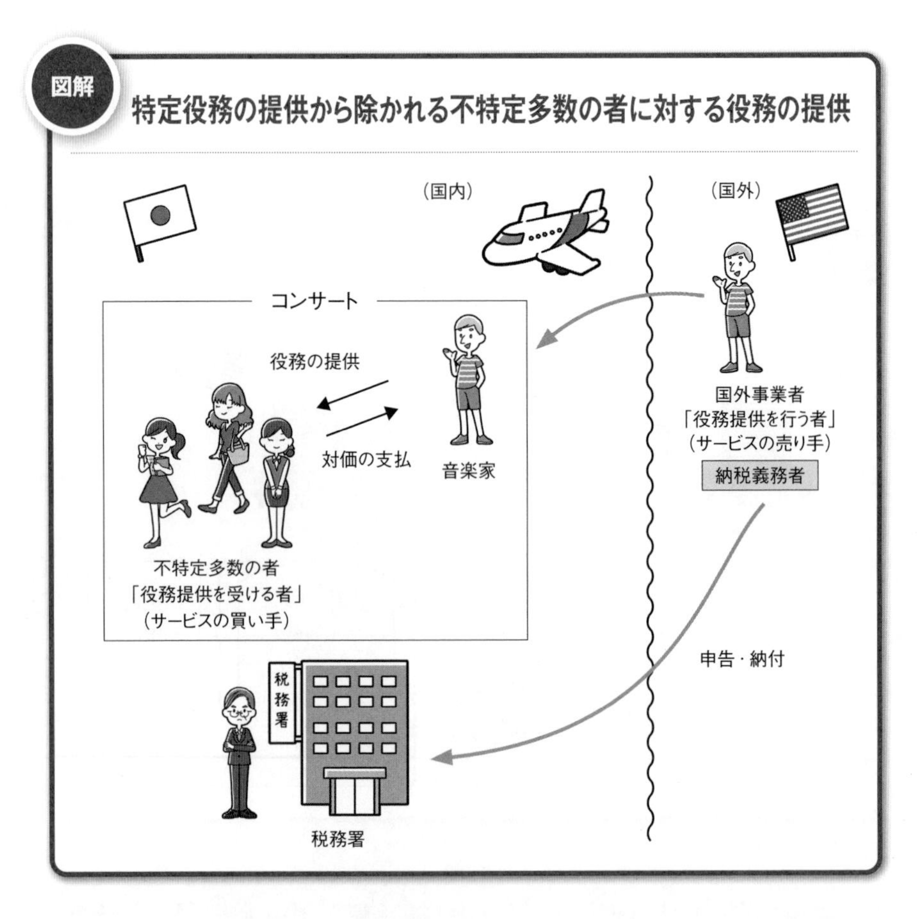

また、このようなコンサートの観客の中に、国内の事業者が従業員の福利厚生目的で購入したチケットにより来場した者がいた場合には、チケットを購入した事業者、つまり、役務の提供を受けた事業者の仕入税額控除の対象となります。

ただし、そのためには、売り手である国外事業者が適格請求書発行事業者の登録を受けた国外事業者であることが条件です。

課税の対象のまとめ

課税の対象のまとめ

(1) 概要

ここまで学習してきた内容を踏まえて、「課税の対象」のイメージについてまとめると、次のとおりです。

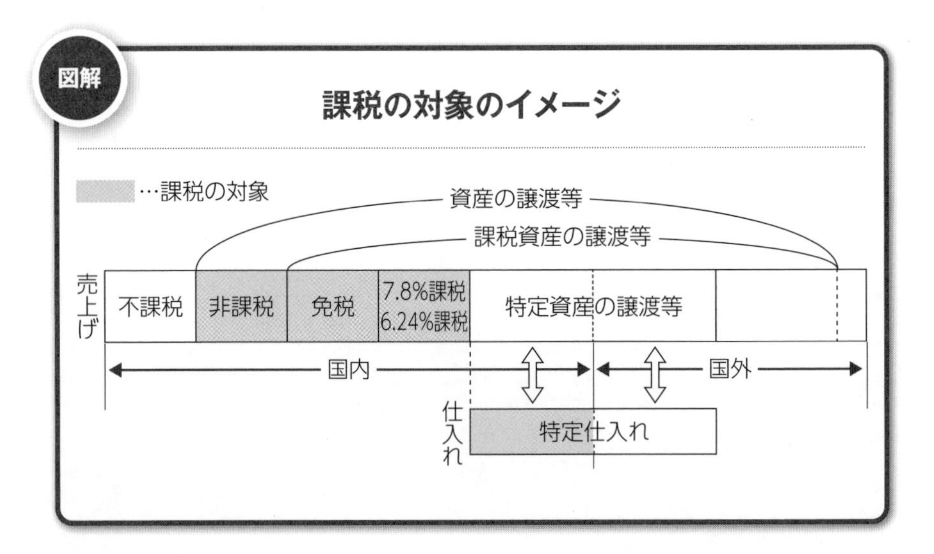

「売上げ」だけでなく「仕入れ」についても課税の対象とされる取引があります。これまで取引分類図に表示していなかった「特定仕入れ」が含まれている点に留意しましょう。

(2) 条文について

① 課税の対象

「課税の対象」について、条文では次のように規定されています。

条文

課税の対象（法4①）

国内において事業者が行った**資産の譲渡等**（特定資産の譲渡等を除く。）及び**特定仕入れ**（事業として他の者から受けた特定資産の譲渡等をいう。）には、消費税を課する。

課税対象である「資産の譲渡等」から「特定資産の譲渡等」が除かれ、「特定仕入れ」が課税の対象として加えられています。

② 納税義務者

「納税義務者の原則」について、条文では次のように規定されています。

条文

納税義務者の原則（法5①）

事業者は、国内において行った**課税資産の譲渡等**（特定資産の譲渡等を除く。）及び**特定課税仕入れ**につき、消費税を**納める義務**がある。

納税義務を負うことになる国内における「課税資産の譲渡等」から「特定資産の譲渡等」が除かれ、「特定課税仕入れ」が加えられています。

③ 特定課税仕入れ

「特定課税仕入れ」について、条文では次のように規定されています。

条文

特定課税仕入れ（法5①）

課税仕入れのうち**特定仕入れ**に該当するものをいう。

「特定課税仕入れ」は、法５①の中で規定されています。

条文

課税仕入れに係る消費税額の控除（法30①）

事業者（免税事業者を除く。）が、国内において行う課税仕入れ若しくは**特定課税仕入れ**又は保税地域から引き取る課税貨物については、次の日の属する課税期間の**課税標準額に対する消費税額**から、その課税期間中に国内において行った課税仕入れに係る消費税額(注1)、**その課税期間中に国内において行った特定課税仕入れに係る消費税額**(注2)及びその課税期間における保税地域からの引取りに係る課税貨物(注3)につき課された又は課されるべき消費税額の合計額を**控除する**。

(1) 国内において課税仕入れを行った場合
　課税仕入れを行った日
(2) 国内において特定課税仕入れを行った場合
　特定課税仕入れを行った日
(3) 一般申告課税貨物につき申告書を提出した場合
　一般申告課税貨物を引き取った日
(4) 課税貨物につき特例申告書を提出した場合
　特例申告書の提出日

(注1) 課税仕入れに係る適格請求書又は適格簡易請求書の記載事項を基礎として計算した金額その他の一定の方法により計算した金額
(注2) 特定課税仕入れに係る支払対価の額に**100分の7.8**を乗じて算出した金額
(注3) 消費税が免除されるものを除く。

控除の対象である「課税仕入れ」から「特定課税仕入れ」が除かれ、「特定課税仕入れ」を課税仕入れと区別し控除の対象として加えられています。

問題 >>> 問題編の**問題8**～**問題9**に挑戦しましょう！

インボイス制度

Chapter 22

超重要 重要

インボイス制度

Section

令和５年10月１日から開始されているインボイス制度は、具体的にはどうなっているのでしょうか？

Point Check

インボイスとは	適格請求書等のことをいい、購入したものにかかる一定の事項が記載された請求書等のことをいう。
インボイスの記載事項	① 適格請求書発行事業者の氏名又は名称、登録番号 ② 取引年月日　③ 取引内容 ④ 税率ごとに区分して合計した対価の額、適用税率 ⑤ 税率ごとに区分した消費税額等 ⑥ 書類の交付を受ける事業者の氏名又は名称

1 インボイス制度とは

インボイス制度の概要

(1) インボイスとは

Chapter 1 で触れたとおり、令和５年10月１日から開始されているインボイス制度のもとでは、買い手側の事業者は、売り手側の事業者から適格請求書等（インボイス）の発行を受け、これを保存することを条件に仕入税額控除の適用が認められます。この**適格請求書等**とは、購入したものにかかる**適用税率**や**消費税額**などの一定の事項が記載された請求書等のことをいいます。

図解

適格請求書等（インボイス）

● 適格請求書等とは

登録番号のほか一定の事項が記載された請求書や納品書等のこと

● 適格請求書等の記載事項

（例）

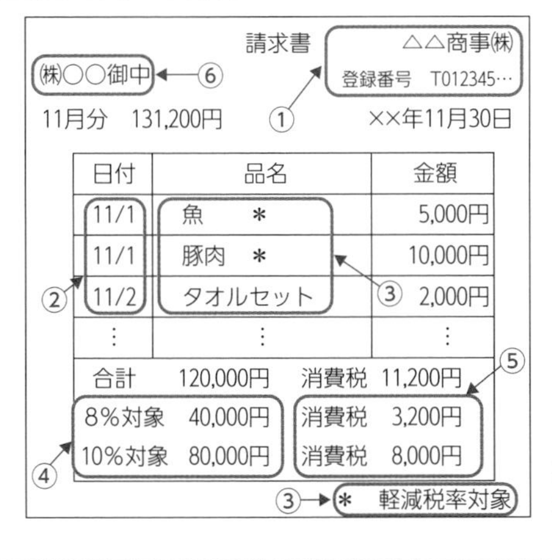

請求書

△△商事㈱
登録番号　T012345…　←①

㈱○○御中　←⑥

11月分　131,200円　　××年11月30日

日付	品名	金額
11/1	魚　＊	5,000円
11/1	豚肉　＊	10,000円
11/2	タオルセット	2,000円
⋮	⋮	⋮

②→日付　③→品名

合計　120,000円　消費税　11,200円

8％対象	40,000円	消費税	3,200円
10％対象	80,000円	消費税	8,000円

④→対象額　⑤→消費税

③→＊　軽減税率対象

出典：国税庁
消費税の仕入税額控除の方式は
適格請求書等保存方式に

適格請求書等には、登録番号や軽減税率８％や標準税率10％の税率、そしてそれぞれの税率ごとに区分した消費税額等も記載されていて、インボイス制度が始まる前の「区分記載請求書等」よりも、細かくなったような感じがしますね。

「適格請求書等の記載事項」について、詳しくは後ほど解説します。

(2) 多段階累積控除の観点からみた「インボイス制度」

納税義務のある事業者は、多段階累積控除の仕組みにより、「預かった消費税額」から「支払った消費税額」を控除して消費税の納付税額を計算することになります。このとき、いくらを「支払った消費税額」として計算し控除できるのかについては、その計算方法によって納付税額が大きく変わってくるため、納税義務のある事業者、つまり、課税事業者にとっては、非常に重要な問題となります。この「支払った消費税額」は、市場の流通過程のなかで見てみると、その取引段階の一つ前の売り手側の事業者が、この納税システムのなかで、すでに納付済みということになるため、買い手側の事業者は、仕入税額控除として適格請求書等を基に計算した「支払った消費税額」を控除できるのです。次の例で、消費税の仕組みの観点から、インボイス制度を見てみましょう。

図解

インボイスの役割

（例）自動車部品メーカーの下請工場である甲社は、取引先である大手自動車メーカー乙社の自動車部品を製造している。甲社が部品を丙社から165,000円（税込）で仕入れ、タイヤを製造し、そのタイヤを220,000円（税込）で乙社に販売したケースについて、取引の流れを示すと次のとおりである。

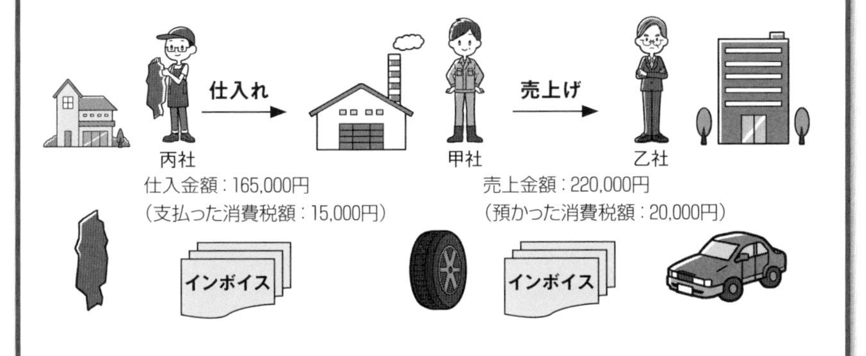

甲社は、乙社へタイヤを販売したときに、消費税20,000円を預かり、丙社からタイヤの部品を仕入れたときに、消費税15,000円を支払っています。したがって、当課税期間にこの取引しかなかったと仮定した場合、甲社の消費税の納付税額は、預かった消費税額20,000円－支払った消費税額15,000円=5,000円として計算されます。このとき、甲社が支払った消費税額15,000円を控除対象仕入税額として処理するための算定根拠資料となるものが「インボイス」であり、売り手側の事業者である丙社が、そのインボイスを発行することで取引当事者双方において、正確な税額計算が実現できるようになります。

つまり、適格請求書等という書類の役割は、その取引段階の一つ前の課税事業者（上の図解では、丙社）が正確な消費税額を預かったことを証明することなのです。令和５年10月１日からは、この適格請求書等が証拠書類となって、買い手側の事業者が仕入税額控除できるようになりました。

(3) 適格請求書等を発行できる事業者

インボイス制度が開始された令和５年10月１日からは、買い手側の事業者は、適格請求書発行事業者である売り手側の事業者から適格請求書等を発行してもらい、それを保存することにより、仕入税額控除が可能になります。したがって、適格請求書発行事業者である売り手側の事業者は、モノやサービスを販売する際に、買い手側の事業者（課税事業者に限る。）の求めにより、適格請求書等を発行しなければならず、また、それを発行するための準備をしておかなければなりません。

なお、適格請求書発行事業者は、課税事業者で事前に事業者自らの申請により登録されたものに限定されます。

したがって、消費税を納める義務のない免税事業者は、モノやサービスを販売しても適格請求書等を発行できません。そうすると、仕入税額控除制度の適用を受けたい買い手側の事業者から、状況によっては、取引を拒まれる可能性もあります。

そこで、免税事業者が適格請求書等を発行できるようにするためには、原則としてまず「消費税課税事業者選択届出書」を提出し課税事業者になってから、適格請求書等を発行できるようになるための登録申請をすることになります。

(4) 適格請求書発行事業者となるための手続き

具体的な手続きとしては、適格請求書発行事業者となるために、事前に「適格請求書発行事業者の登録申請書」を**納税地の所轄税務署長**に提出し、**適格請求書発行事業者**（インボイス発行事業者ともいう。）として**国税庁に登録**されなければなりません。さらに、適格請求書発行事業者として登録されると、国税庁から登録番号が付されることになり、この登録番号が適格請求書等に記載されることになります。

適格請求書発行事業者の登録を受けるために提出する「適格請求書発行事業者の登録申請書」の様式を示すと、次のとおりです。

プラスα 「適格請求書発行事業者の登録申請書」の様式

第1－(3)号様式

国内事業者用

適格請求書発行事業者の登録申請書

収受印

【1／2】

令和　年　月　日

＿＿＿＿ 税務署長殿

申請者

（フリガナ）

（個人事業者の場合）住所又は居所　（法人の場合）本店又は主たる事務所の所在地　（〒　－　）（法人の場合のみ公表されます）（電話番号　－　－　）

（フリガナ）

納税地　（〒　－　）（電話番号　－　－　）

（フリガナ）

（個人事業者の場合）氏名　（法人の場合）名称

（フリガナ）

（法人の場合）代表者氏名

法人番号

この申請書に記載した次の事項（◎印欄）は、適格請求書発行事業者登録簿に登載されるとともに、国税庁ホームページで公表されます。
（個人事業者の場合）氏名
（法人の場合）名称、本店又は主たる事務所の所在地（人格のない社団等は名称のみ）
なお、上記事項のほか、登録番号及び登録年月日が公表されます。
また、常用漢字等を使用して公表しますので、申請書に記載した文字と公表される文字とが異なる場合があります。

下記のとおり、適格請求書発行事業者としての登録を受けたいので、消費税法第57条の2第2項の規定により申請します。

この申請書を提出する時点において、該当する事業者の区分に応じ、□にレ印を付してください。

事業者区分

いいえ
□ 課税事業者 ➡ 次葉のBへ
□ 免税事業者 ➡ 次葉のAへ

はい
□ 新規開業等した事業者
□ 事業を開始した課税期間の初日から登録を受けようとする事業者 ➡ 右の□枠内を記載し次葉のBへ
※ 課税期間の初日が令和5年9月30日以前の場合の登録年月日は、同年10月1日となります。
課税期間の初日　令和　年　月　日
□ 事業を開始した課税期間の初日から登録を受けない課税事業者 ➡ 次葉のBへ
□ 事業を開始した課税期間の初日から登録を受けない免税事業者 ➡ 次葉のAへ

税理士署名　（電話番号　－　－　）

※税務署処理欄

整理番号		部門番号		申請年月日	年　月　日	通信日付印 年　月　日	確認
入力処理	年　月　日	番号確認		身元確認	□ 済 □ 未済	個人番号カード／通知カード・運転免許証 その他（　）	
登録番号	T						

注意　1　記載要領等に留意の上、記載してください。
2　税務署処理欄は、記載しないでください。
3　この申請書を提出するときは、「適格請求書発行事業者の登録申請書（次葉）」を併せて提出してください。

この申請書は、令和五年十月一日から令和十二年九月二十九日までの間に提出する場合に使用します。

出典：国税庁

(5) 課税期間の中途で適格請求書発行事業者の登録をした場合

これまで見てきたように、インボイス制度開始に伴って申請手続きなど準備のために煩雑な処理があります。また、事業者自身で適格請求書発行事業者となるかどうかについて、慎重に判断しなければならないため、実務上、ある程度の時間が必要なケースがあります。そこで、特定の事業者のために、いくつかの経過措置が設けられています。

その経過措置の一つが、令和5年10月1日からのインボイス制度開始後に、適格請求書発行事業者の申請をしても登録することができる、というものです。その際、免税事業者が、課税事業者選択届出書の提出をしなくても、事前に適格請求書発行事業者の登録申請書を提出の上、登録を受けることで、その登録日から課税事業者となり消費税の納税義務を負うことになります。

まとめると、次のとおりです。

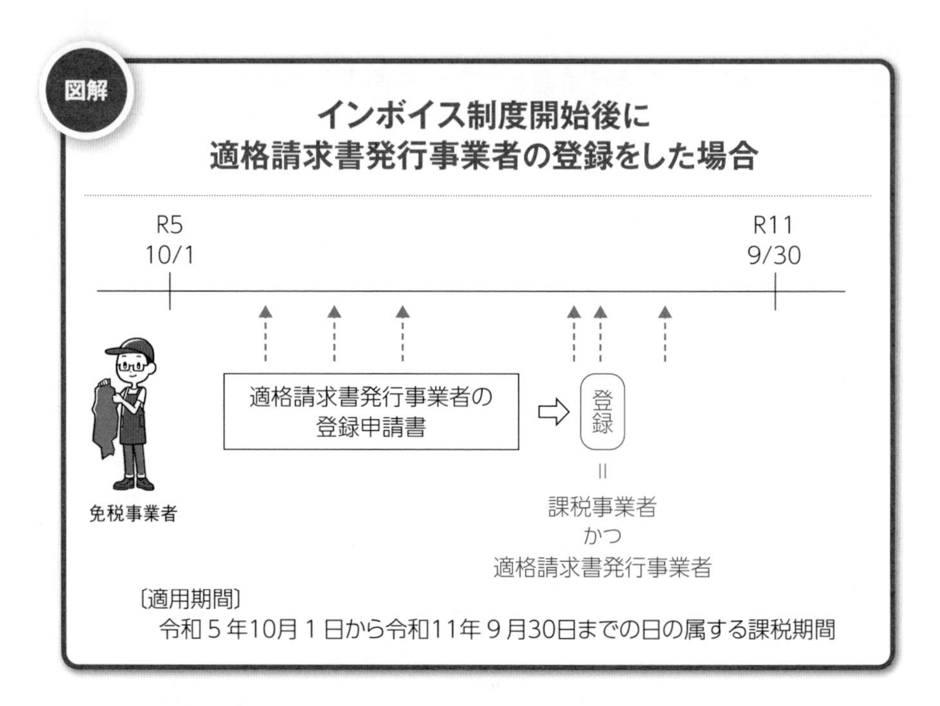

適格請求書発行事業者の義務等

(1) 適格請求書等の交付義務

適格請求書発行事業者である売り手側の事業者は、買い手側の事業者（課税事業者に限る。）の求めにより、適格請求書等を交付しなければなりません。

課税事業者である買い手側の事業者が、インボイスを証拠書類として仕入税額控除を受けられるようにするためですね。

また、発行された適格請求書等に誤りがあった場合には、適格請求書発行事業者は、買い手側の事業者の求めにより、その内容を修正した適格請求書等の再交付をしなければなりません。

原則的には、適格請求書発行事業者は、法定事項が正しく記載された「適格請求書等」(「適格請求書」と「適格簡易請求書」のこと。)を発行する義務があります。ただし、適格請求書発行事業者の了承を得たうえで、買い手側の事業者がその取引内容を記載した書類(仕入明細書など)を作成して保存することで、仕入税額控除を受けることもできます。

また、このあと「適格請求書の記載事項」について詳しく解説します。

(2) 適格請求書等の写しの保存義務

買い手側の事業者の求めにより、適格請求書等を交付した適格請求書発行事業者は、交付した書類の写しを7年間保存しなければなりません。

また、適格請求書発行事業者が、これらの「書類」に代えて「電子データ」を提供していた場合には、その「電子データ」を保存しなければなりません。

(3) 適格請求書等の交付義務の免除

ここまで説明してきたとおり、適格請求書発行事業者である売り手側の事業者は、買い手側の事業者(課税事業者に限る。)の求めにより、適格請求書等を交付する義務があります。しかし、事業者の事務手続きの煩雑さ等に配慮し、電車やバスなどの公共交通機関が提供するサービスなどの一定の課税売上げについては、適格請求書等の交付義務が免除されています。

適格請求書等の交付が免除される取引と、適格請求書等の交付が免除される事業者についてまとめると、次のとおりです。

図解

適格請求書等の交付が免除される場合の代表例

代表的な取引	免除される事業者
① 公共交通機関から提供される税込3万円未満の旅客輸送サービス	鉄道会社・バス会社など
② 卸売市場での、せり売り又は入札による販売	出荷者
③ 自動販売機で提供される税込3万円未満の商品の販売	自動販売機の設置者
④ 郵便ポストに投函したことにより提供される配達サービス	郵便局

一方、買い手側の事業者が適格請求書等の交付を受けた場合には、原則として、適格請求書等を保存しなければなりませんが、ここで述べたのと同じ理由から、適格請求書等の保存が不要な場合があります。詳しくは後ほど解説しますので、ここでまとめている、売り手側の事業者の「適格請求書等の交付が免除される場合」と比較しながら確認してください。

適格請求書と適格簡易請求書

(1) 適格請求書等の記載事項

ここまで見てきたように、**適格請求書等**とは、購入したものに係る適用税率や消費税額などの一定の事項が記載された請求書等のことであり、モノやサービスの売り手側の事業者が納付税額を正しく算定するために預かった消費税額がいくらであるかを証明する書類です。そして、その買い手側の事業者は、この適格請求書等を売り手側の事業者から発行してもらい、これを保存することにより、仕入税額控除を受けることができるようになります。適格請求書等は証拠書類となるものですから、記載事項は下記のとおり細かく決められています。

図解

適格請求書の記載事項

適格請求書
① 適格請求書発行事業者の氏名又は名称及び**登録番号**
② 取引年月日
③ 取引内容(軽減税率の対象品目である旨)
④ 税率ごとに区分して合計した対価の額(税抜、税込)
⑤ **税率ごとに区分した消費税額等及び適用税率**
⑥ 書類の交付を受ける事業者の氏名又は名称

（例）

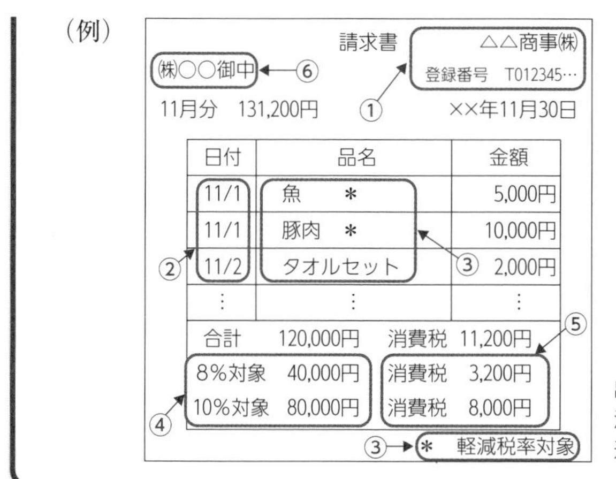

請求書

△△商事㈱
登録番号　T012345…

㈱○○御中

11月分　131,200円

××年11月30日

日付	品名	金額
11/1	魚　＊	5,000円
11/1	豚肉　＊	10,000円
11/2	タオルセット	2,000円
⋮	⋮	⋮
合計　120,000円	消費税　11,200円	
8％対象　40,000円	消費税　3,200円	
10％対象　80,000円	消費税　8,000円	

＊　軽減税率対象

出典：国税庁
消費税の仕入税額控除の方式は
適格請求書等保存方式に

令和元年10月１日から軽減税率８％が導入され、日本でも複数税率が適用されるようになってから、インボイス制度が開始される前の令和５年９月30日までの期間は、「区分記載請求書等保存方式」が適用されていました。インボイス制度導入に伴い、さらに追加された記載事項は、上の図解中の太字部分である登録番号、適用税率、適用税率ごとの消費税額等の項目になります。

ただし、小売業・飲食店業・タクシー業、駐車場業などのように不特定多数の者を相手にする事業を営む場合には、**適格簡易請求書**（簡易インボイス）といって、上の図の「⑥書類の交付を受ける事業者の氏名又は名称」などの記載を省略した書類を交付することができます。

適格簡易請求書の記載事項

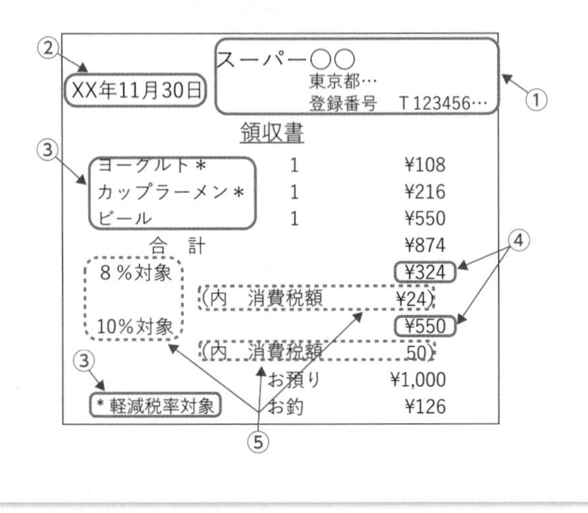

適格簡易請求書では、上記①〜⑤のうち、⑤適用税率とその消費税額等は、両方記載することもできますが、いずれか一方だけの記載でも認められます。

また、適格請求書等を発行した取引の後に、返品や値引き等の対価の返還等がある場合には、適格請求書発行事業者から「適格返還請求書」を交付してもらう必要があります。詳しくは、後ほど解説します。

ここでは、適格請求書等の記載事項について正確に覚えておきましょう。

問題 ≫≫ 問題編の**問題1〜問題2**に挑戦しましょう!

それではここで、請求書等の意義について、条文の規定を見てみましょう。

条文

請求書等の意義(法30⑨)

請求書等とは、次の書類及び電磁的記録をいう。

(1) 事業者に対し**課税資産の譲渡等**(消費税が免除されるものを除く。)を行う**適格請求書発行事業者**が、その事業者に交付する**適格請求書**又は**適格簡易請求書**

(2) 事業者に対し**課税資産の譲渡等**(消費税が免除されるものを除く。)を行う**適格請求書発行事業者**が、その事業者に交付すべき**適格請求書**又は**適格簡易請求書**に代えて提供する**電磁的記録**

(3) 事業者が課税仕入れ(**適格請求書発行事業者**が行う**課税資産の譲渡等**(消費税が免除されるものを除く。)に限るものとし、**適格請求書**の交付を免除されるもの等を除く。)につき作成する**仕入明細書等**で一定の事項が記載されているもの(その課税仕入れの相手方の確認を受けたものに限る。)

(4) 事業者が課税仕入れにつき、媒介等に係る業務を行う者から交付を受ける請求書、納品書等で一定の事項が記載されているもの

(5) 課税貨物を保税地域から引き取る事業者が税関長から交付を受けるその課税貨物の輸入許可書等で次の事項が記載されているもの

① 所轄**税関長**

② 課税貨物を保税地域から引き取ることができることとなった**年月日**(注1)

(注1)特例申告の場合には、その申告書の**提出日**を含む。

③ 課税貨物の**内容**

④ 引取りに係る消費税の課税標準である金額、消費税額及び地方消費税額

⑤ 書類の交付を受ける事業者の**氏名**又は**名称**

(注2)留意点

(1) 上記の「課税資産の譲渡等」からは、「**特定資産の譲渡等**」を除く。

(2) 上記の「課税仕入れ」からは、「**特定課税仕入れ**」を除く。

インボイス制度開始後の仕入税額控除

(1) 手続要件

買い手側の事業者は、受け取った適格請求書等の保存が原則として義務付けられ、これが仕入税額控除の手続要件となります。

インボイス制度開始後は、「帳簿及び請求書等の保存」(法30⑦)については、保存すべき「請求書等」が「区分記載請求書等」から「適格請求書等」に変わっています。

また、インボイス制度が開始される前までは、仕入税額控除の手続要件である「帳簿及び請求書等の保存の例外」として、3万円未満の少額である場合などの際には、帳簿の保存のみで仕入税額控除を受けることができましたが、本制度開始後は、このような取扱いは認められなくなりました。インボイス制度開始に伴い、仕入税額控除制度について、いくつかルールが変わったものがあり、主なものをまとめると次のとおりです。

仕入税額控除の手続要件の変更点

R5
10/1

	インボイス制度開始前	インボイス制度開始後
税込3万円未満の課税仕入れ	帳簿の保存のみで可	適格請求書等の保存が必要※
税込3万円以上の課税仕入れのうち、やむを得ない理由により請求書等の交付を受けられなかったもの	帳簿の保存のみで可	適格請求書等の保存が必要※

※ 災害その他やむを得ない事情により適格請求書等を保存することができなかったことを証明した場合は、帳簿の保存のみで可。

細かな仕入税額控除の手続要件について、問題集の問題を解きながら、確認していきましょう。

(2) 適格請求書等の保存が不要な場合

インボイス制度が開始されてからは、買い手側の事業者は適格請求書等の保存がないと仕入税額控除を受けられないことになりますが、事業者の事務手続きの煩雑さ等に配慮し、すべての取引に適格請求書等の保存を義務づけているわけではありません。電車やバスなどの公共交通機関に支払われる少額なものや、郵便ポストに投函した配達サービス料、自動販売機で購入したものなど一定の課税仕入れについては、買い手側の事業者は、適格請求書等の保存を省略し、その取引事実を記載した帳簿の保存のみで仕入税額控除を受けることができます。適格請求書等の保存が不要な場合について代表的な取引をまとめると、次のとおりです。

適格請求書等の保存が不要な場合の代表例

① 公共交通機関を利用したことにより受ける税込3万円未満の旅客輸送サービス（航空機によるものを除く。）
② 古物営業を営む者が適格請求書発行事業者でない者からの古物（棚卸資産に限る。）の購入
③ 宅地建物取引業を営む者が適格請求書発行事業者でない者からの建物（棚卸資産に限る。）の購入
④ 自動販売機等により行われる税込3万円未満の商品の購入
⑤ 郵便ポストに投函したことにより受ける配達サービス
⑥ 従業員等に支給する通常必要と認められる出張旅費、宿泊費、日当
⑦ 従業員等に支給する通常必要と認められる通勤手当

※　その他一定の取引についても、一定の事項を記載した帳簿の保存のみで仕入税額控除の適用を受けることができます。

たとえば、②の例としては、中古車販売業者が会社員から車を下取りするケース、また、③の例としては、宅建業者が会社員から中古マンションを買い取るケースなどが考えられます。

問題 >>> 問題編の**問題3**に挑戦しましょう！

(3) 少額特例

上に示した「適格請求書等の保存が不要な場合の代表例」に加え、少額な取引については、一定期間、適格請求書等の保存がなくても仕入税額控除を受けることができるという経過措置が設けられています。

具体的には、比較的事業規模の小さい事業者については、課税仕入れに係る支払対価の額が1万円未満（税込）である場合には、適格請求書等の保存がなくても、一定の事項を記載した帳簿の保存のみで仕入税額控除を受けられます。

この特例の細かなルールについてまとめると、次のとおりです。

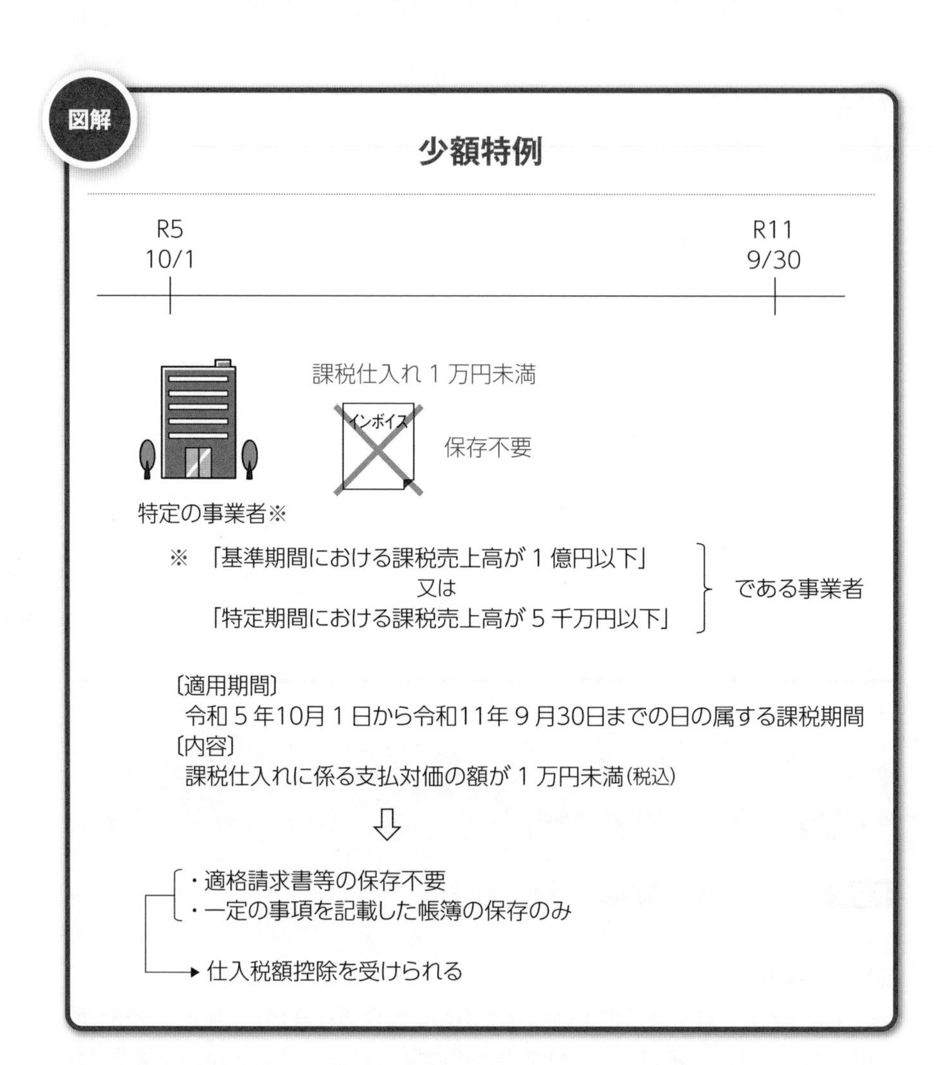

図解
少額特例
R5
10/1
R11
9/30
課税仕入れ１万円未満
インボイス
保存不要
特定の事業者※
※「基準期間における課税売上高が１億円以下」
又は
「特定期間における課税売上高が５千万円以下」
である事業者
〔適用期間〕
令和５年10月１日から令和11年９月30日までの日の属する課税期間
〔内容〕
課税仕入れに係る支払対価の額が１万円未満(税込)
・適格請求書等の保存不要
・一定の事項を記載した帳簿の保存のみ
仕入税額控除を受けられる

免税事業者等からの課税仕入れに係る取扱い

(1) 免税事業者等からモノやサービスを仕入れる場合

インボイス制度が開始されてからは、モノやサービスの買い手側の事業者は、原則として、適格請求書発行事業者である売り手側の事業者から発行された適格請求書等を保存することにより、仕入税額控除が認められることとなります。このとき、適格請求書発行事業者は「課税事業者」となりますが、実務では、業種や取引内容によっては免税事業者や消費者からモノやサービスを購入することも行われているため、一定の期間、適格請求書発行事業者以外の者（免税事業者や消費者）からの課税仕入れであっても、支払った消費税額（仕入税額）相当額の一定割合を控除対象仕入税額とみなして控除できるという経過措置が認められています。

まとめると、次のとおりです。

図解

免税事業者等からの課税仕入れ

【「経過措置が認められる期間」と「仕入税額の割合」】

期　間	割　合
令和５年10月１日から令和８年９月30日まで	仕入税額相当額×80%
令和８年10月１日から令和11年９月30日まで	仕入税額相当額×50%

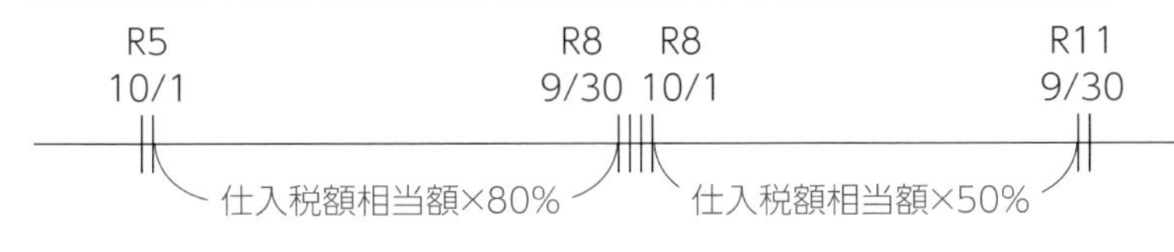

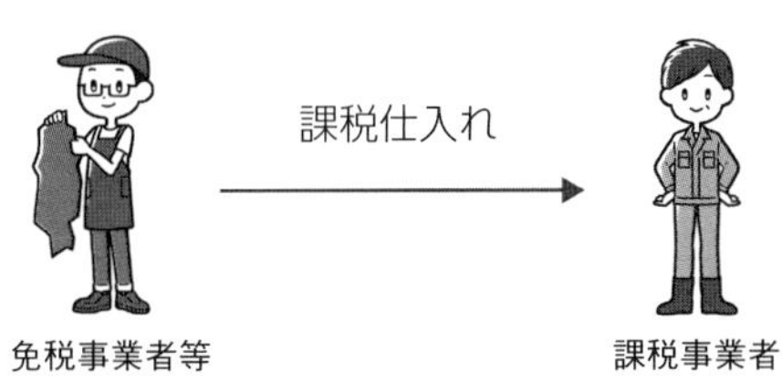

発行できない

一定割合を
仕入税額控除できる！

【経過措置が認められるための要件】

① 帳簿に経過措置の適用を受ける旨を記載

② 取引の相手方（売り手側の事業者）から次の事項が記載された請求書の交付を受け保存すること

① 書類作成者の氏名又は名称
② 取引年月日
③ 取引内容（軽減税率の対象品目である旨）
④ 税率ごとに区分して合計した対価の額（税込）
⑤ 書類の交付を受ける者の氏名又は名称

ただし、令和６年度税制改正により、一の適格請求書発行事業者以外の者（免税事業者等）からの仕入税額の合計額がその年又はその事業年度で10億円を超える場合には、その超えた部分の課税仕入れについては、上記の経過措置の適用が認められないこととされました。

この請求書の記載事項は、インボイス制度が開始される前の「区分記載請求書等」と同じです。

適格請求書発行事業者でない事業者からの課税仕入れについても、一定期間内、一定の金額の仕入税額控除が認められるようになっています。

また、この経過措置に関する円未満の端数処理は、後述する積上げ計算方式の場合は、切捨又は四捨五入を選ぶことができます。割戻し計算方式の場合は、必ず切捨となります。

棚卸資産に係る消費税額の調整との関係

(1) 免税事業者が課税事業者となった場合

経過措置期間（令和５年10月１日から令和11年９月30日までの間）中に免税事業者が新たに課税事業者となった場合には、免税事業者であった前期以前に課税仕入れを行った期首棚卸資産に係る消費税額について、仕入税額控除を受けることができます。

具体的には、免税事業者時代に仕入れた期首棚卸資産に係る消費税額については、上記の経過措置にかかわらず、その免税事業者等からの課税仕入れに係る税額についても、一定割合を乗じることなくその全額を当課税期間の控除対象仕入税額の計算に含めます。

まとめると次のとおりです。

プラスα 経過措置期間中に免税事業者が課税事業者となった場合

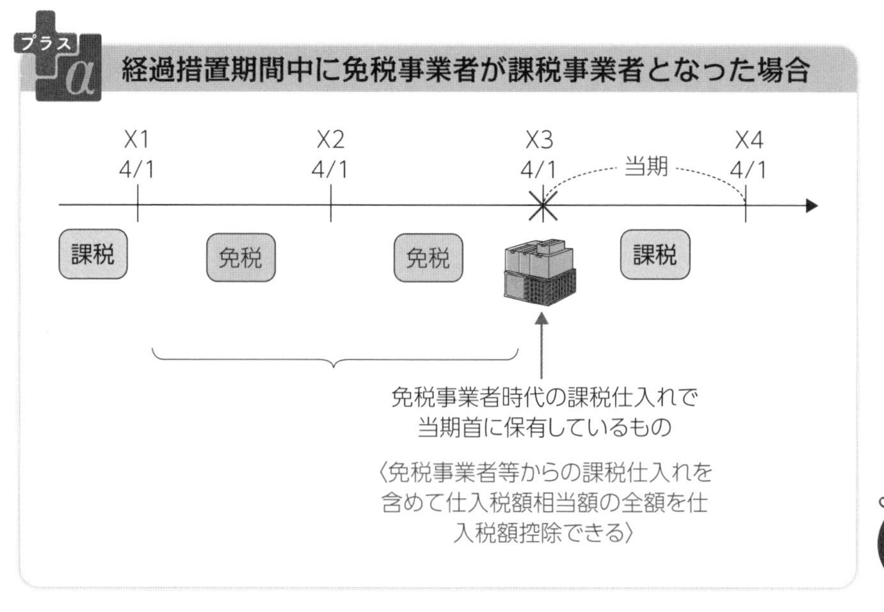

(2) 課税事業者が免税事業者となった場合

一方、経過措置期間（令和５年10月１日から令和11年９月30日までの間）中に課税事業者が適格請求書発行事業者ではない免税事業者となった場合には、課税事業者である当課税期間に課税仕入れを行い期末においても保有している期末棚卸資産に係る消費税額について、一定の経過措置により、仕入税額控除を制限しています。

具体的には、当課税期間において行った課税仕入れ（上記の経過措置が適用されたものに限る。）に係る期末棚卸資産に係る消費税額については、当課税期間の控除対象仕入税額を少なく計算するように調整します。

まとめると、次のとおりです。

プラスα 経過措置期間中に課税事業者が免税事業者となった場合

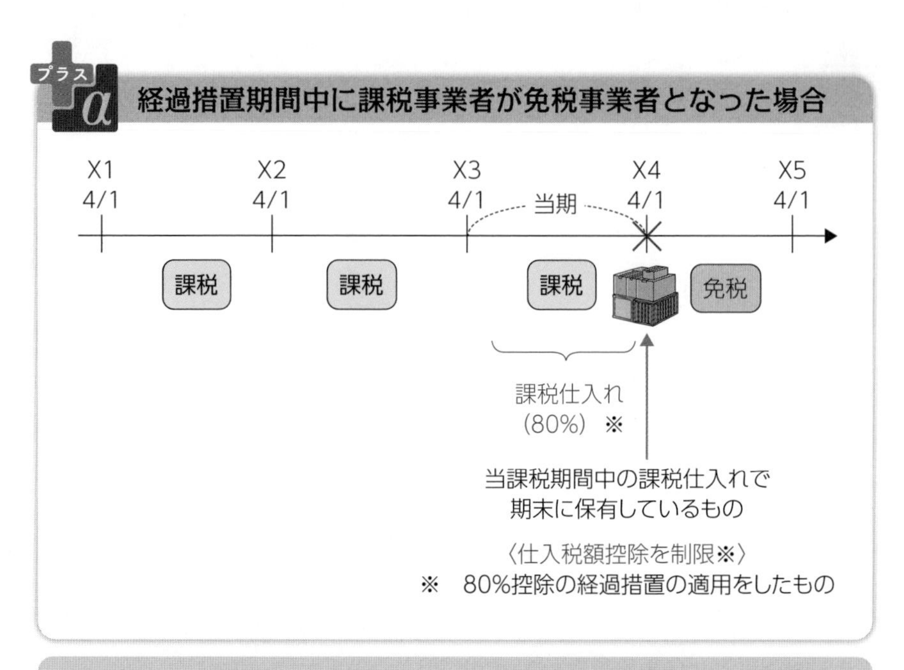

棚卸資産に係る消費税額の調整（Chapter14（２分冊目））と合わせて復習しておきましょう。

また、経過措置が認められているのは令和11年９月30日までですが、仕入税額控除が認められる割合は、仕入れた日の属する期間によって定められていますので、正確に覚えておきましょう。

(3) 小規模事業者に係る税額控除（２割特例）

さらに、免税事業者が新たに適格請求書発行事業者として課税事業者となる場合など一定の場合には、その課税期間の納付税額を課税標準額に対する消費税額の２割とする特例が経過措置として設けられています。

小規模事業者に係る税額控除（２割特例）

【適用期間】

令和５年10月１日から令和８年９月30日までの日の属する課税期間

【対象者】

免税事業者が新たに適格請求書発行事業者として課税事業者となる事業者など

【内容】

その課税期間の納付税額を課税標準額に対する消費税額の２割とします。

その際、事前の届出等は不要であり、申告書に付記するだけで２割特例の適用を受けることができます。

R5 10/1 ―― R8 9/30

納付税額　＝　課税標準額に対する消費税額　×　20%

※　事前の届出等は不要

※　申告書に付記するのみ

この２割特例を受ける場合、特別控除税額は課税標準額に対する消費税額の80%として計算することができます。これは実質的に、簡易課税制度のみなし仕入率の第二種事業の80%と同じような意味になります。さらにこの２割特例の経過措置では、本来の税額計算による控除税額と比較して有利な方を選択することができます。

問題 >>> 問題編の**問題4～問題5**に挑戦しましょう！

適格請求書発行事業者の納税義務

納税義務

令和５年10月１日からインボイス制度が開始されてからは、適格請求書発行事業者となった事業者は、消費税を納める義務があり、課税事業者となります。そうすると、これまでChapter16（３分冊目）で学習した納税義務を判定する際の最初の段階で、新たに「適格請求書発行事業者」に該当するかどうかをチェックしなければなりません。納税義務の全体系を示すと、次のとおりです。

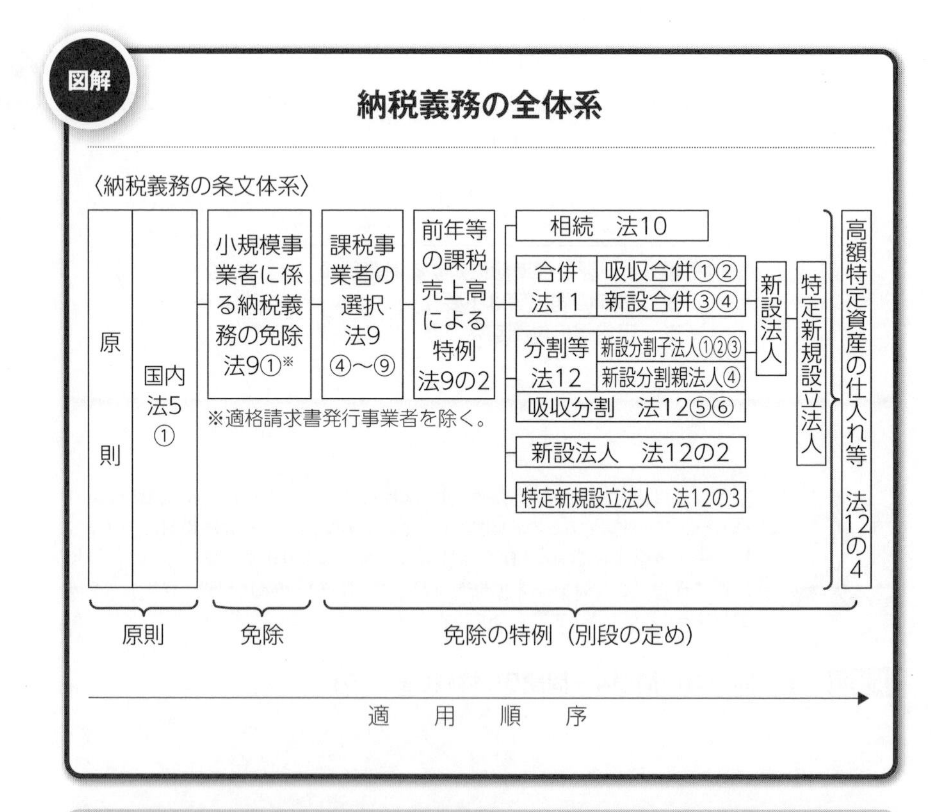

これまで納税義務の判定をするときには、最初に、基準期間における課税売上高が1,000万円を超えているかどうかを考えて判定しましたが、インボイス制度が開始されてからは、まず「適格請求書発行事業者」に該当するかどうかを考えて判定することになるのですね。

割戻し計算方式と積上げ計算方式

税額計算の方法

(1) 概要

ここからは、インボイス制度のもとで開始された新たな税額計算の方法を紹介します。

まず、納付税額の計算は、これまで学習してきたとおり、課税標準額に対する消費税額から控除対象仕入税額を控除して納付税額を求めます。

つまり、預かった消費税額と支払った消費税額を分けて税額計算を行っていることになります。本制度が開始されてからは、この税額計算の方法については、それぞれ「割戻し計算方式」と「積上げ計算方式」という二つの方式が認められることになります。

(2) 割戻し計算方式とは

① 預かった消費税額の計算

標準税率10％や軽減税率８％の税率の異なるごとに区分した課税期間中の「課税資産の譲渡等の税込価額の合計額」を税抜きにして「課税標準額」を算出し、それぞれの国税の税率（標準税率7.8％、軽減税率6.24％）を乗じて預かった消費税額を算出します。

② 支払った消費税額の計算

標準税率10％や軽減税率８％の税率の異なるごとに区分した課税期間中の「課税仕入れに係る支払対価の額の合計額」に、それぞれの国税の税額を求める分数（標準税率$\frac{7.8}{110}$、軽減税率$\frac{6.24}{108}$）を乗じて支払った消費税額を算出します。

ひとことで言えば、これまで学習してきたとおりの計算方法のことを**割戻し計算**というのですね。

(3) 積上げ計算方式とは

その課税期間に係る適格請求書等（インボイス）に記載された消費税額を一つずつ積上げて（加算して）消費税額を算出します。積上げ計算方式の場合、預かった消費税額も支払った消費税額も同じように、適格請求書等に基づいて計算します。

なお、適格請求書等に記載された税額は、国税額と地方消費税額を合わせたもの（消費税額等）であるため、適格請求書等に記載された消費税額等を集計し、その金額から国税相当額を算出することになります。算式で示すと、次のとおりです。

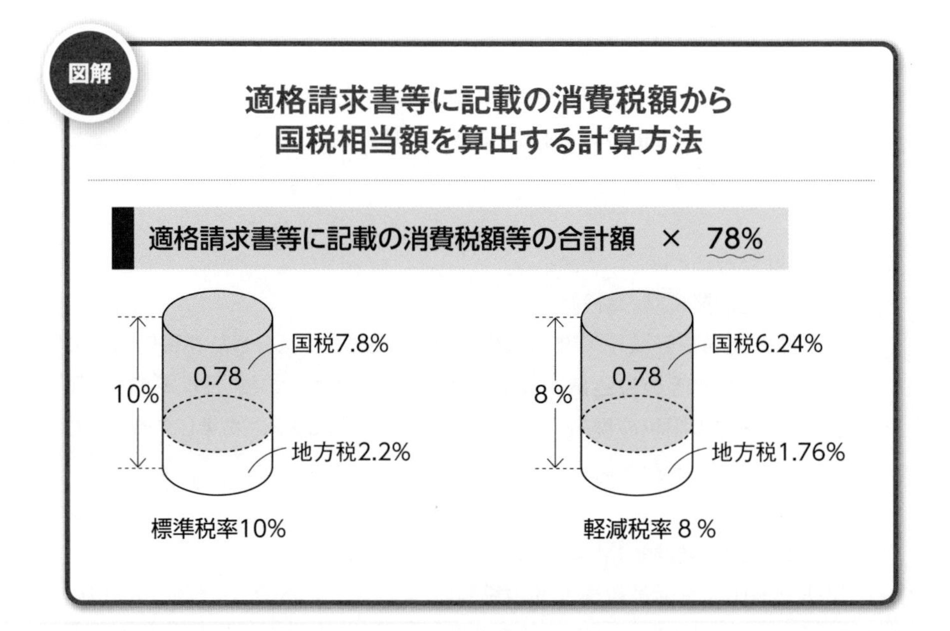

この算式の中で78％を乗じていますが、これは標準税率10％のときも、軽減税率８％のときも変わりません。なぜなら、消費税額等に含まれる国税の比率は、いずれの税率においても同じだからです。

図解

「割戻し計算方式」と「積上げ計算方式」

〈預かった消費税額〉		〈支払った消費税額〉		
課税標準額に対する消費税額	－	控除対象仕入税額	＝	納付税額
（原則）：割戻し計算		（原則）：積上げ計算		
（特例）：積上げ計算		（特例）：割戻し計算		

預かった消費税額を（特例）積上げ計算した場合、支払った消費税額も（原則）積上げ計算しなければなりません。また、預かった消費税額を（原則）割戻し計算した場合のみ、支払った消費税額も（特例）割戻し計算することができます。

(4) 具体例

それでは、割戻し計算と積上げ計算について、具体例を見てみましょう。

図解

「割戻し計算方式」と「積上げ計算方式」の計算方法

（例）甲社（適格請求書発行事業者である。）は弁当販売店を営んでおり、当課税期間における取引状況は次のとおりであった。

〈取引状況〉

1個1,000円（税込、うち消費税額等74円）のお弁当6,500個を6,500人に1人1個ずつ販売した。

上記の資料から、甲社の当課税期間の課税標準額に対する消費税額を、割戻し計算によるものと、積上げ計算によるものとにそれぞれ分けて計算しなさい。なお、インボイスに記載する消費税額等は、円未満の端数を切り捨てて計算することとしている。

〈割戻し計算〉

1,000円×6,500個＝6,500,000円

6,500,000円×$\frac{100}{108}$＝6,018,518…→6,018,000円（千円未満切捨）

6,018,000円×6.24％＝375,523円

〈積上げ計算〉

74円※×6,500個＝481,000円

481,000円×78%＝375,180円

※　1,000円×$\frac{8}{108}$＝74.074…→74円（円未満切捨）

上の例では、預かった消費税額の計算について紹介しています。納付税額の計算においては、預かった消費税額は少ない方が有利となるため、この例題では、積上げ計算を採用した方が有利になります。なぜなら、積上げ計算で「預かった消費税額」を算出する際の地方税込みの消費税額等74円につき、「円未満切捨」をしているため、その結果切り捨てられた端数が「預かった消費税額」に含まれていないことになるからです。なお、この端数処理の方法は、「切捨」「切上」「四捨五入」から事業者の判断で選択することができます。

また、税理士試験において、割戻し計算と積上げ計算のどちらを適用して解答するかは、問題文の指示に従いましょう。

(5) 積上げ計算方式が適用されないもの

インボイス制度が開始されたことにより、新たな税額計算方法として積上げ計算方式が導入されることとなりました。しかし、一部の項目については、積上げ計算方式が適用されないものがあります。その代表的なものは、次のとおりです。

積上げ計算方式が適用されないものの代表例

・棚卸資産に係る仕入税額の調整

・貸倒れの税額控除、貸倒れ回収に係る税額

積上げ計算方式が適用されない項目については、割戻し計算を行うことになります。

問題 ≫≫ 問題編の**問題6**に挑戦しましょう！

控除対象仕入税額の計算

インボイス制度による控除対象仕入税額の計算

(1) 内容

令和５年10月１日から開始されているインボイス制度において、モノやサービスの買い手側の事業者は、売り手側の適格請求書発行事業者から発行される適格請求書等（インボイス）を保存することにより、仕入税額控除を受けられることになります。

したがって、控除対象仕入税額の計算を行う際には、問題文中に適格請求書等の資料が与えられている場合には、税額計算に必要な事項をチェックし、また、その課税仕入れ等について適格請求書等の保存が不要な場合（帳簿の保存のみで仕入税額控除を受けられる場合）かどうかなどをチェックして、適切な金額を控除対象仕入税額の計算に含めていくことになります。次の具体例を用いて、インボイス制度による控除対象仕入税額の計算の流れを確認してみましょう。

例題

インボイス制度による控除対象仕入税額の計算

問題

甲株式会社（「甲社」という。）は自動車部品の製造業を営んでいる。次の資料から、甲社の当課税期間（令和７年４月１日～令和８年３月31日）における控除対象仕入税額（全額控除、積上げ計算）を求めなさい。なお、金額は税込みであり、軽減税率が適用される取引は行っていないものとする。

【資料】

1　当期商品（課税商品）仕入高　110,000,000円

上記金額のうち27,500円は、内国法人Ａ株式会社（適格請求書発行事業者ではない。）からの仕入れに係るものであり、経過措置を適用する際の円未満の端数処理は四捨五入とする。

また、残額の109,972,500円は、内国法人Ｂ株式会社（適格請求

書発行事業者）からの仕入れに係るものであり、次の請求書の交付を受け適法に保存している。
（B株式会社とは契約に基づき、当期は一括して請求が行われるものとしている。）

請求書

甲株式会社　御中

B株式会社
登録番号T××××
支払期日：令和7年12月20日

日付	品名		税込金額
R7.10.30	ゴム製品		63,800,000円
R7.12.8	ワイヤー		46,172,500円
		小計（税込）	109,972,500円
		うち消費税（10%）	9,997,500円

2　給料手当　9,290,000円

上記金額に含まれている従業員の通勤手当は2,840,000円（通常必要と認められるものとし、うち消費税額相当額258,181円である。）であり、一定の事項を記載した帳簿を保存している。

3　その他課税仕入れに該当するものが2,216,000円（うち消費税額等201,454円）あり、すべて取引の相手先から交付を受けた適格請求書等を保存している。

解答

(1) 適格請求書

9,997,500円＋201,454円＝10,198,954円

(2) 帳簿のみ

258,181円

(3) (1)＋(2)＝10,457,135円

10,457,135円×78%＝8,156,565円

(4) 80%控除対象

27,500円×$\frac{7.8}{110}$×80%＝1,560円

(5) (3) + (4) =8,158,125円

※ 内国法人A株式会社からの仕入れについては、免税事業者等からの課税仕入れであるため、原則的には、仕入税額控除を受けることができません。しかし、免税事業者等からの課税仕入れに関する経過措置の適用があります。

※ 内国法人B株式会社から交付を受けた適格請求書等については、すべての記載事項を満たしているため、仕入税額控除の適用を受けることができます。

※ 通勤手当については、適格請求書等の保存がなくても、一定の事項を記載した帳簿の保存のみで仕入税額控除を受けることができます。

今後、問題を解く際の対策として、適格請求書等の記載事項、適格請求書等の保存が不要な場合、帳簿の保存のみで仕入税額控除を受けられる場合を中心に論点をまとめておくとよいでしょう。

また、「適格請求書あり」と「帳簿のみ」は区分して仕入税額を計算することにも注意しましょう。

(2) 返還等があった場合

ここまで、買い手側の事業者が仕入税額控除を受けるために、適格請求書等の保存が必要であることを学習してきました。もし、モノやサービスの取引後に、売り手側の適格請求書発行事業者に返品や値引き等の売上げに係る対価の返還等を行う場合には、適格請求書発行事業者から「適格返還請求書」を交付してもらう必要があります。つまり、適格請求書発行事業者は、買い手側の事業者に対して、返還等を行ったことを証明する書類として「適格返還請求書」を交付しなければなりません。ただし、その返還等に係る金額が税込1万円未満である場合には、「適格返還請求書」の交付義務が免除されることとなります。

適格請求書等が、取引の一つ前段階の売り手側の事業者が適正な消費税額を預かったことを証明する書類であるのに対し、それを取り消したことを証明する書類が「適格返還請求書」ということですね。

また、適格請求書発行事業者は、適格請求書・適格簡易請求書・適格返還請求書の書類の交付の代わりに、電磁的記録（電子インボイス）を提供することもできます。

問題 >>> 問題編の**問題7～問題9**に挑戦しましょう！

受験対策

なお、受験対策としてインボイス制度を考えたときに、今後、予想される留意点についてまとめると、次のとおりです。

受験対策としての留意点

★1　当社が「適格請求書発行事業者」であれば、その時点で「納税義務あり」と判定する。

★2　仕入税額控除を行ううえで、売り手側の事業者から発行された「適格請求書等を保存している」ことをチェックし、モノやサービスの内容によって、「適格請求書等の記載事項」に基づいて仕入税額控除が受けられるかどうか判断する。

さらに、適格請求書等が不要な場合、帳簿の保存のみで仕入税額控除を受けられる場合などの具体的なケースにより正しく判断して、適切な金額を控除対象仕入税額の計算に含める。

★3　基準期間における課税売上高の計算は納税義務の判定で用いられる可能性が低くなるが、簡易課税制度の適用の有無の判定やインボイス制度の経過措置を適用する際に必要となる場合がある。

★4　税額計算の方法について、「割戻し計算方式」なのか「積上げ計算方式」なのかを最初にチェックする。

インボイス制度については、始まったばかりの制度であるため、今後、税理士試験において、どのように出題されるか注目されているところです。したがって、受験対策としては概要と基本論点を押さえることを意識しましょう。

索　引

数字・アルファベット

あ行

か行

さ行

た行

な行

は行

ら行

わ行

〈執　　筆〉政木美恵（まさきみえ）
TAC税理士独学道場消費税法講師
〈執筆協力〉TAC出版開発グループ
井上雅美（TAC税理士講座消費税法講師）
〈イラスト〉梶浦ゆみこ
〈装　　幀〉Malpu Design

2025年度版
みんなが欲しかった！　税理士　消費税法の教科書&問題集
4　申告制度・新論点その他編

（2018年度版　2017年10月20日　初版　第１刷発行）
2024年11月14日　初　版　第１刷発行

編　著　者　ＴＡＣ株式会社
（税理士講座）
発　行　者　多　田　敏　男
発　行　所　TAC株式会社　出版事業部
（TAC出版）
〒101-8383
東京都千代田区神田三崎町3-2-18
電話 03(5276)9492(営業)
FAX 03(5276)9674
https://shuppan.tac-school.co.jp
印　　刷　株式会社　光　邦
製　　本　東京美術紙工協業組合

ISBN 978-4-300-11300-4
N.D.C. 336

「税理士」の扉を開くカギ

それは、合格できる教育機関を決めること!

あなたが教育機関を決める最大の決め手は何ですか?
通いやすさ、受講料、評判、規模、いろいろと検討事項はありますが、一番の決め手となること、それは「合格できるか」です。
TACは、税理士講座開講以来今日までの40年以上、「受講生を合格に導く」ことを常に考え続けてきました。そして、「最小の努力で最大の効果を発揮する、良質なコンテンツの提供」をもって多数の合格者を輩出し、今も厚い信頼と支持をいただいております。

令和5年度 税理士試験
TAC 合格祝賀パーティー

東京会場　ホテルニューオータニ

合格者から「喜びの声」を多数お寄せいただいています。

https://www.tac-school.co.jp/kouza_zeiri/zeiri_jisseki.html

(2024年2月現在)

書籍のご購入は

1 全国の書店、大学生協、ネット書店で

2 TAC各校の書籍コーナーで

資格の学校TACの校舎は全国に展開!
校舎のご確認はホームページにて

資格の学校TAC ホームページ
https://www.tac-school.co.jp

3 TAC出版書籍販売サイトで

CYBER BOOK STORE TAC出版書籍販売サイト

TAC 出版 で 検索

24時間 ご注文 受付中

https://bookstore.tac-school.co.jp/

新刊情報をいち早くチェック!

たっぷり読める立ち読み機能

学習お役立ちの特設ページも充実!

TAC出版書籍販売サイト「サイバーブックストア」では、TAC出版および早稲田経営出版から刊行されている、すべての最新書籍をお取り扱いしています。
また、会員登録(無料)をしていただくことで、会員様限定キャンペーンのほか、送料無料サービス、メールマガジン配信サービス、マイページのご利用など、うれしい特典がたくさん受けられます。

サイバーブックストア会員は、特典がいっぱい!(一部抜粋)

通常、1万円(税込)未満のご注文につきましては、送料・手数料として500円(全国一律・税込)頂戴しておりますが、1冊から無料となります。

専用の「マイページ」は、「購入履歴・配送状況の確認」のほか、「ほしいものリスト」や「マイフォルダ」など、便利な機能が満載です。

メールマガジンでは、キャンペーンやおすすめ書籍、新刊情報のほか、「電子ブック版TACNEWS(ダイジェスト版)」をお届けします。

書籍の発売を、販売開始当日にメールにてお知らせします。これなら買い忘れの心配もありません。

書籍の正誤に関するご確認とお問合せについて

書籍の記載内容に誤りではないかと思われる箇所がございましたら、以下の手順にてご確認とお問合せをしてくださいますよう、お願い申し上げます。

なお、正誤のお問合せ以外の**書籍内容に関する解説および受験指導などは、一切行っておりません。**
そのようなお問合せにつきましては、お答えいたしかねますので、あらかじめご了承ください。

1 「Cyber Book Store」にて正誤表を確認する

TAC出版書籍販売サイト「Cyber Book Store」の
トップページ内「正誤表」コーナーにて、正誤表をご確認ください。

CYBER BOOK STORE TAC出版書籍販売サイト

URL:https://bookstore.tac-school.co.jp/

2 1の正誤表がない、あるいは正誤表に該当箇所の記載がない ⇒ 下記①、②のどちらかの方法で文書にて問合せをする

★ご注意ください★

お電話でのお問合せは、お受けいたしません。
①、②のどちらの方法でも、お問合せの際には、「お名前」とともに、
「対象の書籍名(○級・第○回対策も含む)およびその版数(第○版・○○年度版など)」
「お問合せ該当箇所の頁数と行数」
「誤りと思われる記載」
「正しいとお考えになる記載とその根拠」
を明記してください。
なお、回答までに１週間前後を要する場合もございます。あらかじめご了承ください。

① ウェブページ「Cyber Book Store」内の「お問合せフォーム」より問合せをする

【お問合せフォームアドレス】

https://bookstore.tac-school.co.jp/inquiry/

② メールにより問合せをする

【メール宛先　TAC出版】

syuppan-h@tac-school.co.jp

※土日祝日はお問合せ対応をおこなっておりません。
※正誤のお問合せ対応は、該当書籍の改訂版刊行月末日までといたします。

乱丁・落丁による交換は、該当書籍の改訂版刊行月末日までといたします。なお、書籍の在庫状況等により、お受けできない場合もございます。
また、各種本試験の実施の延期、中止を理由とした本書の返品はお受けいたしません。返金もいたしかねますので、あらかじめご了承くださいますようお願い申し上げます。

TACにおける個人情報の取り扱いについて
■お預かりした個人情報は、TAC(株)で管理させていただき、お問合せへの対応、当社の記録保管にのみ利用いたします。お客様の同意なしに業務委託先以外の第三者に開示、提供することはございません(法令等により開示を求められた場合を除く)。その他、個人情報保護管理者、お預かりした個人情報の開示等及びTAC(株)への個人情報の提供の任意性については、当社ホームページ(https://www.tac-school.co.jp)をご覧いただくか、個人情報に関するお問い合わせ窓口(E-mail:privacy@tac-school.co.jp)までお問合せください。

(2022年7月現在)

>>問題集　問題
>>問題集　解答・解説

この冊子には、問題集の問題と解答・解説がとじこまれています。

別冊ご利用時の注意

別冊は、この色紙を残したままていねいに抜き取り、ご利用ください。
また、抜き取る際の損傷についてのお取替えはご遠慮願います。

みんなが欲しかった！　税理士
消費税法の教科書＆問題集 4

問題集

問題

Chapter 19 課税期間及び資産の譲渡等の時期

問題1 課税期間（1）

重要度A　5分　解答42P

課税期間について説明した次の文章のかっこ内に適当な語句を記入しなさい。

納付する税額の確定方式には、納税義務者の申告によって行う［　①　］と、納付する税額が税務署長や税関長の処分によって確定する賦課課税方式の２つの方式がある。確定納付税額を計算する期間のことを「課税期間」という。消費税は国内取引について［　①　］が採用されており、消費税の課税期間は、原則として個人事業者の場合は１月１日から12月31日までの期間、法人の場合は［　②　］と定められている。

ただし、［　③　］を納税地の所轄税務署長に提出することにより、原則として提出した期間の翌期間から課税期間を３月ごとの期間又は１月ごとの期間に短縮変更することができる。なお、課税期間の短縮をやめたい場合は、［　④　］の提出により、暦年又は事業年度単位の期間に戻すことができるが、［　④　］は［　③　］の効力が生ずる課税期間の初日から［　⑤　］を経過する日の属する期間の初日以後でなければ提出することができない。

問題2 課税期間（2）

重要度B　5分　解答43P

次のそれぞれの設問について、Ａ社、Ｂ社、Ｃ社及びＤ社に係る消費税の課税期間を具体的な日付で答えなさい。

なお、各社につき当事業年度に係る消費税の課税期間について解答すること。

［設問１］

Ａ社は、令和７年７月１日に設立された法人であり、定款に定める事業年度は、毎年４月１日から翌年３月31日までである。なお、当事業年度は令和７年７月１日から令和８年３月31日までである。

[設問2]

B社（当事業年度は令和7年4月1日～令和8年3月31日）は、令和7年8月13日に課税期間を3月ごとの期間に短縮する届出書（消費税課税期間特例選択・変更届出書）を納税地の所轄税務署長に提出した。なお、B社は、過去に消費税の課税期間に関する届出書は提出していない。

[設問3]

C社（当事業年度は令和7年4月1日～令和8年3月31日）は、令和5年4月1日から課税期間を3月ごとの期間に短縮していたが、令和7年9月18日に消費税課税期間特例選択不適用届出書を納税地の所轄税務署長に提出した。

[設問4]

D社（当事業年度は令和7年4月1日～令和8年3月31日）は、令和5年4月1日から課税期間を3月ごとの期間に短縮していたが、令和7年11月15日に課税期間を1月ごとに変更する届出書（消費税課税期間特例選択・変更届出書）を納税地の所轄税務署長に提出した。

問題3 資産の譲渡等の時期の原則　重要度B　5分　解答 45P

次の【資料】に基づいて、甲株式会社（以下「甲社」という。）の当課税期間（令和7年4月1日～令和8年3月31日）の課税標準額及び課税標準額に対する消費税額を求めなさい。なお、金額はすべて税込金額であり、商品は課税資産に該当するものとし、税額計算の方法は割戻し計算方式とする。また、与えられた取引はすべて国内取引の要件を満たすものとし、甲社は設立以来課税事業者に該当している。

【資　料】

(1) 令和8年3月29日に得意先A社に商品を引き渡しているが、当該商品の販売代金350,000円は令和8年4月3日に甲社の当座預金口座に振込まれる予定である。

(2) 令和8年3月30日に得意先B社から商品の手付金450,000円を受け取った。なお、当該商品は当期末現在において引き渡しておらず、令和8年4

月５日に引き渡す予定である。

⑶　甲社所有の営業用車両を取引先Ｃ社に譲渡することとし、令和８年３月15日に引き渡した。なお、当該営業用車両の売却代金1,500,000円のうち500,000円は引渡日に支払いを受け、残額は令和８年４月13日に支払いを受ける予定である。

⑷　令和７年８月８日に、得意先Ｄ社から、甲社が請け負った建設工事に係る契約金2,000,000円を受け取った。なお、当該工事に係る請負代金は20,000,000円であり、目的物の全部の完成引渡日は令和９年２月10日である。

⑸　令和８年３月20日に、得意先Ｅ社から甲社所属の不動産鑑定士による不動産の鑑定評価（人的役務の提供に該当する。）に係る報酬300,000円の支払いを受けた。なお、当該不動産の鑑定評価に係る人的役務の提供の完了日は令和８年４月９日である。

⑹　令和８年３月28日に、甲社が得意先Ｆ社に貸し付けている事務所用建物の４月分の家賃200,000円の支払いを受けた。なお、契約において毎月28日に翌月分の家賃がＦ社の普通預金口座から自動で引き落とされることとなっている。また、当社は翌月分の家賃の受取額につき、毎期継続して「前受収益」ではなく「受取家賃」として経理処理を行っている。

⑺　上記以外の当課税期間の課税標準額に算入すべき金額は123,520,000円である。なお、甲社は当課税期間において「リース譲渡に係る資産の譲渡等の時期の特例」及び「工事の請負に係る資産の譲渡等の時期の特例」の適用を受ける取引は行っていない。また、軽減税率が適用される取引は行っていないものとする。

問題４　リース譲渡に係る資産の譲渡等の時期の特例　重要度Ｂ　5分　解答 46P

次の**【資料】**に基づいて、甲株式会社（以下「甲社」という。）の当課税期間（令和７年４月１日～令和８年３月31日）の課税標準額及び課税標準額に対する消費税額を求めなさい。なお、金額はすべて税込金額であり、商品は課税資産に該当するものとし、税額計算の方法は割戻し計算方式とする。また、与えられた取引はすべて国内取引の要件を満たすものとし、甲社は設立以来課税事業者に該当している。

【資　料】

(1)　リース物件Ａ

①　引渡年月日　令和７年５月１日

②　譲渡対価　　28,800,000円

③　支払方法　　イ　引渡時に頭金として7,200,000円を支払う。

ロ　残額21,600,000円については令和７年６月１日を初回として毎月初日に360,000円ずつ60回の均等払い。

④　この取引は、リース譲渡に該当する。また、法人税の計算上、延払基準の方法により経理しており、消費税においても同様の処理をしている。

(2)　リース物件Ｂ

①　引渡年月日　令和６年11月１日

②　譲渡対価　　30,000,000円

③　支払方法　　令和６年11月30日を初回に毎月末日に1,000,000円ずつ30回払い。なお、令和８年４月30日に回収期日が到来する賦払金につき令和８年３月31日に支払いを受けているが、これ以外の賦払金については回収期日に支払いを受けている。

④　この取引は、リース譲渡に該当する。また、法人税の計算上、延払基準の方法により経理しており、消費税においても同様の処理をしている。

(3)　リース物件Ｃ

①　引渡年月日　令和８年３月10日

②　譲渡対価　　42,000,000円

③　支払方法　　イ　引渡時に頭金として10,000,000円を支払う。

ロ　残額32,000,000円については令和８年５月25日に一括で支払う。

④　法人税の計算上、引渡基準の方法により経理しており、消費税においても同様の処理をしている。

(4)　甲社は、当課税期間において軽減税率が適用される取引は行っていない。

問題5 工事の請負に係る資産の譲渡等の時期の特例 重要度B 5分 解答47P

次の【資料】に基づいて、甲株式会社（以下「甲社」という。）の当課税期間（令和7年4月1日～令和8年3月31日）の課税標準額及び課税標準額に対する消費税額を求めなさい。なお、金額はすべて税込金額であり、与えられた取引はすべて国内取引の要件を満たすものとし、甲社は設立以来課税事業者に該当している。また、税額計算の方法は割戻し計算方式とする。

【資　料】

(1)　A工事

①　着工年月日　　令和6年12月1日

②　引渡年月日　　令和9年11月30日

③　請負対価の額　12,600,000,000円

④　各課税期間における工事原価の状況

課　　税　　期　　間	実際工事原価	期末見積工事原価
令和6年4月1日～令和7年3月31日	3,200,000,000円	8,000,000,000円
令和7年4月1日～令和8年3月31日	2,800,000,000円	8,000,000,000円

⑤　A工事は長期大規模工事に該当し、法人税の計算上、工事進行基準の方法により経理しており、消費税においても同様の処理をしている。

(2)　B工事

①　着工年月日　　令和6年11月1日

②　引渡年月日　　令和8年1月30日

③　請負対価の額　750,000,000円

④　B工事は長期大規模工事に該当せず、法人税の計算上、引渡基準の方法により経理しており、消費税においても同様の処理をしている。

確定申告制度・中間申告制度

問題 1　申告納税制度（国内取引）　重要度 A　6分　解答 49P

消費税の申告納税制度について説明した次の文章のかっこ内に適当な語句又は金額を記入しなさい。

消費税の納税義務のある課税事業者は、一課税期間に係る消費税の納付税額を計算し、課税期間ごとに［　①　］をその課税期間の末日の翌日から［　②　］以内に納税地の所轄税務署長に提出し、その提出期限までにその消費税額を国に納付しなければならない。ただし、個人事業者の12月31日の属する課税期間の確定申告期限は、翌年［　③　］とする。なお、一課税期間に係る納付税額を計算した結果、還付税額がある場合は、税務署長から還付される。また、［　①　］の提出義務がない事業者であっても、消費税の計算をした結果還付を受けることができる場合には、［　④　］を納税地の所轄税務署長に提出することができる。

消費税には中間申告制度が設けられており、中間申告の方法は［　⑤　］による場合と［　⑥　］による場合の２つの方法のいずれかを事業者が任意で選択することができるが、中間申告書の提出がなかった場合は［　⑤　］による中間申告書の提出があったものとみなされる。［　⑤　］による中間納付税額の計算方法には３つの方法があり、当課税期間が１年間である場合に、それぞれ次のとおりに判定及び中間納付税額の計算を行う。

(1)　一月中間申告

①　判定

$$\frac{\text{直前の課税期間の確定消費税額}}{\text{直前の課税期間の月数}} = X > [\quad ⑦\quad]$$

②　中間納付税額

X（百円未満切捨）×［　⑧　］回

(2)　三月中間申告（(1)の適用がない場合）

①　判定

$$\frac{\text{直前の課税期間の確定消費税額}}{\text{直前の課税期間の月数}} \times 3 = Y > [\quad ⑨\quad]$$

② 中間納付税額

Y（百円未満切捨）×［ ⑩ ］回

(3) 六月中間申告（(1)及び(2)の適用がない場合）

① 判定

$$\frac{\text{直前の課税期間の確定消費税額}}{\text{直前の課税期間の月数}} \times 6 = Z > [\ ⑪\ ]$$

② 中間納付税額

Z（百円未満切捨）

なお、Zの金額が［ ⑪ ］以下であっても、「［ ⑫ ］を提出する旨の届出書」を納税地の所轄税務署長に提出した場合は、中間申告書を税務署長に提出しなければならない。

問題2 中間納付税額（1） 重要度A 10分 解答50P

次の【資料】から、各ケースの甲株式会社の当期（令和7年4月1日～令和8年3月31日）の中間納付税額を求めなさい。

【資　料】

前課税期間（令和6年4月1日～令和7年3月31日）に係る確定消費税額は次のとおりであった。

（ケース1） 49,800,000円

（ケース2） 5,130,000円

（ケース3） 2,190,000円

問題3 中間納付税額（2） 重要度A 10分 解答54P

次の【資料】から、各ケースの甲株式会社の当期（令和7年4月1日～令和8年3月31日）の中間納付税額を求めなさい。

【資　料】

前課税期間（令和6年4月1日～令和7年3月31日）に係る確定消費税額は次のとおりであった。

（ケース１）　48,210,600円
（ケース２）　4,700,000円
（ケース３）　500,000円

問題４　中間納付税額（３）　重要度Ｂ　４分　解答 57P

甲株式会社の前課税期間（令和６年４月１日～令和７年３月31日）に係る確定消費税額は300,000円であった。これに基づいて、当期（令和７年４月１日～令和８年３月31日）の中間納付税額を求めなさい。

なお、任意の中間申告書を提出する旨の届出書を当課税期間の８月２日に納税地の所轄税務署長に提出している。

中間納付税額の計算は前期納税実績によるものとする。

問題５　税額の是正手続き・行政処分　重要度Ｂ　３分　解答 59P

次のそれぞれの税額の是正手続き又は行政処分の名称を答えなさい。なお、解答欄に記入する語句は次の**【語群】**の中から選ぶこと。

① 確定申告をした後に計算誤りなどで税額を実際より少なく申告していたことに気付いた場合に、納税者が行う税額の是正手続き
② 確定申告をした後に計算誤りなどで税額を実際より過大に申告していたことに気付いた場合に、納税者が行う税額の是正手続き
③ 提出された確定申告書の内容に誤りがある場合に、税務署長が職権により税額を修正する行政処分
④ 確定申告書の提出義務があるにもかかわらず確定申告書を提出していない場合に、税務署長が職権により税額を確定させる行政処分

【語　群】

更正　　決定　　修正申告　　更正の請求

問題6 中間納付税額（4） 重要度B 6分 解答60P

甲株式会社の前課税期間（令和６年４月１日～令和７年３月31日）に係る確定消費税額は次のとおりである。これに基づいて、当期（令和７年４月１日～令和８年３月31日）の中間納付税額を求めなさい。

(1) 当初申告分（期限内申告） 3,990,000円
(2) 修正申告分（令和７年11月11日提出） 252,000円

問題7 中間納付税額（5） 重要度B 6分 解答63P

甲株式会社の前課税期間（令和６年４月１日～令和７年３月31日）に係る確定消費税額は次のとおりである。これに基づいて、当期（令和７年４月１日～令和８年３月31日）の中間納付税額を求めなさい。

(1) 当初申告分（期限内申告） 4,122,000円
(2) 減額更正分（令和７年７月６日更正） 378,000円

問題8 中間納付税額（6） 重要度B 5分 解答66P

甲株式会社（以下「甲社」という。）は、創立以来半年決算であったが、定款を変更し令和７年４月１日以後に開始する事業年度から４月１日から翌年３月31日までの年１回決算に変更することとなった。甲社の前課税期間（令和６年10月１日～令和７年３月31日）に係る確定消費税額は300,000円である。これに基づいて、当期（令和７年４月１日～令和８年３月31日）の中間納付税額を求めなさい。

電気通信利用役務の提供及び特定役務の提供

問題 1 電気通信利用役務の提供の判定　重要度 A　3分　解答 68P

次の取引について、電気通信利用役務の提供に該当するものには○を、該当しないものには×を付しなさい。

(1) インターネットを通じて行われる音楽の配信
(2) 電話・ファックスなどの通信
(3) 顧客にクラウド上のソフトウェアを利用させるサービスの提供
(4) ソフトウェアの制作（制作過程の指示や成果物の受領はインターネットを介して行われる。）
(5) インターネットを通じて行う広告の配信・掲載
(6) 飲食店を経営する事業者から掲載料を徴収して行われるインターネットを介した飲食店予約サイトの運営
(7) インターネット上で銀行の普通預金の残高照会・振込みができるサービス（ネットバンキングサービス）の提供
(8) インターネットを介して行う英会話教室の運営

問題 2 用語の意義（1）　重要度 B　3分　解答 69P

消費税法に規定する次の用語の意義についてかっこ内に正しい語句を記入しなさい。

(1) 電気通信利用役務の提供とは、[①]のうち、電気通信回線を介して行われる[②]の提供その他の電気通信回線を介して行われる役務の提供（電話、電信その他の通信設備を用いて他人の通信を媒介するものを除く。）であって、他の[①]の結果の[③]その他の他の[①]に[④]して行われるもの以外のものをいう。
(2) 事業者向け電気通信利用役務の提供とは、[⑤]が行う電気通信利用役務の提供のうち、その役務の[⑥]又は[⑦]からその役務の提供を受ける者が通常[⑧]に限られるものをいう。

問題 3 電気通信利用役務の提供に係る国内取引の判定 重要度 A 5分 解答 70P

リバースチャージ方式の概要について説明した次の文章のかっこの中に適当な語句を記入しなさい。

役務の提供に係る国内取引の判定は、原則として役務の提供が行われた場所が国内にあるどうかにより行うこととされているが、役務の提供が行われた場所が明らかでなく、政令で定める国際運輸・国際通信等の一定の役務の提供に該当しないものについては、役務の提供を[①]の役務の提供に係る事務所等の所在地が国内にあるかどうかにより行うこととされている。

しかし、電子書籍・音楽・広告の配信などの役務の提供が国外事業者によって国境を越えて行われた場合についても上記の判定基準を適用すると、国外取引として課税の対象外とされ、同じサービスを受けるのに提供者の違いによって税負担に差異が生ずることとなり課税の公平性に欠けるという問題点があった。そのため、平成27年10月1日以後に電気通信回線（インターネット等）を介して行われる一定の役務の提供を[②]と位置づけ、[②]に係る国内取引の判定は、役務の提供を[③]の住所等が国内にあるかどうかにより行うこととされた。これにより、国外事業者が国内事業者等に[②]を行った場合には、国内取引となり、消費税が課されることとなった。

また、平成28年度税制改正ではさらに改正が行われ、平成29年1月1日以後に行われる[②]については、実質的にサービスを受ける者の事務所等の所在地が国内にあるかどうかにより国内取引の判定を行うこととなった。これにより、国内事業者が[④]で受ける[②]のうち、国内以外の地域において行う資産の譲渡等にのみ要するものである場合は国外取引とされ、国外事業者が[⑤]で受ける[②]のうち、国内において行う資産の譲渡等にのみ要するものである場合は国内取引とされることとなった。

この場合、その[②]に係る消費税の徴収方式は、その[②]が事業者向けであるときは、サービスの買い手である事業者が消費税の納税義務者となる[⑥]が採用されている。

国内の事業者が、国外事業者が行う事業者向け[②]に該当するサービスを利用したときは、その仕入れを[⑦]という。また、課税仕入れのうち[⑦]に該当するものは[⑧]といい、事業者は、国内において行った[⑧]につき消費税を納める義務がある。

令和６年度税制改正により、令和７年４月１日以後、国外事業者がデジタル［　⑨　］を介して行う消費者向け［　②　］のうち、国税庁長官の指定を受けた特定［　⑨　］事業者（その課税期間において、デジタル［　⑨　］を介して国外事業者が行う［　②　］に係る対価の額の合計額が［　⑩　］円を超える［　⑨　］事業者）を介してその対価を収受するものについては、その特定［　⑨　］事業者が行ったものとみなされることとなった。

問題４　リバースチャージ方式による消費税額の計算　重要度Ａ　20分　解答 72P

次の【資料】から、甲株式会社（以下「甲社」という。）の当課税期間（令和７年４月１日～令和８年３月31日）の納付税額を計算しなさい。なお、甲社は税込経理方式を採用しており、商品は課税資産に該当するものとし、軽減税率が適用される取引は行っていないものとし、税額計算の方法は割戻し計算方式とする。また、甲社は設立以来課税事業者に該当しており、消費税簡易課税制度選択届出書を提出したことはない。

【資　料】

(1)　収入に関する事項

①　国内の事業者に対する商品売上高 ……… 325,500,000円

②　輸出免税となる商品売上高 ……… 87,600,000円

③　国外支店における商品売上高 ……… 112,000,000円

④　土地売却収入 ……… 120,000,000円

⑤　投資有価証券売却収入 ……… 48,000,000円

(2)　支出に関する事項

①　課税資産の譲渡等にのみ要する課税仕入れ ……… 195,300,000円

上記金額には、国外事業者に支払ったインターネットに掲載される広告（事業者向け電気通信利用役務の提供に該当する。）の掲載料金3,000,000円が含まれている。

②　その他の資産の譲渡等にのみ要する課税仕入れ ……… 8,500,000円

③　課税資産の譲渡等とその他の資産の譲渡等に共通して要する課税仕入れ ……… 53,200,000円

上記金額には、国外事業者に支払ったクラウド上のデータベースを管理

するサービス（事業者向け電気通信利用役務の提供に該当する。）の使用料4,200,000円が含まれている。

(3) 中間申告に関する事項

当期に中間申告納付した消費税額は3,736,200円である。

(4) 課税仕入れに該当するものについては、すべて適格請求書等の交付を受けているものとする。

問題5 特定課税仕入れに係る対価の返還等 重要度A 10分 解答75P

次の【資料】に基づいて、甲株式会社（以下「甲社」という。）の当課税期間（令和7年4月1日～令和8年3月31日）の控除対象仕入税額及び返還等対価に係る税額を計算しなさい。なお、金額は税込であり、軽減税率が適用される取引は行っていないものとし、税額計算の方法は割戻し計算方式とする。また、甲社は設立以来課税事業者に該当しており、消費税簡易課税制度選択届出書を提出したことはない。

【資　料】

(1) 課税仕入れの金額 ………… 293,500,000円

上記金額の内訳は、次のとおりである。なお、すべて取引の相手方から適格請求書等の交付を受けている。

① 課税資産の譲渡等にのみ要する課税仕入れ ………… 221,500,000円

② その他の資産の譲渡等にのみ要する課税仕入れ ………… 7,200,000円

③ 課税資産の譲渡等とその他の資産の譲渡等に共通して要する課税仕入れ ………… 64,800,000円

(2) 特定課税仕入れの金額 ………… 6,500,000円

上記金額は、すべて課税資産の譲渡等にのみ要する特定課税仕入れである。

(3) 売上げに係る対価の返還等の金額 ………… 23,800,000円

上記金額の内訳は、次のとおりである。なお、国内において行った売上げに係る対価の返還等については、すべて取引の相手方に適格返還請求書を交付している。

① 国内事業者に対する課税売上げに係るもの ………… 16,200,000円

② 国外事業者に対する輸出免税売上げに係るもの ………… 7,600,000円

(4) 仕入れに係る対価の返還等の金額 ………… 1,100,000円

上記金額は、すべて課税資産の譲渡等にのみ要する特定課税仕入れに係るものである。

(5) 当期の課税売上割合 ………… 80%

問題 6 用語の意義 (2)

消費税法に規定する次の用語の意義についてかっこ内に正しい語句を記入しなさい。

(1) [①]とは、[②]向け電気通信利用役務の提供及び[③]をいう。

(2) 特定仕入れとは、事業として他の者から受けた[①]をいう。

(3) [④]とは、課税仕入れのうち特定仕入れに該当するものをいう。

(4) [③]とは、資産の譲渡等のうち、[⑤]が行う演劇その他の一定の役務の提供（注１、２）をいう。

（注１）映画等の俳優、音楽家その他の芸能人又は職業運動家の役務の提供のうち、[⑤]が他の事業者に対して行うもの（[⑥]に対して行うものを除く。）とする。

（注２）電気通信利用役務の提供を除く。

問題 7 国内取引の判定

次の取引について、国内取引となるものに○を、ならないものに×を付しなさい。

(1) 内国法人（国内に本店を有する事業者）が、外国法人（国外に本店を有する国外事業者であり、国内に支店等を有しない。）に対してインターネットを介して財務管理ソフトを配信した。

(2) 外国法人（国外に本店を有する国外事業者）が、内国法人（国内に本店を有する事業者であり、国外に支店等を有しない。）に対してインターネットを介してクラウド上の顧客データを管理できるサービスを提供した。

(3) 内国法人（国内に本店を有する事業者）が、外国法人（国外に本店を有す

る国外事業者）に対してアメリカから日本へのインターネット接続サービスを提供した。

⑷　内国法人（国内に本店を有する事業者）が、外国法人（国外に本店を有する国外事業者）から依頼を受けて国内の事務所で国際金融市場の情報収集を行い、インターネットを介して依頼者に報告書を引き渡した。なお、当該情報収集に係る役務の提供地は明らかでないものとする。

⑸　外国法人（国外に本店を有する国外事業者）が、国内の消費者（国内に住所を有する者）にオンライン英会話教室のレッスンを行った。

⑹　内国法人（国内に本店を有する事業者）が、国内の消費者（国内に住所を有する者）に対してインターネットを介して電子新聞を配信した。

⑺　内国法人（国内に本店を有する事業者）が、国外の消費者（国内に居所又は住所を有しない者）にインターネットを介して電子書籍を配信した。

⑻　内国法人（国内に本店を有する事業者）が、外国法人（国外に本店を有する国外事業者であり、国内に支店等を有しない。）の商品に関する広告をインターネットで配信した。

⑼　内国法人（国内に本店を有する事業者）が、外国法人（国外に本店を有する国外事業者であり、国内に支店等を有しない。）の商品に関する広告を国内のテレビCMで放送した。

⑽　内国法人（国内に本店を有する事業者）が、自社制作映画フィルムに係る著作権を映画の上映・複製を行う外国法人（国外に本店を有する国外事業者）に対して譲渡することにし、インターネット上で著作物の引渡しを行った。

⑾　日本人サッカー選手（国内に住所を有する事業者）が、外国法人（国外に本店を有する国外事業者）の依頼を受けてスペインで講演を行った。

⑿　アメリカ人映画俳優（国内に居所又は住所を有しない国外事業者）が、内国法人（国内に本店を有する事業者）の依頼を受けて国内で撮影される映画に出演した。

⒀　外国法人（国外に本店を有する事業者）が、他の外国法人（国外に本店を有する国外事業者）の国内支店（法人税法上の恒久的施設に該当する。）に対して、日本国内のみでの商品販売に係る顧客を管理するためのクラウド上のデータベースを使用させるサービス（事業者向け電気通信利用役務の提供に該当する。）を提供しサービス利用料を収受した。

⒁　外国法人（国外に本店を有する事業者）が、内国法人（国内に本店を有す

る事業者）の国外支店（法人税法上の国外事業所等に該当する。）から、国外の飲食店の紹介・予約サイトの運営（事業者向け電気通信利用役務の提供に該当する。）に係る掲載料を収受した。

問題 8 納税義務者の判定

重要度 A 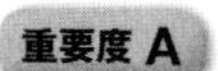 解答 82P

次のそれぞれの取引において国外事業者が行う役務の提供に係る消費税の納税義務について、リバースチャージ方式により国内事業者が納税義務を負う場合は①を、国外事業者申告納税方式により国外事業者が納税義務を負う場合は②を、プラットフォーム課税により特定プラットフォーム事業者が納税義務を負う場合は③を解答欄に記入しなさい。なお、取引はすべて課税の対象となる要件を満たしているものとする。また、国内事業者及び国外事業者は課税事業者に該当するものとし、国内事業者は原則課税により控除対象仕入税額の計算を行っており、当期の課税売上割合は95%未満であるものとする。

(1) アメリカに本社を有するIT企業（国外事業者）が、日本の出版社（国内事業者）に対してクラウド上のデータベースを使用するサービス（事業者向け電気通信利用役務の提供に該当する。）を提供した。

(2) フランスに本社を有するゲーム会社（国外事業者）が、国内の消費者に対してオンラインクイズゲームアプリ（事業者向け電気通信利用役務の提供に該当しない。）を配信した。

なお、当該アプリはデジタルプラットフォームを介して配信しているものではなく、自社のサーバーからユーザーに直接配信している。

(3) イギリスに本社を有する音楽レーベル（国外事業者）が、国内の喫茶店経営者（国内事業者）に対して音楽のストリーミングサービス（事業者向け電気通信利用役務の提供に該当しない。）を提供した。

なお、当該ストリーミングサービスは、プラットフォーム課税の対象となるものではない。

(4) イタリアの映画俳優（国外事業者）が、日本の映画製作会社（国内事業者）の依頼を受けて国内で映画に出演した。

(5) カナダに本社を有する音楽レーベルに所属するロックバンド（国外事業者）が、国内のコンサートホールで不特定多数の者に対して単独公演を行った。

(6) アメリカに本社を有するスマートフォンアプリ制作会社（国外事業者）が、国内の消費者に対してオンラインRPG（ロールプレイングゲーム）アプリを配信した。当該アプリの配信は、事業者向け電気通信利用役務の提供に該当しない。なお、当該アプリは、国内のIT企業A社が提供するスマートフォンアプリ配信サイト（デジタルプラットフォームに該当する）を介して配信しており、アプリの配信に係る対価はA社（A社は特定プラットフォーム事業者として国税庁長官の指定を受けている。）を介して収受している。

(7) イギリスに本社を有するPCゲーム制作会社（国外事業者）が、国内の消費者に対してシューティングゲームソフトを配信した。当該アプリの配信は、事業者向け電気通信利用役務の提供に該当しない。なお、当該ソフトは、国内のIT企業B社が提供するソフトウェア配信サイト（デジタルプラットフォームに該当する）を介して配信しており、ソフトの配信に係る対価はB社を介して収受している。また、B社が提供するデジタルプラットフォームを介して国外事業者が国内において行う電気通信利用役務の提供に係る対価の額がその課税期間において50億円を超えたことはなく、B社は国税庁長官から特定プラットフォーム事業者として指定を受けたことはない。

問題9 納税義務の判定及び納付税額の計算（まとめ） 重要度A 60分 解答85P

甲精機株式会社（以下「甲社」という。）は、令和3年4月1日に資本金の額1,000万円で設立された機械部品の小売業を営む内国法人であり、令和5年11月21日に吸収合併により乙産業株式会社（令和3年9月1日に設立された内国法人である。以下「乙社」という。）の機械加工用品の卸売業を承継している。甲社の第5期事業年度（令和7年4月1日～令和8年3月31日。以下「当課税期間」という。）に関連する取引等の状況は、次の**【資料】**のとおりである。

これに基づき、甲社の当課税期間の確定申告により納付すべき消費税額をその計算過程を示して計算しなさい。なお、各課税期間において特定資産の譲渡等に該当する金額はないものとし、商品は課税資産に該当するものとする。また、甲社及び乙社は税込経理方式により会計帳簿の記録を行っており、軽減税率が適用される取引は行っていないものとし、税額計算の方法は割戻し計算方式とする。なお、前年等の課税売上高による特例を適用する場合には、給与等支払額は考慮しないものとする。

【資　料】

1　甲社の各事業年度（課税期間）に係る取引等の状況は下記のとおりである。甲社は消費税課税事業者選択届出書及び消費税簡易課税制度選択届出書を提出したことはなく、各課税期間において輸出取引等に該当する課税資産の譲渡等の金額及び売上げに係る対価の返還等の金額はないものとし、課税事業者に該当する課税期間は個別対応方式により控除対象仕入税額の計算を行っている。なお、令和５年11月21日に乙社を吸収合併したことにより、その対価として新株を発行したことに伴い、甲社の資本金の額は3,000万円に増加したが、これ以外に資本金の額が増減した取引はない。

課　　税　　期　　間	課税資産の譲渡等の金額
第１期：令和３年４月１日　～　令和４年３月31日	8,500,000円
第１期のうち令和３年４月１日　～　令和３年９月30日	3,800,000円
第２期：令和４年４月１日　～　令和５年３月31日	9,500,000円
第２期のうち令和４年４月１日　～　令和４年９月30日	6,200,000円
第３期：令和５年４月１日　～　令和６年３月31日	23,400,000円
第３期のうち令和５年４月１日　～　令和５年９月30日	8,300,000円
第３期のうち令和５年10月１日　～　令和５年11月20日	2,080,000円
第４期：令和６年４月１日　～　令和７年３月31日	30,400,000円
第４期のうち令和６年４月１日　～　令和６年９月30日	15,100,000円

2　乙社の各事業年度（課税期間）に係る取引等の状況は下記のとおりである。乙社の第１期及び第２期の課税期間については、それぞれ消費税法第９条第１項《小規模事業者に係る納税義務の免除》の規定の適用を受けているが、第３期の課税期間については消費税の課税事業者に該当している。なお、各課税期間において輸出取引等に該当する課税資産の譲渡等の金額及び売上げに係る対価の返還等の金額はないものとする。

課　　税　　期　　間	課税資産の譲渡等の金額
第１期：令和３年９月１日　～　令和３年12月31日	4,000,000円
第２期：令和４年１月１日　～　令和４年12月31日	16,100,000円
第３期：令和５年１月１日　～　令和５年11月20日	15,350,000円

3　甲社の当課税期間の損益計算書の内容は次のとおりである。

損　益　計　算　書

自令和７年４月１日　至令和８年３月31日　　（単位：円）

科目		
Ⅰ 売上高		
総売上高	38,350,000	
売上値引及び戻り高	1,800,000	36,550,000
Ⅱ 売上原価		
期首商品棚卸高	1,112,300	
当期商品仕入高	12,910,000	
合計	14,022,300	
期末商品棚卸高	1,377,000	12,645,300
売上総利益		23,904,700
Ⅲ 販売費及び一般管理費		
役員報酬	6,000,000	
従業員給与手当	8,500,000	
商品荷造運搬費	1,620,600	
広告宣伝費	500,000	
法定福利費	895,000	
接待交際費	283,600	
減価償却費	520,000	
通信費	308,000	
租税公課	1,282,800	
貸倒損失	920,000	
その他の費用	1,580,500	22,410,500
売上総利益		1,494,200
Ⅳ 営業外収益		
受取利息配当金	105,800	
受取家賃	1,800,000	1,905,800
Ⅴ 営業外費用		
支払利息	23,600	23,600
経常利益		3,376,400
Ⅵ 特別利益		
有価証券売却益	500,000	500,000
Ⅶ 特別損失		
有価証券売却手数料	32,000	32,000
税引前当期純利益		3,844,400

4　損益計算書の内容について付記すべき事項は次のとおりである。

(1)　「総売上高」は、すべて国内における商品売上高である。

(2)　「売上値引及び戻り高」の内訳は、次のとおりである。

①　令和4年5月16日に乙社が販売した商品につき返品を受け、払い戻した金額　400,000円

②　令和5年6月22日に甲社が販売した商品につき値引きをした金額　750,000円

③　令和6年11月4日に甲社が販売した商品につき値引きをした金額　650,000円

(3)　「当期商品仕入高」は、すべて国内において仕入れたものである。

(4)　「従業員給与手当」には、従業員の通勤手当340,000円が含まれている。

(5)　「商品荷造運搬費」は、商品の国内運搬費用である。

(6)　「広告宣伝費」には、国外の事業者（国内に支店等を有していない。）に対して支払ったもの300,000円（事業者向け電気通信利用役務の提供に該当するものである。）が含まれており、残額はすべて国内の事業者に支払ったものである。

(7)　「法定福利費」は、すべて事業主負担の社会保険料である。

(8)　「接待交際費」には、取引先の親族の葬式に出席した際に支払った香典30,000円が含まれており、残額はすべて課税仕入れに該当する。

(9)　「通信費」には、国際電話料金14,200円が含まれており、残額はすべて課税仕入れに該当する。

(10)　「貸倒損失」の内訳は、次のとおりである。

①　令和5年9月2日に乙社が販売した商品に係る売掛金が貸倒れとなった金額　400,000円

②　令和5年12月11日に甲社が販売した商品に係る売掛金が貸倒れとなった金額　520,000円

(11)　「その他の費用」のうち、課税仕入れに該当する金額は586,600円である。

(12)　販売費及び一般管理費に属する勘定科目で、「従業員給与手当」、「広告宣伝費」、「接待交際費」、「通信費」及び「その他の費用」のうち課税仕入れとなるものは、課税資産の譲渡等とその他の資産の譲渡等に共通して要する課税仕入れに該当する。

(13)　「受取利息配当金」は、国外の取引先（非居住者）に対する貸付金利息

35,800円及び公社債投資信託に係る収益分配金70,000円の合計額である。

⒁　「受取家賃」は、甲社所有の建物を従業員に対して、令和７年４月１日より居住用として貸付期間２年間の契約で貸し付けたことにより収受したものである。

⒂　「有価証券売却益」及び「有価証券売却手数料」は、売買目的で保有していた株式を当課税期間に売却（売却価額3,000,000円、帳簿価額2,500,000円）した際の売却益及び売却手数料である。

5　その他の事項

⑴　甲社は、当課税期間中に甲社の取締役に対して備品（時価120,000円、帳簿価額150,000円）を贈与している。

⑵　甲社は、令和５年７月２日に営業用車両を2,000,000円で取得し、本社業務用として使用している。

⑶　甲社は、令和６年１月25日にコンピュータを4,000,000円で購入し、上記４⑴の商品の品質管理のためにのみ使用していたが、令和７年４月１日より上記４⒂の有価証券の売買管理のためにのみ使用することとした。

⑷　甲社は上記⑵及び⑶以外に調整対象固定資産の仕入れ等は行っていない。

⑸　甲社が当課税期間における中間申告により納付すべき消費税額の計算の基礎となる前課税期間に係る確定消費税額は1,285,300円である。

⑹　甲社は第１期から前課税期間まで課税事業者であった場合には、個別対応方式により控除対象仕入税額を計算していた。

⑺　課税仕入れに該当するものについては、すべて取引の相手方から適格請求書等の交付を受けており、また、売上げに係る対価の返還等に該当するものについては、すべて取引の相手方に適格返還請求書を交付している。

⑻　甲社及び乙社は、適格請求書発行事業者の登録を受けたことはないものとする。

Chapter 22 インボイス制度

問題 1 インボイス制度の概要

重要度A　5分　解答97P

インボイス制度について説明した次の文章のかっこの中に適当な語句を記入しなさい。

令和５年10月１日から、複数税率に対応した消費税の仕入税額控除の方式として、［ ① ］等保存方式（インボイス制度）が導入された。インボイス制度の下では、税務署長に申請して登録を受けた課税事業者である［ ① ］発行事業者（インボイス発行事業者）が交付する［ ① ］（インボイス）等の保存が仕入税額控除の要件となる。

［ ① ］発行事業者は、以下の事項が記載された請求書や納品書その他これらに類する書類を交付しなければならない。

イ　［ ① ］発行事業者の氏名又は名称及び［ ② ］

ロ　課税資産の譲渡等を行った［ ③ ］（課税期間の範囲内で一定の期間内に行った課税資産の譲渡等につきまとめてその書類を作成する場合には、その一定の期間）

ハ　課税資産の譲渡等に係る資産又は役務の内容（その課税資産の譲渡等が［ ④ ］である場合には、資産の内容及び［ ④ ］である旨）

ニ　課税資産の譲渡等に係る税抜価額又は税込価額を税率の異なるごとに区分して合計した金額及び［ ⑤ ］

ホ　［ ⑥ ］

ヘ　［ ⑦ ］の氏名又は名称

なお、不特定多数の者に対して販売等を行う小売業、飲食店業、タクシー業等に係る取引については、［ ① ］に代えて［ ⑧ ］を交付することができる。［ ⑧ ］の記載事項は上記イからホとなり（ただし、［ ⑤ ］［ ⑥ ］はいずれか一方の記載で足りる。）、上記への事項は記載不要となる。

また、［ ① ］発行事業者は、課税事業者に返品や値引き等の売上げに係る対価の返還等を行う場合、買い手である課税事業者に対して［ ⑨ ］を交付する義務が課されている。

問題2 適格請求書等の記載事項

重要度A　3分　解答 98P

小売業を営む甲株式会社が当課税期間（令和7年4月1日～令和8年3月31日）において、課税仕入れの相手方から交付を受けた次の書類のうち、適格請求書又は適格簡易請求書の記載事項を満たすものに○を、満たさないものに×を付しなさい。

(1) 令和7年4月20日に、内国法人A株式会社からオレンジジュースと缶ビールを仕入れた際、次の請求書の交付を受けた。

請求書

甲株式会社　御中

A株式会社
登録番号 T××××
支払期日：令和7年4月30日

日付	品名	金額（税抜）
4/20	オレンジジュース ※	30,000円
4/20	缶ビール	50,000円
	税抜合計	80,000円
	消費税	7,400円
	総　計	87,400円

合計　80,000円　消費税　7,400円
〈内訳〉8%対象　30,000円　消費税　2,400円
10%対象　50,000円　消費税　5,000円

※は軽減税率対象

⑵　令和７年５月15日に、内国法人Ｂ株式会社から菓子と玩具を仕入れた際、次の納品書の交付を受けた。

納品書

甲株式会社　御中　　　　　　　　　　　　　　B株式会社

納品日：令和７年５月15日

日付	品名	金額(税抜)
5/15	菓子 ※	40,000円
5/15	玩具	20,000円
	税抜合計	60,000円
	消費税	5,200円
	総　計	65,200円

合計　60,000円　消費税　5,200円
〈内訳〉8%対象　40,000円　消費税　3,200円
10%対象　20,000円　消費税　2,000円

※は軽減税率対象

⑶　令和７年６月21日に、内国法人Ｃ株式会社からパン及び生活雑貨を仕入れた際、次の領収書の交付を受けた。

領収書

甲株式会社　　様　　　　　　　　　　　　　　No.0001

発行日：令和７年６月21日

金額　¥43,400-

但し　食品(軽減税率対象)、雑貨代として

上記正に領収いたしました

収入印紙

内訳

税率	税抜金額	30,000円
8%	消費税額	2,400円
税率	税抜金額	10,000円
10%	消費税額	1,000円

C株式会社
〒×××−××××
東京都××区××
TEL 03-×××-×××
登録番号T××××

(4)　令和７年７月17日に、内国法人Ｄ株式会社から牛乳を仕入れた際、次の領収書の交付を受けた。

領収書

甲株式会社　　様

No.0001

発行日：令和７年７月17日

金額　¥21,600-

但し　牛乳（軽減税率対象）代として

上記正に領収いたしました

印紙　収入

D株式会社
〒×××－××××
東京都××区××
TEL 03-×××-×××
登録番号T××××

(5)　令和７年９月６日に、内国法人Ｅ株式会社が運営するスーパーマーケットにおいて、取引先との打ち合わせの際に供する茶菓子等を購入し、次のレシートの交付を受けた。

スーパー○○

□□店　TEL 03-×××-×××

E株式会社
東京都△△区△△
登録番号 T××××

2025年９月６日　　No.123456

緑茶＊	1	¥324
和菓子＊	1	¥540
紙コップ	1	¥550
合　計		¥1,414
８％対象		¥864
	（内　消費税額	¥64）
10%対象		¥550
	（内　消費税額	¥50）
	お預り	¥1,500
＊は軽減税率対象	お釣り	¥86

問題3 適格請求書等の保存が不要な場合 重要度B 5分  解答101P

次の取引について、適格請求書等の保存を要さず、一定の事項を記載した帳簿の保存のみで仕入税額控除を受けることができるものに○を、できないものに×を付しなさい。

(1) 当社従業員1名が得意先へ訪問する際に、東京－横浜間のバス料金600円（税込）を支払った。なお、当該旅費は、従業員に日当として支給するものではなく、当社が直接バス会社に支払っている。

(2) 当社従業員4名が大阪支店へ出張する際に、東京－大阪間の新幹線の乗車料金52,000円（税込）をまとめて支払った。なお、1人あたりの大人運賃は13,000円（税込）である。また、当該旅費は、従業員に日当として支給するものではなく、当社が直接鉄道会社に支払っている。

(3) 当社従業員1名が札幌支店へ出張する際に、東京－札幌間の飛行機の航空券15,000円（税込）を購入した。なお、当該旅費は、従業員に日当として支給するものではなく、当社が直接航空会社に支払っている。

(4) 得意先を観劇に招待するために、入場券を3,500円（税込）で購入した。なお、当該入場券には、観劇の主催事業者名、登録番号、公演日時、料金、消費税額等及び適用税率の記載がされており、当該入場券は入場時に回収されるものである。

(5) 古物営業を営む当社が、消費者から古本を330円（税込）で購入した。なお、当該古本は、他の消費者に販売するための棚卸資産として保有するものである。

(6) 古物営業を営む当社が、消費者から中古自動車を100万円（税込）で購入した。なお、当該中古自動車は、当社の取引先への営業活動を行うために使用するものである。

(7) 宅地建物取引業を営む当社が、消費者から建物を5,500万円（税込）で購入した。なお、当該建物は、他の事業者に販売するための棚卸資産として保有するものである。

(8) 飲食店業を営む当社が、食材を購入するために、近所の中央卸売市場（卸売市場法に規定する卸売市場に該当する。）において生鮮食料品（卸売業者が卸売の業務として出荷者から委託を受けて販売しているもの）を15,000円（税込）で購入した。

⑼　取引先との会議の際に提供するために、自動販売機において緑茶のペットボトル150円（税込）を購入した。

⑽　得意先へ訪問する際に、コインパーキングに社用車を駐車し、駐車料金500円（税込）を支払った。

⑾　得意先へ訪問する際に、荷物を駅構内のコインロッカーに預け入れ、荷物保管料800円（税込）を支払った。

⑿　金融機関のATMを利用して、商品の仕入代金に係る買掛金を仕入先の銀行口座に振り込んだ際に、仕入代金とは別に、当社負担の振込手数料440円（税込）を支払った。

⒀　郵便局で110円切手を20枚購入し、その切手を郵便物に貼りポストに投函した。

⒁　従業員の国内出張に際し、日当5,000円（税込）を支給した。なお、当該日当の支給額は、通常必要と認められる範囲内の金額である。

⒂　従業員の通勤手当として10,000円（税込）を支給した。なお、当該通勤手当の支給額は、通常必要と認められる範囲内の金額である。

問題4 控除対象仕入税額の計算 重要度A 6分 解答104P

次の【資料】から、日用品の卸売業を営んでいる甲株式会社（以下「甲社」という。）の当期（令和7年4月1日から令和8年3月31日までの期間）の控除対象仕入税額を求めなさい。なお、与えられている金額はすべて消費税込みの金額であり、課税仕入れ等の税額は全額控除できるものとする。また、与えられた取引はすべて国内取引の要件を満たすものとする。税額計算方法は、割戻し計算を採用している。

【資　料】

1　当期商品仕入高 ………… 146,780,000円

上記金額のうち25,000円は、内国法人A社からの商品（日用品）の仕入れに係るものであるが、請求書等の交付を受けていない。これ以外は、軽減税率が適用される課税仕入れはない。

2　給料手当 ………… 78,981,000円

上記金額には、従業員の通勤手当4,200,000円（通常必要と認められる金額）が含まれているが、当該通勤手当の支給額については一定の事項を記載した帳簿を保存しているのみである。

3　通信費 ………… 3,548,000円

上記金額には、ポストに投函するために購入した切手代78,200円が含まれており、当該切手代については一定の事項を記載した帳簿を保存しているのみである。また、上記切手代のうち18,600円は、当期末において未使用である。これ以外は、すべて課税仕入れに該当する。

4　旅費交通費 ………… 6,720,000円

上記金額の内訳は次のとおりである。なお、旅費交通費に係る支出については、日当以外のものはすべて甲社が公共交通機関等に直接支払ったものであるが、すべて一定の事項を記載した帳簿を保存しているのみである。

① 国内出張に係る日当の支給額 ………… 930,000円

上記金額は通常必要と認められる金額である。

② 鉄道又はバスの乗車料金 ………… 5,450,000円

上記金額は、すべて1回の取引の税込価額が3万円未満である。

③ 鉄道の乗車料金 ………… 340,000円

上記金額は、すべて1回の取引の税込価額が3万円以上である。

5　会議費 ……… 2,560,000円

上記金額のうち、21,000円は、取引先との打ち合わせの際に供するために自動販売機において購入したペットボトル入りのお茶の購入費（すべて1本あたりの税込価額は3万円未満）であり、一定の事項を記載した帳簿を保存しているのみである。これ以外は、軽減税率が適用される課税仕入れはない。

6　保守点検費 ……… 240,000円

上記金額は、当社が所有する機械装置の令和7年10月1日から令和8年9月30日までの期間に係る保守点検サービス料金である。

7　プリペイドカードへのチャージ金額 ……… 50,000円

上記金額は、本社事務所で使用する消耗品と引き換えを受けるためにチャージしたものであるが、当期末において全額未使用である。

8　その他の留意事項

①　上記の他に、標準税率7.8%が適用される課税仕入れが85,210,000円、軽減税率6.24%が適用される課税仕入れが2,480,000円ある。

②　課税仕入れに該当するものについては、特段の指示があるもの以外は、すべて取引の相手方から交付を受けた適格請求書等を保存しているものとする。

③　納付すべき消費税額の計算にあたり、適用される計算方法が2以上ある事項については、当期における納付すべき消費税額が最も少なくなる方法を採用するものとする。

問題5 インボイス制度導入に伴う経過措置 重要度B 5分 解答106P

次の【資料】から、甲株式会社（以下「甲社」という。）の当課税期間（令和7年4月1日から令和8年3月31日までの期間）の控除対象仕入税額を求めなさい。なお、与えられている金額はすべて消費税込みの金額であり、課税仕入れ等の税額は全額控除できるものとする。また、与えられた取引はすべて国内取引の要件を満たすものとする。課税仕入れに該当するものについては、特段の指示があるもの以外は、すべて取引の相手方から交付を受けた適格請求書等を保存しているものとする。税額計算方法は、割戻し計算を採用している。

【資　料】

1　標準税率7.8%が適用される課税仕入れに係る支払対価の額の合計額 ……… 43,255,600円

上記金額には、次のものが含まれている。

①　令和7年5月19日に内国法人A社から仕入れた商品（日用品）の仕入高 ……… 152,000円

なお、A社は免税事業者であり、当該商品を仕入れた際に区分記載請求書等の記載事項を満たす請求書の交付を受けている。

②　令和7年7月25日に個人事業者Bから仕入れた商品（日用品）の仕入高 ……… 8,500円

なお、個人事業者Bは免税事業者であり、当該商品を仕入れた際に請求書等の交付は受けていない。

2　軽減税率6.24%が適用される課税仕入れに係る支払対価の額の合計額 ……… 17,224,500円

上記金額には、次のものが含まれている。

①　令和7年12月12日に個人事業者Cから仕入れた商品（飲食料品）の仕入高 ……… 68,800円

なお、個人事業者Cは免税事業者であり、当該商品を仕入れた際に区分記載請求書等の記載事項を満たす請求書の交付を受けている。

③　令和8年2月4日に内国法人D社から仕入れた商品（飲食料品）の仕入高 ……… 28,800円

なお、内国法人D社は免税事業者であり、当該商品を仕入れた際に請求

書等の交付は受けていない。

3　当社の当課税期間に係る基準期間における課税売上高は75,208,375円である。

問題 6　売上税額の計算

次の【資料】から、弁当の仕入販売業を営む個人事業者甲（適格請求書発行事業者に該当している。）の当課税期間（令和７年４月１日から令和８年３月31日までの期間）の課税標準額に対する消費税額を「割戻し計算」及び「積上げ計算」によりそれぞれ求めなさい。なお、甲社は簡易課税制度選択届出書を提出したことはない。

【資　料】

甲が、当課税期間において行った課税資産の譲渡等の状況は、次のとおりである。

商品名	販売単価	販売数	販売総額	適格請求書に記載した税額
鮭弁当	600円（44円）	8,000個	4,800,000円	352,000円
焼肉弁当	700円（51円）	10,000個	7,000,000円	510,000円
お茶	150円（11円）	5,000本	750,000円	55,000円
缶ビール	250円（22円）	4,000本	1,000,000円	88,000円

（※１）鮭弁当、焼肉弁当及びお茶には軽減税率が適用され、缶ビールには標準税率が適用される。

（※２）販売単価は税込金額であり、かっこ書きの数字は消費税額等の金額である。

問題7 仕入税額の計算（1） 重要度A 8分  解答 110P

次の**【資料】**から、甲株式会社（適格請求書発行事業者に該当している。以下「甲社」という。）の当課税期間（令和７年４月１日から令和８年３月31日までの期間）の控除対象仕入税額を「積上げ計算」により求めなさい。なお、甲社は簡易課税制度選択届出書を提出したことはない。

【資　料】

(1)　甲社が、当課税期間において行った課税仕入れ等の状況は、次のとおりである。なお、金額は税込であり、かっこ内の金額は、適格請求書に記載された税額である。

①　標準税率が適用される課税仕入れ（税込金額）

イ　課税資産の譲渡等にのみ要するもの……5,500,000円（500,000円）

ロ　その他の資産の譲渡等にのみ要するもの……880,000円（80,000円）

ハ　課税資産の譲渡等とその他の資産の譲渡等に共通して要するもの
……3,300,000円（300,000円）

②　軽減税率が適用される課税仕入れ（税込金額）

イ　課税資産の譲渡等にのみ要するもの……2,160,000円（160,000円）

ロ　課税資産の譲渡等とその他の資産の譲渡等に共通して要するもの
……1,080,000円（80,000円）

(2)　当課税期間の課税売上割合は70％であり、仕入税額の按分計算が必要である。

問題8 仕入税額の計算（2） 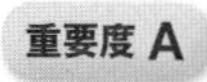 8分  解答 111P

次の**【資料】**から、甲株式会社（適格請求書発行事業者に該当している。以下「甲社」という。）の当課税期間（令和７年４月１日から令和８年３月31日までの期間）の控除対象仕入税額を「積上げ計算」により求めなさい。なお、甲社は簡易課税制度選択届出書を提出したことはない。

【資　料】

(1)　甲社が、当課税期間において行った課税仕入れ等の状況は、次のとおりである。なお、金額は税込であり、かっこ内の金額は、適格請求書に記載された税額である。

① 標準税率が適用される課税仕入れ

イ 国内出張に係る日当の支給額……………… 165,000円

上記金額は、通常必要と認められる金額であり、このうち適正に計算した消費税額等に相当する金額は15,000円である。

ロ 通勤手当の支給額……………… 1,100,000円

上記金額は、通常必要と認められる金額であり、このうち適正に計算した消費税額等に相当する金額は100,000円である。

ハ 免税事業者からの商品仕入高……………… 2,200,000円

ニ イ～ハ以外のもの……………… 33,000,000円（3,000,000円）

② 軽減税率が適用される課税仕入れ

イ 免税事業者からの商品仕入高……………… 756,000円

ロ イ以外のもの……………… 16,200,000円（1,200,000円）

(2) 当課税期間の課税売上割合は99%、課税売上高は５億円以下であり、仕入税額は全額控除する。

(3) 免税事業者からの仕入れに係る経過措置の適用につき、円未満の端数が生じた場合には、その端数を切り捨てるものとする。

問題９ 納付税額の計算

重要度Ａ　45分　解答 112P

甲株式会社（適格請求書発行事業者に該当する。以下「甲社」という。）は、アンティーク雑貨の小売業を営む内国法人である。甲社の第15期事業年度（令和７年４月１日から令和８年３月31日までの期間。以下「当課税期間」という。）に関連する取引等の状況は、次の**【資料】**のとおりである。これに基づき、甲社の当課税期間の確定申告により納付すべき消費税額をその計算過程を示して計算しなさい。

なお、課税標準額に対する消費税額の計算に当たっては消費税法第45条第５項《消費税額の積上げ計算》の適用を受けないものとし、課税仕入れに係る消費税額の計算に当たっては消費税法施行令第46条第１項《課税仕入れに係る請求書等の消費税額の積上げ計算》の適用を受けることとする。

【計算に当たっての前提事項】

⑴　納付すべき消費税額の計算にあたり、適用される計算方法が２以上ある事項については、当期における納付すべき消費税額が最も少なくなる方法を採用するものとする。

⑵　甲社は税込経理方式により会計帳簿の記録を行っている。

⑶　甲社は、帳簿及び適格請求書等（その写しを含む。）を適正に保存している。

⑷　売上値引及び戻り高に係る消費税額については、適格返還請求書に記載した消費税額を使用しない方法により計算（割戻し計算）するものとする。

⑸　仕入値引及び戻し高に係る消費税額については、適格返還請求書に記載された消費税額により計算（積上げ計算）するものとする。

⑹　「消費税額等」とは、甲社が発行した又は受領した適格請求書等に記載の消費税額等の合計額をいう。

【資　料】

1　甲社は、設立以来消費税の課税事業者に該当している。

2　甲社の当課税期間において中間申告した消費税額は520,000円である。

3　甲社の当課税期間の損益計算書の内容は次のとおりである。

損　益　計　算　書

自令和７年４月１日　至令和８年３月31日　（単位：円）

Ⅰ 売上高		
総売上高	107,252,200	
売上値引及び戻り高	1,533,300	105,718,900
Ⅱ 売上原価		
期首商品棚卸高	8,245,000	
当期商品仕入高	47,906,400	
仕入戻し高	1,224,000	
合計	54,927,400	
期末商品棚卸高	9,664,000	45,263,400
売上総利益		60,455,500
Ⅲ 販売費及び一般管理費		
役員報酬	16,200,000	
従業員給与手当	22,521,500	
商品荷造運搬費	3,894,500	
広告宣伝費	460,000	
法定福利費	5,800,000	

支払家賃	3,300,000	
水道光熱費	1,416,700	
消耗品費	348,500	
会議費	60,200	
接待交際費	460,800	
旅費交通費	1,151,000	
支払手数料	450,000	
減価償却費	600,000	
通信費	330,700	
租税公課	829,600	
その他の費用	1,776,400	59,599,900
売上総利益		855,600
Ⅳ 営業外収益		
受取利息配当金	70,400	
受取家賃	5,400,000	5,470,400
Ⅴ 営業外費用		
支払利息	23,200	
貸倒損失	42,000	65,200
経常利益		6,260,800
Ⅵ 特別損失		
有価証券売却損	250,000	
有価証券売却手数料	35,000	285,000
税引前当期純利益		5,975,800

4　損益計算書の内容について付記すべき事項は次のとおりである。

(1)　「総売上高」の内訳は次のとおりである。

①　国内店舗における課税売上高

62,650,200円（うち消費税額等5,695,472円）

②　インターネット通販における売上高　44,602,000円

上記金額は、インターネットで注文を受け、海外の顧客に輸出販売した売上高12,121,200円と国内の顧客に販売した売上高32,480,800円（うち消費税額等2,952,800円）の合計額である。

(2)　「売上値引及び戻り高」1,533,300円（うち消費税額等139,390円）は、当課税期間における国内商品売上げに対して行ったものである。

(3)　「当期商品仕入高」の内訳は、次のとおりである。

①　国内の事業者からの仕入高

39,576,200円（うち消費税額等3,597,836円）

②　国外の事業者からの輸入仕入高　8,330,200円

上記金額は、アメリカの事業者から仕入れたアンティーク雑貨の保税地域からの引き取りに係るものであり、税関に納付した消費税590,600円及び地方消費税166,500円が含まれている。

(4)　「仕入戻し高」1,224,000円（うち消費税額等111,272円）は、すべて国内における課税仕入れに係るものである。

(5)　「従業員給与手当」には、本社に勤務する従業員の通勤手当600,000円（通常必要と認められる金額であり、このうち適正に計算した消費税額等に相当する金額は54,545円である。）及び労働者派遣契約に基づいて商品販売店舗に勤務する派遣労働者の人材派遣料として人材派遣会社に支払った金額2,660,700円（うち消費税額等241,881円）が含まれている。

(6)　「商品荷造運搬費」の内訳は、次のとおりである。

①　商品の国内運搬費用及び荷造費

2,889,800円（うち消費税額等262,709円）

②　輸出した商品の国外運送費用及び保険料　1,004,700円

(7)　「広告宣伝費」の内訳は、次のとおりである。

①　内国法人Ａ社（国内に本店を置くIT企業である。）に対して支払ったインターネット広告（若年層の女性が多く利用しているSNSにおいて、甲社の商品に興味を持ちそうなユーザーに広告が表示されるようにするためのもの）に係る広告料　275,000円（うち消費税額等25,000円）

②　甲社の商品を宣伝するためのチラシの制作代金

85,000円（うち消費税額等7,727円）

③　本社の経理担当者を募集するために国内において転職サイトを運営する内国法人Ｂ社に支払った求人広告掲載費用

100,000円（うち消費税額等9,090円）

(8)　「法定福利費」は、すべて事業主負担の社会保険料である。

(9)　「支払家賃」3,300,000円（うち消費税額等300,000円）は、甲社が商品販売店舗として使用している建物の貸主である内国法人C社に支払ったテナント料である。

⑽　「水道光熱費」の内訳は次のとおりである。

① 本社事務所に係る水道光熱費　870,500円（うち消費税額等79,136円）

② 商品販売店舗に係る水道光熱費 546,200円（うち消費税額等49,654円）

⑾　「消耗品費」の内訳は、次のとおりである。

① 商品販売店舗で使用する消耗品の購入費用

260,400円（うち消費税額等23,672円）

② 下記５⑴のアパートで使用する消耗品の購入費用

88,100円（うち消費税額等8,009円）

⑿　「会議費」の内訳は、次のとおりである。

① 本社事務所において取引先との打ち合わせの際に供するためにスーパーマーケットで購入したお茶及び和菓子の購入費用

21,600円（うち消費税額等1,600円）

② 取引先と喫茶店において打ち合わせをした際の店内飲食代

38,600円（うち消費税額等3,509円）

⒀　「接待交際費」には、贈答用菓子代114,600円（うち消費税額等8,488円）、贈答用商品券の購入費用100,000円及び取引先の役員の結婚式に参列した際に現金で手渡した祝金30,000円が含まれており、残額216,200円（うち消費税額等19,654円）はすべて料理店における取引先との店内飲食代である。

⒁　「旅費交通費」は、海外出張における旅費265,500円が含まれているが、これ以外の金額885,500円（うち消費税額80,500円）は国内出張に係る旅費である。

⒂　「支払手数料」の内訳は、次のとおりである。

① 下記５⑴のアパートの入居者を募集するために、内国法人D社（不動産業者）に対して支払った仲介手数料

300,000円（うち消費税額等27,272円）

② 金融機関から下記５⑴のアパートの購入資金の融資を受けるために、信用保証協会に支払った信用保証料　150,000円

⒃　「通信費」には、国際電話料金94,200円が含まれているが、これ以外の金額236,500円（うち消費税額等21,500円）はすべて国内の電話料金及び郵便料金である。

⒄　「その他の費用」のうち、標準税率が適用される課税仕入れに該当する金額は1,625,300円（うち消費税額等147,754円）、軽減税率が適用される課税

仕入れに該当する金額は112,300円（うち消費税額等8,318円）であり、残額38,800円は課税仕入れに該当しない金額である。

(18) 販売費及び一般管理費に属する勘定科目で、「会議費」、「接待交際費」、「旅費交通費」、「通信費」及び「その他の費用」のうち課税仕入れとなるものは、課税資産の譲渡等とその他の資産の譲渡等に共通して要する課税仕入れに該当する。

(19) 「受取利息配当金」の内訳は、次のとおりである。

①	国内銀行の預金利息	2,800円
②	国外銀行（非居住者に該当する）の預金利息	5,600円
③	内国法人H社からの配当金	62,000円

(20) 「受取家賃」は、甲社所有のアパートを居住用として貸付期間２年間の契約で貸し付けたことにより収受したものである。

(21) 「貸倒損失」は、当課税期間中に国内の顧客に販売した商品に係る販売代金について、当該顧客が自己破産をしたことにより回収不能となった（貸倒れの事実に該当する。）ために計上したものである。

(22) 「有価証券売却損」及び「有価証券売却手数料」は、売買目的で保有していた上場株式を売却（売却価額2,350,000円、帳簿価額2,600,000円）した際の売却損及び売却手数料35,000円（うち消費税額等3,181円）である。なお、当該株式は国内の振替機関で取り扱うものである。

5　その他の事項

(1) 令和７年７月１日に上記４(20)のアパートを33,000,000円（うち消費税額等3,000,000円）で購入し、居住用として貸し付けている。

(2) 上記資料以外のことは考慮する必要はない。

問題集

解答・解説

課税期間及び資産の譲渡等の時期

解答1 課税期間（1）

①	申告納税方式	②	事業年度
③	消費税課税期間特例選択・変更届出書	④	消費税課税期間特例選択不適用届出書
⑤	2年		

解答へのアプローチ

課税期間は、原則として個人事業者の場合は暦年、法人の場合は事業年度とされます。ただし、課税期間特例選択・変更届出書を提出した場合は、課税期間を3月ごとの期間又は1月ごとの期間に短縮変更することとなります。課税期間特例選択・変更届出書の効力は、提出した日の属する期間の翌期間から生じます。短縮変更した課税期間は、課税期間特例選択不適用届出書を提出することにより暦年又は事業年度単位の期間に戻すことができますが、課税期間特例選択不適用届出書は、課税期間特例選択・変更届出書の効力が生じる課税期間の初日から2年を経過する日の属する期間の初日以後でなければ提出することができません。

学習のポイント

課税期間を変更するときや課税期間の特例をやめるときは、課税事業者の選択と同じように2年継続適用しなければなりません。

解答2　課税期間（2）

[設問1]	令和7年7月1日～令和8年3月31日
[設問2]	令和7年4月1日～令和7年9月30日
	令和7年10月1日～令和7年12月31日
	令和8年1月1日～令和8年3月31日
[設問3]	令和7年4月1日～令和7年6月30日
	令和7年7月1日～令和7年9月30日
	令和7年10月1日～令和8年3月31日
[設問4]	令和7年4月1日～令和7年6月30日
	令和7年7月1日～令和7年9月30日
	令和7年10月1日～令和7年11月30日
	令和7年12月1日～令和7年12月31日
	令和8年1月1日～令和8年1月31日
	令和8年2月1日～令和8年2月28日
	令和8年3月1日～令和8年3月31日

解答へのアプローチ

[設問1]

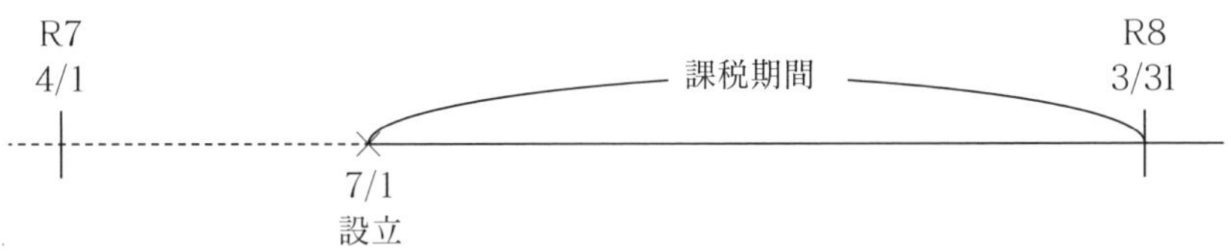

法人を設立した場合は、その設立の日からその事業年度終了の日までの期間が課税期間となります。

[設問2]

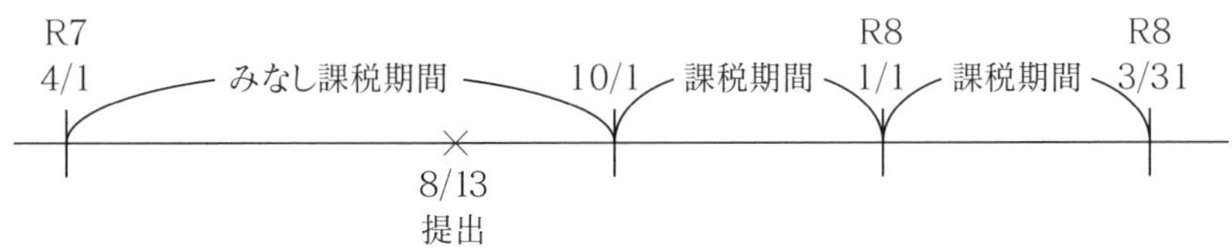

課税期間特例選択・変更届出書を提出した場合は、届出の効力はその提出日の属する期間（令和７年７月１日～令和７年９月30日）の翌期間の初日（令和７年10月１日）以後に生じます。

この場合、提出日の属する事業年度開始の日（令和７年４月１日）から、効力の生じた日の前日（令和７年９月30日）までの期間がみなし課税期間となります。

［設問３］

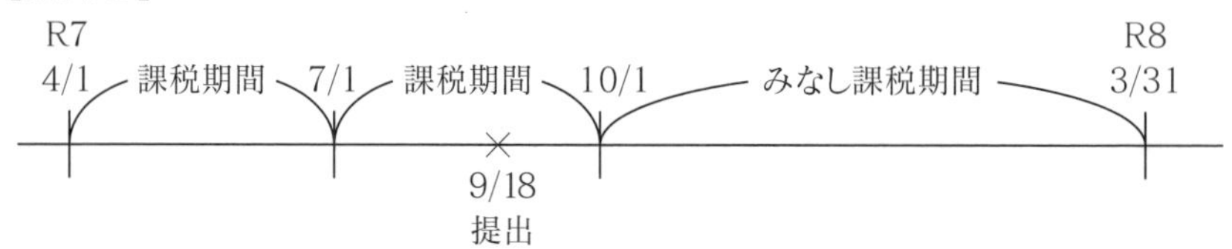

課税期間特例選択不適用届出書を提出した場合は、課税期間特例選択・変更届出書の効力は不適用届出書の提出日の属する課税期間（令和７年７月１日～令和７年９月30日）の末日の翌日（令和７年10月１日）以後に失効します。

この場合、提出日の属する課税期間の末日の翌日（令和７年10月１日）から提出日の属する事業年度終了の日（令和８年３月31日）までの期間がみなし課税期間となります。

［設問４］

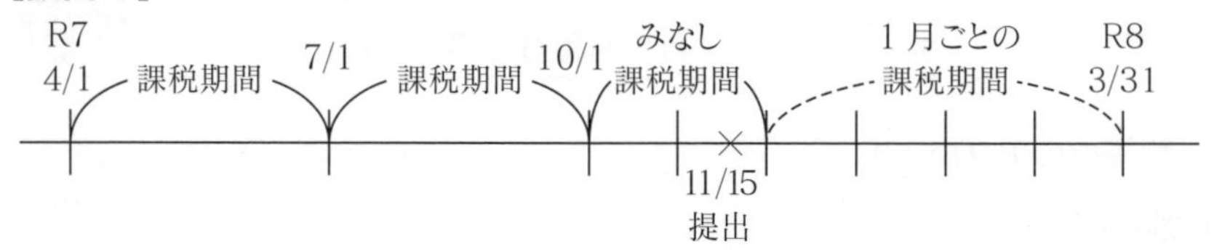

課税期間特例選択・変更届出書を提出した場合は、届出の効力はその提出日の属する期間（令和７年11月１日～令和７年11月30日）の翌期間の初日（令和７年12月１日）以後に生じます。

この場合、提出日の属する３月ごとの期間開始の日（令和７年10月１日）から、効力の生じた日の前日（令和７年11月30日）までの期間がみなし課税期間となります。

☑ 学習のポイント

届出書の効力がいつから生じるのか、みなし課税期間はどの期間になるのかを意識しながら、タイムテーブルを書いてしっかり判断するようにしましょう。

解答3 資産の譲渡等の時期の原則

【課税標準額】

計　算　過　程 (単位：円)		
350,000+1,500,000+200,000+123,520,000=125,570,000 $125,570,000 \times \frac{100}{110}$ =114,154,545 → 114,154,000 (千円未満切捨)		
	金額	114,154,000 円

【課税標準額に対する消費税額】

計　算　過　程 (単位：円)	金額	8,904,012 円
114,154,000×7.8%=8,904,012		

解答へのアプローチ

(1) 棚卸資産の販売に係る資産の譲渡等の時期は、棚卸資産の引渡日となります。本問の場合、商品の引渡日が当課税期間なので、販売代金350,000円を当課税期間の課税標準額に算入します。

(2) 本問の場合、商品の引渡日が翌課税期間なので、手付金450,000円は当課税期間の課税標準額には算入しません。

(3) 固定資産（工業所有権等を除く。）の譲渡に係る資産の譲渡等の時期は、固定資産の引渡日となります。本問の場合、固定資産の引渡日が当課税期間なので、売却代金1,500,000円を当課税期間の課税標準額に算入します。

(4) 請負（物を引き渡すもの）に係る資産の譲渡等の時期は、目的物の全部の引渡日となります。本問の場合、目的物の全部の完成引渡日が翌課税期間なので、契約金2,000,000円は当課税期間の課税標準額には算入しません。

(5) 人的役務の提供（請負を除く。）に係る資産の譲渡等の時期は、人的役務の提供の完了日となります。本問の場合、人的役務の提供の完了日が翌課税期間なので、報酬300,000円は当課税期間の課税標準額には算入しません。

(6) 資産の貸付け（契約又は慣習により使用料等の支払日が定められているもの）に係る資産の譲渡等の時期は、「前受収益」などの経過勘定で経理処理を行っている場合を除き、使用料等の支払日となります。本問の場合、支払日が当課税期間であり、経過勘定による経理処理を行っていないため、4月分の家賃200,000円を当課税期間の課税標準額に算入します。

学習のポイント

取引ごとの資産の譲渡等の時期の原則をしっかり押さえて、売上げの計上時期がいつなのか意識するようにしましょう。

解答4 リース譲渡に係る資産の譲渡等の時期の特例

【課税標準額】

計算過程（単位：円）		
(7,200,000+360,000×10回)+(1,000,000×12回+1,000,000) +42,000,000＝65,800,000 $65,800,000 \times \frac{100}{110}$＝59,818,181 → 59,818,000（千円未満切捨）		
	金額	59,818,000 円

【課税標準額に対する消費税額】

計算過程（単位：円）	金額	
59,818,000×7.8%＝4,665,804		4,665,804 円

解答へのアプローチ

(1)　リース物件A

リース譲渡をした課税期間中に頭金として支払いを受けた7,200,000円に、当課税期間中に支払期日が到来する金額360,000円×10回を加算した金額が当課税期間の課税標準額に算入されます。

(2)　リース物件B

「資産を引き渡した課税期間」において「資産の譲渡等を行わなかったものとみなされた部分」については、その翌期以後の「支払期日が到来する各課税期間において、それぞれ資産の譲渡等を行ったものとみなして売上高を計算します。したがって、当課税期間中に支払期日が到来する金額1,000,000円×12回と、支払期日が到来する前にすでに支払いを受けた令和8年4月30日が回収期日の1,000,000円が当課税期間の課税標準額に算入されます。

(3) リース物件C

C商品については引渡基準の方法により経理しているため、譲渡対価42,000,000円が引渡日の属する当課税期間の課税標準額に算入されます。

学習のポイント

リース譲渡に係る売上げ計上金額の計算は、回収期日到来基準と回収基準を合わせたイメージで覚えましょう。

解答5 工事の請負に係る資産の譲渡等の時期の特例

【課税標準額】

計　算　過　程　(単位：円)	
$\left(12{,}600{,}000{,}000 \times \frac{3{,}200{,}000{,}000 + 2{,}800{,}000{,}000}{8{,}000{,}000{,}000} - 12{,}600{,}000{,}000 \times \frac{3{,}200{,}000{,}000}{8{,}000{,}000{,}000}\right) + 750{,}000{,}000 = 5{,}160{,}000{,}000$ $5{,}160{,}000{,}000 \times \frac{100}{110} = 4{,}690{,}909{,}090$ → 4,690,909,000（千円未満切捨）	
金額	4,690,909,000　円

【課税標準額に対する消費税額】

計　算　過　程　(単位：円)	金額
$4{,}690{,}909{,}000 \times 7.8\% = 365{,}890{,}902$	365,890,902　円

解答へのアプローチ

(1) A工事

工事進行基準の方法により経理しているため、「当課税期間の完成部分＝当課税期間末の請負対価の額12,600百万円×着工から当課税期間までの実際工事原価累計額(2,800百万円＋3,200百万円)÷当課税期間末の見積工事原8,000百万円－前課税期間までの売上げ計上済の金額12,600百万円×3,200百万円÷8,000百万円」を求め、その部分について資産の譲渡等が行われたものとして売上計上します。

(2) B工事

B工事については引渡基準の方法により経理しているため、請負対価の額750,000,000円が引渡日の属する当課税期間の課税標準額に算入されます。

学習のポイント

工事進行基準による売上計上金額は、着工課税期間から当課税期間までの完成部分の金額から、前課税期間までの売上げ計上済の金額を控除して求めることがポイントです。算式の立て方に注意しましょう。

確定申告制度・中間申告制度

解答1 申告納税制度（国内取引）

①	確定申告書	②	2月	③	3月31日
④	還付を受けるための申告書	⑤	前期納税実績	⑥	仮決算
⑦	400万円	⑧	11	⑨	100万円
⑩	3	⑪	24万円	⑫	任意の中間申告書

解答へのアプローチ

確定申告書の提出期限は、原則として各課税期間の末日の翌日から2月以内となりますが、個人事業者の12月31日の属する課税期間の確定申告期限は、所得税の申告との兼ね合いから翌年3月31日までとされているので注意しましょう。また、確定申告書の提出義務がない事業者であっても、還付を受けるための申告書を提出することにより、消費税の還付を受けることができます。

中間申告には前期納税実績による場合と仮決算による場合の2つの方法があり、事業者が任意で選択することができますが、中間申告書を提出しなかった場合は前期納税実績による中間申告書の提出があったものとみなされます。前期納税実績による場合の中間納付税額の計算方法には「一月中間申告」「三月中間申告」及び「六月中間申告」の3つの方法があり、判定及び計算方法は次のとおりです。

(1)　一月中間申告

①　判定

$$\frac{\text{直前の課税期間の確定消費税額}}{\text{直前の課税期間の月数}} = X > 400\text{万円}$$

②　中間納付税額

X（百円未満切捨）×11回

(2)　三月中間申告（(1)の適用がない場合）

①　判定

$$\frac{\text{直前の課税期間の確定消費税額}}{\text{直前の課税期間の月数}} \times 3 = Y > 100\text{万円}$$

② 中間納付税額

Y（百円未満切捨）× 3 回

(3) 六月中間申告（(1)及び(2)の適用がない場合）

① 判定

$$\frac{\text{直前の課税期間の確定消費税額}}{\text{直前の課税期間の月数}} \times 6 = Z > 24\text{万円}$$

② 中間納付税額

Z（百円未満切捨）

なお、Zの金額が24万円以下であっても、「任意の中間申告書を提出する旨の届出書」を納税地の所轄税務署長に提出した場合は、中間申告書を税務署長に提出しなければなりません。

☑ 学習のポイント

中間納付税額は計算問題で頻出の論点で、非常に重要度の高い項目となります。それぞれの中間申告の方法の判定式及び中間納付税額の計算方法は確実に覚えておきましょう。

解答2 中間納付税額（1）

（ケース1）

【中間納付税額】

計　算　過　程　（単位：円）		
(1) 一月 ① 判定 $\frac{49,800,000}{12}$ =4,150,000>4,000,000　∴ 適用あり ② 中間納付税額 4,150,000（百円未満切捨）×11回=45,650,000 (2) 三月、六月 適用なし		
	金額	45,650,000 円

（ケース2）

【中間納付税額】

計　算　過　程　(単位：円)

(1)　一月

$$\frac{5,130,000}{12}=427,500 \leqq 4,000,000$$　∴ 適用なし

(2)　三月

①　判定

$$\frac{5,130,000}{12}\times 3=1,282,500>1,000,000$$　∴ 適用あり

②　中間納付税額

1,282,500（百円未満切捨）× 3 回=3,847,500

(3)　六月

適用なし

金額	3,847,500 円

（ケース3）

【中間納付税額】

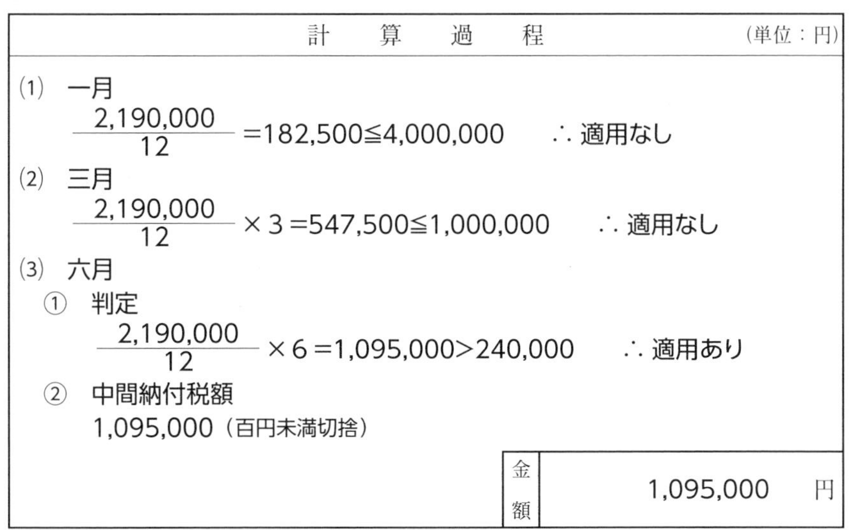

計　算　過　程　(単位：円)

(1)　一月

$$\frac{2,190,000}{12}=182,500 \leqq 4,000,000$$　∴ 適用なし

(2)　三月

$$\frac{2,190,000}{12}\times 3=547,500 \leqq 1,000,000$$　∴ 適用なし

(3)　六月

①　判定

$$\frac{2,190,000}{12}\times 6=1,095,000>240,000$$　∴ 適用あり

②　中間納付税額

1,095,000（百円未満切捨）

金額	1,095,000 円

解答へのアプローチ

（ケース1）

(1)　一月中間申告

まず、一月中間申告の適用の有無を判定します。

$$\frac{49,800,000\text{円}}{12}=4,150,000\text{円}>4,000,000\text{円}$$

前期確定消費税額を前課税期間の月数（12）で除した金額が4,000,000円を超えているため、一月中間申告の適用があります。

つまり、前期の確定消費税額の１ヶ月分の税額4,150,000円（百円未満切捨）を年11回中間納付することになります。

したがって、一月中間申告による中間納付税額は次のように計算します。

4,150,000円（百円未満切捨）×11回＝45,650,000円

（ケース2）

(1)　一月中間申告

まず、一月中間申告の適用の有無を判定します。

$$\frac{5,130,000\text{円}}{12}=427,500\text{円}\leqq 4,000,000\text{円}$$

前期確定消費税額を前課税期間の月数（12）で除した金額が4,000,000円以下であるため、一月中間申告の適用はありません。

(2)　三月中間申告

一月中間申告の適用がないことがわかったので、次は三月中間申告の適用の有無を判定します。

$$\frac{5,130,000\text{円}}{12}\times 3=1,282,500\text{円}>1,000,000\text{円}$$

前期確定消費税額を前課税期間の月数（12）で除し、3を乗じた金額が1,000,000円を超えているため、三月中間申告の適用があります。つまり、前期の確定消費税額の３ヶ月分の税額1,282,500円（百円未満切捨）を年３回中間納付することになります。

したがって、三月中間申告による中間納付税額は次のように計算します。

1,282,500円（百円未満切捨）×３回＝3,847,500円

（ケース3）

(1)　一月中間申告

まず、一月中間申告の適用の有無を判定します。

$$\frac{2{,}190{,}000円}{12}=182{,}500円\leqq 4{,}000{,}000円$$

前期確定消費税額を前課税期間の月数（12）で除した金額が4,000,000円以下であるため、一月中間申告の適用はありません。

(2)　三月中間申告

一月中間申告の適用がないことがわかったので、次は三月中間申告の適用の有無を判定します。

$$\frac{2{,}190{,}000円}{12}\times 3=547{,}500円\leqq 1{,}000{,}000円$$

前期確定消費税額を前課税期間の月数（12）で除し、3を乗じた金額が1,000,000円以下であるため、三月中間申告の適用はありません。

(3)　六月中間申告

一月中間申告及び三月中間申告の適用がないことがわかったので、次は六月中間申告の適用の有無を判定します。

$$\frac{2{,}190{,}000円}{12}\times 6=1{,}095{,}000円>240{,}000円$$

前期確定消費税額を前課税期間の月数（12）で除し、6を乗じた金額が240,000円を超えているため、六月中間申告の適用があります。つまり、前期の確定消費税額の6ヶ月分の税額1,095,000円（百円未満切捨）を年1回中間納付することになります。

したがって、六月中間申告による中間納付税額は1,095,000円（百円未満切捨）となります。

☑ 学習のポイント

中間納付税額を算定する際は、必ず①一月中間申告 → ②三月中間申告 → ③六月中間申告という順番で適用の有無を判定します。それぞれの判定に使う金額をしっかりと押さえましょう。

解答3 中間納付税額 (2)

(ケース1)

【中間納付税額】

計　算　過　程	(単位：円)
(1) 一月 ① 判定 $\frac{48,210,600}{12}$ =4,017,550>4,000,000　∴ 適用あり ② 中間納付税額 4,017,500（百円未満切捨）×11回=44,192,500 (2) 三月、六月 適用なし	
金額	44,192,500 円

(ケース2)

【中間納付税額】

計　算　過　程	(単位：円)
(1) 一月 $\frac{4,700,000}{12}$ =391,666≦4,000,000　∴ 適用なし (2) 三月 ① 判定 $\frac{4,700,000}{12}$ ×3=1,174,999>1,000,000　∴ 適用あり ② 中間納付税額 1,174,900（百円未満切捨）×3回=3,524,700 (3) 六月 適用なし	
金額	3,524,700 円

（ケース3）

【中間納付税額】

<table>
<tr><td colspan="3">計　算　過　程　　　　　　(単位：円)</td></tr>
<tr><td colspan="3">(1)　一月
$\frac{500,000}{12}$ =41,666≦4,000,000　　∴ 適用なし
(2)　三月
$\frac{500,000}{12}$ ×3＝124,999≦1,000,000　　∴ 適用なし
(3)　六月
①　判定
$\frac{500,000}{12}$ ×6＝249,999>240,000　　∴ 適用あり
②　中間納付税額
249,900（百円未満切捨）</td></tr>
<tr><td></td><td>金額</td><td>249,900　円</td></tr>
</table>

解答へのアプローチ

（ケース1）

(1)　一月中間申告

まず、一月中間申告の適用の有無を判定します。

$$\frac{48,210,600円}{12}=4,017,550円>4,000,000円$$

前期確定消費税額を前課税期間の月数（12）で除した金額が4,000,000円を超えているため、一月中間申告の適用があります。

つまり、前期の確定消費税額の１ヶ月分の税額4,017,500円（百円未満切捨）を年11回中間納付することになります。

したがって、一月中間申告による中間納付税額は次のように計算します。

4,017,500円（百円未満切捨）×11回＝44,192,500円

（ケース2）

(1)　一月中間申告

まず、一月中間申告の適用の有無を判定します。

$$\frac{4{,}700{,}000円}{12}=391{,}666円 \leqq 4{,}000{,}000円$$

前期確定消費税額を前課税期間の月数（12）で除した金額が4,000,000円以下であるため、一月中間申告の適用はありません。

⑵　三月中間申告

一月中間申告の適用がないことがわかったので、次は三月中間申告の適用の有無を判定します。

$$\frac{4{,}700{,}000円}{12}\times 3=1{,}174{,}999円>1{,}000{,}000円$$

前期確定消費税額を前課税期間の月数（12）で除し、3を乗じた金額が1,000,000円を超えているため、三月中間申告の適用があります。つまり、前期の確定消費税額の3ヶ月分の税額1,174,900円（このタイミングで百円未満切捨）を年3回中間納付することになります。

したがって、三月中間申告による中間納付税額は次のように計算します。

1,174,900円（百円未満切捨）× 3回＝3,524,700円

（ケース3）

⑴　一月中間申告

まず、一月中間申告の適用の有無を判定します。

$$\frac{500{,}000円}{12}=41{,}666円 \leqq 4{,}000{,}000円$$

前期確定消費税額を前課税期間の月数（12）で除した金額が4,000,000円以下であるため、一月中間申告の適用はありません。

⑵　三月中間申告

一月中間申告の適用がないことがわかったので、次は三月中間申告の適用の有無を判定します。

$$\frac{500{,}000円}{12}\times 3=124{,}999円 \leqq 1{,}000{,}000円$$

前期確定消費税額を前課税期間の月数（12）で除し、3を乗じた金額が1,000,000円以下であるため、三月中間申告の適用はありません。

⑶　六月中間申告

一月中間申告及び三月中間申告の適用がないことがわかったので、次は六月中間申告の適用の有無を判定します。

$$\frac{500{,}000\text{円}}{12} \times 6 = 249{,}999\text{円} > 240{,}000\text{円}$$

前期確定消費税額を前課税期間の月数（12）で除し、6を乗じた金額が240,000円を超えているため、六月中間申告の適用があります。つまり、前期の確定消費税額の6ヶ月分の税額249,900円（このタイミングで百円未満切捨）を年1回中間納付することになります。

したがって、六月中間申告による中間納付税額は249,900円（百円未満切捨）となります。

☑ 学習のポイント

各中間申告を行う都度、百円未満切捨をするため、百円未満切捨をした後の金額に回数を乗じます。

また、三月中間申告及び六月中間申告では、前期の確定消費税額を前課税期間の月数（本問では12）で除し、3又は6を乗じたタイミングで円未満の端数を切り捨てます。12で除した時点では端数処理をしないことに注意しましょう。

解答4 中間納付税額（3）

【中間納付税額】

計　算　過　程　（単位：円）

(1) 一月

$$\frac{300{,}000}{12} = 25{,}000 \leqq 4{,}000{,}000 \quad \therefore \text{適用なし}$$

(2) 三月

$$\frac{300{,}000}{12} \times 3 = 75{,}000 \leqq 1{,}000{,}000 \quad \therefore \text{適用なし}$$

(3) 六月

① 判定

イ $\frac{300{,}000}{12} \times 6 = 150{,}000 \leqq 240{,}000$

ロ 届出書の提出あり　∴ 適用あり

② 中間納付税額

150,000（百円未満切捨）

金額	150,000 円

解答へのアプローチ

⑴ 一月中間申告

まず、一月中間申告の適用の有無を判定します。

$$\frac{300,000円}{12} = 25,000円 \leqq 4,000,000円$$

前期確定消費税額を前課税期間の月数（12）で除した金額が4,000,000円以下であるため、一月中間申告の適用はありません。

⑵ 三月中間申告

一月中間申告の適用がないことがわかったので、次は三月中間申告の適用の有無を判定します。

$$\frac{300,000円}{12} \times 3 = 75,000円 \leqq 1,000,000円$$

前期確定消費税額を前課税期間の月数（12）で除し、3を乗じた金額が1,000,000円以下であるため、三月中間申告の適用はありません。

⑶ 六月中間申告

一月中間申告及び三月中間申告の適用がないことがわかったので、次は六月中間申告の適用の有無を判定します。

$$\frac{300,000円}{12} \times 6 = 150,000円 \leqq 240,000円$$

前期確定消費税額を前課税期間の月数（12）で除し、6を乗じた金額が240,000円以下ですが、任意の中間申告書を提出する旨の届出書を納税地の所轄税務署長に提出しているため、六月中間申告の適用があります。つまり、前期の確定消費税額の6ヶ月分の税額150,000円（百円未満切捨）を年1回中間納付することになります。

したがって、六月中間申告による中間納付税額は150,000円（百円未満切捨）となります。

学習のポイント

任意の中間申告書を提出する旨の届出書を納税地の所轄税務署長に提出した場合は、前期確定消費税額を前課税期間の月数で除し、6を乗じた金額が240,000円以下であっても中間申告書を税務署長に提出しなければなりません。

解答5 税額の是正手続き・行政処分

①	修正申告	②	更正の請求	③	更正	④	決定

解答へのアプローチ

(1) 修正申告

修正申告とは、申告書を提出した後に計算誤りなどで税額を実際より少なく申告していたことに気が付いた場合や、還付税額を実際よりも過大に申告していた場合に、納税者が行う税額の是正手続きです。

(2) 更正の請求

更正の請求とは、申告書を提出した後に計算誤りなどで税額を実際より過大に申告していたことに気が付いた場合や、還付税額を実際よりも過少に申告していた場合に、納税者が行う税額の是正手続きです。

(3) 更正

更正とは、提出された確定申告書の内容に誤りがある場合に、課税庁が職権により税額を修正する行政処分のことをいいます。

(4) 決定

決定とは、申告書の提出義務があるにもかかわらず申告書を提出していない場合に、課税庁が職権により税額を確定させる行政処分のことをいいます。

学習のポイント

税額の是正手続きがあった場合は、中間納付税額の計算に影響があります。修正申告を行った場合は納付税額が増える（還付税額が減る）、更正の請求を行った場合は納付税額が減る（還付税額が増える）ということをしっかり頭に入れておきましょう。

なお、「更正の請求」と「更正」は、名称は似ていますが違う意味なので、混同しないようにしっかり区別して覚えましょう。

解答6 中間納付税額（4）

【中間納付税額】

計　算　過　程　(単位：円)

⑴　一月

①　4月～10月

$$\frac{3{,}990{,}000}{12}=332{,}500 \leqq 4{,}000{,}000$$ ∴ 適用なし

②　11月～ 2月

$$\frac{3{,}990{,}000+252{,}000}{12}=353{,}500 \leqq 4{,}000{,}000$$ ∴ 適用なし

⑵　三月

①　4月～ 6月、7月～ 9月

$$\frac{3{,}990{,}000}{12}\times 3=997{,}500 \leqq 1{,}000{,}000$$ ∴ 適用なし

②　10月～12月

イ　判定

$$\frac{3{,}990{,}000+252{,}000}{12}\times 3=1{,}060{,}500>1{,}000{,}000$$

∴ 適用あり

ロ　中間納付税額

1,060,500（百円未満切捨）

⑶　六月

①　判定

$$\frac{3{,}990{,}000}{12}\times 6=1{,}995{,}000>240{,}000$$ ∴ 適用あり

②　中間納付税額

1,995,000（百円未満切捨）

⑷　中間納付税額

⑴＋⑵＋⑶=3,055,500

金額	3,055,500 円

解答へのアプローチ

前期の確定消費税額に増減があった場合は、それぞれの中間申告の判定の中で増減前の期間と増減後の期間とに分けて計算を行います。

(1) 一月中間申告

① 4月～10月

修正申告書を提出した11月より前の期間について、一月中間申告の適用の有無を判定します。

$$\frac{3{,}990{,}000円}{12}=332{,}500円\leqq 4{,}000{,}000円$$

増加前の前期確定消費税額を前課税期間の月数（12）で除した金額が4,000,000円以下であるため、一月中間申告の適用はありません。

② 11月～2月

修正申告書を提出した11月以後の期間について、一月中間申告の適用の有無を判定します。

$$\frac{3{,}990{,}000円+252{,}000円}{12}=353{,}500円\leqq 4{,}000{,}000円$$

増加後の前期確定消費税額を前課税期間の月数（12）で除した金額が4,000,000円以下であるため、一月中間申告の適用はありません。

(2) 三月中間申告

① 4月～6月、7月～9月

修正申告書を提出した11月より前の3月ごとの期間については一月中間申告の適用がないことがわかったので、次は三月中間申告の適用の有無を判定します。

$$\frac{3{,}990{,}000円}{12}\times 3=997{,}500円\leqq 1{,}000{,}000円$$

増加前の前期確定消費税額を前課税期間の月数（12）で除し、3を乗じた金額が1,000,000円以下であるため、三月中間申告の適用はありません。

② 10月～12月

修正申告書を提出した11月以後の3月ごとの期間については一月中間申告の適用がないことがわかったので、次は三月中間申告の適用の有無を判定します。

$$\frac{3{,}990{,}000円+252{,}000円}{12}\times 3=1{,}060{,}500円>1{,}000{,}000円$$

増加後の前期確定消費税額を前課税期間の月数（12）で除し、3を乗じた金額が1,000,000円を超えるため、三月中間申告の適用があります。

したがって、三月中間申告による10月～12月の期間に係る中間納付税額は1,060,500円（百円未満切捨）となります。

⑶　六月中間申告

修正申告書を提出した11月より前の６月ごとの期間については、一月中間申告及び三月中間申告の適用がないことがわかったので、次は六月中間申告の適用の有無を判定します。

$$\frac{3,990,000\text{円}}{12} \times 6 = 1,995,000\text{円} > 240,000\text{円}$$

増加前の前期確定消費税額を前課税期間の月数（12）で除し、６を乗じた金額が240,000円を超えているため、六月中間申告の適用があります。

したがって、六月中間申告による中間納付税額は1,995,000円（百円未満切捨）となります。

⑷　中間納付税額

上記⑴～⑶より、当期の中間納付税額は1,060,500円＋1,995,000円＝3,055,500円となります。

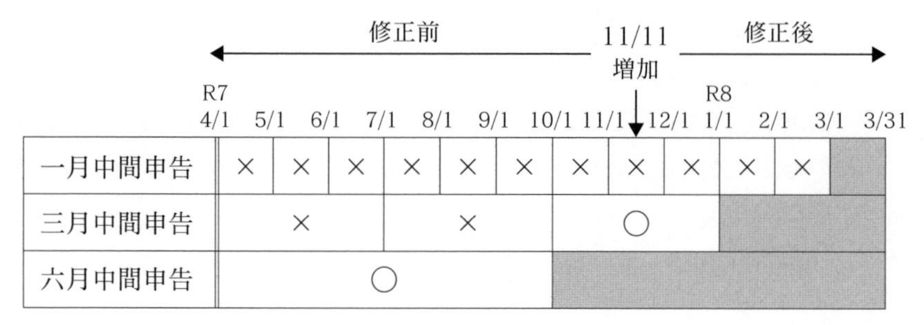

☑ 学習のポイント

修正申告や減額更正処分により、直前の課税期間の確定消費税額が増減した場合には、中間申告対象期間ごとに適用の有無を判定します。タイムテーブルを書いて、どの期間にどの方法で中間申告をするのか把握するようにしましょう。

解答 7　中間納付税額（5）

【中間納付税額】

<table>
<tr><td colspan="3">計　　算　　過　　程　　　　　　（単位：円）</td></tr>
<tr><td colspan="3">

(1)　一月

①　4月～6月

$\frac{4{,}122{,}000}{12}=343{,}500 \leqq 4{,}000{,}000$　　∴ 適用なし

②　7月～2月

$\frac{4{,}122{,}000-378{,}000}{12}=312{,}000 \leqq 4{,}000{,}000$　　∴ 適用なし

(2)　三月

①　4月～6月

イ　判定

$\frac{4{,}122{,}000}{12}\times 3=1{,}030{,}500>1{,}000{,}000$　　∴ 適用あり

ロ　中間納付税額

1,030,500（百円未満切捨）

②　7月～9月、10月～12月

$\frac{4{,}122{,}000-378{,}000}{12}\times 3=936{,}000 \leqq 1{,}000{,}000$

∴ 適用なし

(3)　六月

適用なし

(4)　中間納付税額

(1)＋(2)＋(3)＝1,030,500

</td></tr>
<tr><td></td><td>金額</td><td>1,030,500　円</td></tr>
</table>

解答へのアプローチ

前期の確定消費税額に増減があった場合は、それぞれの中間申告の判定の中で増減前の期間と増減後の期間とに分けて計算を行います。

(1)　一月中間申告

①　4月～6月

減額更正処分を受けた7月より前の期間について、一月中間申告の適用の有無を判定します。

$$\frac{4,122,000円}{12}=343,500円 \leqq 4,000,000円$$

減少前の前期確定消費税額を前課税期間の月数（12）で除した金額が4,000,000円以下であるため、一月中間申告の適用はありません。

② 7月～2月

減額更正処分を受けた7月以後の期間について、一月中間申告の適用の有無を判定します。

$$\frac{4,122,000円-378,000円}{12}=312,000円 \leqq 4,000,000円$$

減額後の前期確定消費税額を前課税期間の月数（12）で除した金額が4,000,000円以下であるため、一月中間申告の適用はありません。

(2) 三月中間申告

① 4月～6月

減額更正処分を受けた7月より前の3月ごとの期間については一月中間申告の適用がないことがわかったので、次は三月中間申告の適用の有無を判定します。

$$\frac{4,122,000円}{12} \times 3=1,030,500円 > 1,000,000円$$

減少前の前期確定消費税額を前課税期間の月数（12）で除し、3を乗じた金額が1,000,000円を超えるため、三月中間申告の適用があります。

三月中間申告の適用があるのは4月～6月の期間のみなので、三月中間申告により当期中に納付する中間納付税額は1,030,500円（百円未満切捨）となります。

② 7月～9月、10月～12月

減額更正処分を受けた7月以後の3月ごとの期間については一月中間申告の適用がないことがわかったので、次は三月中間申告の適用の有無を判定します。

$$\frac{4,122,000円-378,000円}{12} \times 3=936,000円 \leqq 1,000,000円$$

減少後の前期確定消費税額を前課税期間の月数（12）で除し、3を乗じた金額が1,000,000円以下なので、三月中間申告の適用はありません。

(3)　六月中間申告

六月中間申告対象期間（４月～９月）の間に三月中間申告の適用があるため、六月中間申告の適用はありません。

(4)　中間納付税額

上記(1)～(3)より、当期の中間納付税額は1,030,500円となります。

減額更正前 ← 7/6 減少 → 減額更正後

	R7 4/1	5/1	6/1	7/1	8/1	9/1	10/1	11/1	12/1	R8 1/1	2/1	3/1
一月中間申告	×	×	×	×	×	×	×	×	×	×	×	
三月中間申告	◯			×			×					
六月中間申告	×											

（期末3/31）

学習のポイント

一月中間申告 → 三月中間申告 → 六月中間申告の順番で判定を行い、三月中間申告又は六月中間申告の判定をする際に、判定の対象となる中間申告対象期間に前の判定で適用ありとなった中間申告対象期間が含まれている場合は、適用はありません。タイムテーブルを書いて、１つの月を縦に見たときに、◯が２つ以上つくことがないように意識しながら問題を解くようにしましょう。

解答 8　中間納付税額（6）

【中間納付税額】

計　算　過　程　(単位：円)
⑴　一月 $\frac{300,000}{6}=50,000 \leqq 4,000,000$　∴ 適用なし ⑵　三月 $\frac{300,000}{6}\times 3=150,000 \leqq 1,000,000$　∴ 適用なし ⑶　六月 ①　判定 $\frac{300,000}{6}\times 6=300,000>240,000$　∴ 適用あり ②　中間納付税額 300,000（百円未満切捨）
金額　300,000　円

解答へのアプローチ

⑴　一月中間申告

まず、一月中間申告の適用の有無を判定します。

$$\frac{300,000円}{6}=50,000円 \leqq 4,000,000円$$

前期確定消費税額を前課税期間の月数（6）で除した金額が4,000,000円以下であるため、一月中間申告の適用はありません。

⑵　三月中間申告

一月中間申告の適用がないことがわかったので、次は三月中間申告の適用の有無を判定します。

$$\frac{300,000円}{6}\times 3=150,000円 \leqq 1,000,000円$$

前期確定消費税額を前課税期間の月数（6）で除し、3を乗じた金額が1,000,000円以下であるため、三月中間申告の適用はありません。

(3)　六月中間申告

一月中間申告及び三月中間申告の適用がないことがわかったので、次は六月中間申告の適用の有無を判定します。

$$\frac{300{,}000円}{6} \times 6 = 300{,}000円 > 240{,}000円$$

前期確定消費税額を前課税期間の月数（6）で除し、6を乗じた金額が240,000円を超えているため、六月中間申告の適用があります。つまり、前期の確定消費税額の6ヶ月分の税額300,000円（百円未満切捨）を年1回中間納付することになります。

したがって、六月中間申告による中間納付税額は300,000円（百円未満切捨）となります。

学習のポイント

中間申告の判定をするときは、前期確定消費税額を前課税期間の月数で除した金額を用います。中間納付税額を求めるときは、前課税期間の月数（本問では6ヶ月）をしっかり確認するようにしましょう。

電気通信利用役務の提供及び特定役務の提供

解答 1 電気通信利用役務の提供の判定

(1)	○	(2)	×	(3)	○	(4)	×	(5)	○	(6)	○
(7)	×	(8)	○								

解答へのアプローチ

「電気通信利用役務の提供」について、条文では次のとおり規定されています。

資産の譲渡等のうち、電気通信回線を介して行われる著作物の提供その他の電気通信回線を介して行われる役務の提供（電話、電信その他の通信設備を用いて他人の通信を媒介する役務の提供を除く。）であって、他の資産の譲渡等の結果の通知その他の他の資産の譲渡等に付随して行われる役務の提供以外のものをいいます。

上記を踏まえて、各取引について見てみましょう。

(1) インターネットを通じて行われる音楽の配信は、電気通信回線を介して行われる著作物の提供に当たるため、電気通信利用役務の提供に該当します。

(2) 電話・ファックスなどの通信は、電話、電信その他の通信設備を用いて他人の通信を媒介する役務の提供に当たるため、電気通信利用役務の提供には該当しません。

(3) 顧客にクラウド上のソフトウェアを利用させるサービスの提供は、電気通信回線を介して行われる役務の提供にあたり、電気通信利用役務の提供に該当します。

(4) 制作過程の指示や成果物の受領がインターネットを介して行われるソフトウェアの制作は、そのインターネットを介して行う行為が他の資産の譲渡等（ソフトウェアの制作）の結果の通知その他の他の資産の譲渡等に付随して行われる役務の提供にあたるため、電気通信利用役務の提供には該当しません。

(5) インターネットを通じて行う広告の配信・掲載は、電気通信回線を介して行われる役務の提供にあたり、電気通信利用役務の提供に該当します。

(6) 飲食店を経営する事業者から掲載料を徴収して行われるインターネットを介し

た飲食店予約サイトの運営は、電気通信回線を介して行われる役務の提供にあたり、電気通信利用役務の提供に該当します。

(7) インターネット上で銀行の普通預金の残高照会・振込みができるサービス（ネットバンキングサービス）の提供は、そのインターネットを介して行う行為が他の資産の譲渡等（普通預金口座の管理）の結果の通知その他の他の資産の譲渡等に付随して行われる役務の提供にあたるため、電気通信利用役務の提供には該当しません。

(8) インターネットを介して行う英会話教室の運営は、電気通信回線を介して行われる役務の提供にあたり、電気通信利用役務の提供に該当します。

学習のポイント

電気通信利用役務の提供には、通信そのものやその電気通信回線を介して行う行為が他の資産の譲渡等に付随して行われるものは含まれないことに注意しましょう。

解答2 用語の意義（1）

①	資産の譲渡等	②	著作物	③	通知
④	付随	⑤	国外事業者	⑥	性質
⑦	取引条件等	⑧	事業者		

解答へのアプローチ

「電気通信利用役務の提供」及び「事業者向け電気通信利用役務の提供」について、条文では次のように規定されています。

(1) 電気通信利用役務の提供（法2①八の三）

資産の譲渡等のうち、電気通信回線を介して行われる著作物の提供その他の電気通信回線を介して行われる役務の提供（電話、電信その他の通信設備を用いて他人の通信を媒介するものを除く。）であって、他の資産の譲渡等の結果の通知その他の他の資産の譲渡等に付随して行われるもの以外のものをいう。

(2) 事業者向け電気通信利用役務の提供（法２①八の四）

国外事業者が行う電気通信利用役務の提供のうち、その役務の性質又は取引条件等からその役務の提供を受ける者が通常事業者に限られるものをいう。

☑ 学習のポイント

「事業者向け電気通信利用役務の提供」は、その意義として国外事業者が行うものであることが前提となっていることを意識して覚えるようにしましょう。

解答３ 電気通信利用役務の提供に係る国内取引の判定

①	行う者	②	電気通信利用役務の提供	③	受ける者
④	国外事業所等	⑤	恒久的施設	⑥	リバースチャージ方式
⑦	特定仕入れ	⑧	特定課税仕入れ	⑨	プラットフォーム
⑩	50億				

解答へのアプローチ

平成27年度の税制改正で国境を越えて行われるデジタルコンテンツの配信等の役務の提供に係る消費税の課税関係の見直しが行われました。平成27年10月１日より電気通信回線を介して行われる一定の役務の提供は「電気通信利用役務の提供」と位置付けられ、その役務の提供が消費税の課税対象となる国内取引に該当するかどうかの判定基準が、役務の提供を行う者の役務の提供に係る事務所等の所在地から「役務の提供を受ける者の住所等」に改正されました。

これにより、国外事業者が国内事業者等に電気通信利用役務の提供を行った場合には、国内取引となり、消費税が課されることとなりましたが、その電気通信利用役務の提供が事業者向けであるときは、サービスの買い手である事業者が消費税の納税義務者となる「リバースチャージ方式」が採用されています。

また、平成28年度税制改正ではさらに改正が行われ、平成29年１月１日以後に行われる電気通信利用役務の提供については、実質的にサービスを受ける者の事務所等の所在地が国内にあるかどうかにより国内取引の判定を行うこととされました。これにより、国内事業者が国外事業所等で受ける電気通信利用役務の提供のうち、国内以外の地域において行う資産の譲渡等にのみ要するものである場合は国外取引とされ、国外事業者が恒久的施設で受ける電気通信利用役務の提供のうち、国内において行う資産の譲渡等にのみ要するものである場合は国内取引とされることとなりました。

国内の事業者が、事業者向け電気通信利用役務の提供に該当するサービスを利用したときは、その仕入れを「特定仕入れ」といいます。また、課税仕入れのうち特定仕入れに該当するものは「特定課税仕入れ」といい、事業者は、国内において行った特定課税仕入れにつき消費税を納める義務があります。

近年においては、国外事業者がインターネット等を通じて国内において課税資産の譲渡等（国内の消費者に対するスマートフォンアプリやゲームなどのデジタルコンテンツの配信）を行っているにもかかわらず日本の税務署に消費税の納税をしていない状況が散見されていました。そこで、令和６年度税制改正では、国外事業者がデジタルプラットフォーム（不特定かつ多数の者が利用することを予定して電子計算機を用いた情報処理により構築された場であって、当該場を介して当該場を提供する者以外の者が電気通信利用役務の提供を行うために、当該電気通信利用役務の提供に係る情報を表示することを常態として不特定かつ多数の者に電気通信回線を介して提供されるもの）を介して国内の消費者に対して消費者向け電気通信利用役務の提供を行う場合において、その対価を特定プラットフォーム事業者（その課税期間における電気通信利用役務の提供に係る対価の額の合計額が50億円を超える場合に国税庁長官の指定を受けたプラットフォーム事業者）から収受するときは、その消費者向け電気通信利用役務の提供は特定プラットフォーム事業者が行ったものとみなすこととする「プラットフォーム課税」が導入されることとなりました。

☑ 学習のポイント

改正が行われた背景も踏まえて、改正後の国内取引の判定基準やリバースチャージ方式の概要をしっかりと押さえましょう。

解答4 リバースチャージ方式による消費税額の計算

【課税標準額】

計　算　過　程		(単位：円)
(1) 課税資産の譲渡等 $325,500,000 \times \frac{100}{110} = 295,909,090$ (2) 特定課税仕入れ 3,000,000+4,200,000=7,200,000 (3) (1)+(2)=303,109,090 → 303,109,000（千円未満切捨）		
	金額	303,109,000　円

【課税標準額に対する消費税額】

計　算　過　程　(単位：円)	金額	23,642,502　円
303,109,000×7.8%=23,642,502		

【課税売上割合】

計　算　過　程		(単位：円)
(1) 課税 295,909,090+87,600,000=383,509,090≦500,000,000 (2) 非課税 120,000,000+48,000,000×５%=122,400,000 (3) $\frac{(1)}{(1)+(2)} = \frac{383,509,090}{505,909,090} = 0.7580\cdots < 95\%$　∴按分必要		
	割合	383,509,090　円 505,909,090　円

【控除対象仕入税額】

計　算　過　程　(単位：円)

(1)　課税仕入れ等の区分

①　課税資産の譲渡等にのみ要するもの

イ　課税仕入れ

195,300,000−3,000,000=192,300,000

$192,300,000 \times \frac{7.8}{110} = 13,635,818$

ロ　特定課税仕入れ

3,000,000×7.8%=234,000

②　その他の資産の譲渡等にのみ要するもの

$8,500,000 \times \frac{7.8}{110} = 602,727$

③　共通して要するもの

イ　課税仕入れ

53,200,000−4,200,000=49,000,000

$49,000,000 \times \frac{7.8}{110} = 3,474,545$

ロ　特定課税仕入れ

4,200,000×7.8%=327,600

④　合計

イ　課税仕入れ

192,300,000+8,500,000+49,000,000=249,800,000

$249,800,000 \times \frac{7.8}{110} = 17,713,090$

ロ　特定課税仕入れ

7,200,000×7.8%=561,600

(2)　個別対応方式

(13,635,818+234,000)＋(3,474,545+327,600)

$\times \frac{383,509,090}{505,909,090} = 16,752,069$

(3)　一括比例配分方式

$(17,713,090+561,600) \times \frac{383,509,090}{505,909,090} = 13,853,298$

(4)　有利判定

(2)>(3)　∴ 16,752,069

金額	16,752,069　円

【納付税額】

計　算　過　程　（単位：円）	金額	
(1) 差引税額 23,642,502−16,752,069 =6,890,433 → 6,890,400 （百円未満切捨） (2) 納付税額 6,890,400−3,736,200=3,154,200	金額	3,154,200　円

解答へのアプローチ

(1) 課税標準額

課税資産の譲渡等の対価の額には $\frac{100}{110}$ を乗じますが、特定課税仕入れについては、特定課税仕入れを行った事業者に納税義務が課されていることから、支払った対価の額には消費税等に相当する金額は含まれていないため税抜処理は行いません。

(2) 課税標準額に対する消費税額

課税標準額に対する消費税額の計算では、課税資産の譲渡等の対価の額と特定課税仕入れは区分せず、課税標準額の計算で求めた金額にそのまま7.8%を乗じます。

(3) 課税売上割合

課税売上高の金額は、(1)課税標準額の計算で求めた「課税資産の譲渡等の対価の額」を転記します。

「特定課税仕入れに係る支払対価の額」は含めないことに注意しましょう。

(4) 控除対象仕入税額

特定課税仕入れは、支払った対価の額に消費税等に相当する金額が含まれていないため、$\frac{7.8}{110}$ ではなく、7.8%を乗じて特定課税仕入れに係る消費税額を求めます。

学習のポイント

特定課税仕入れの金額は、課税標準額の計算と控除対象仕入税額の計算で2回使うことに注意しましょう。

解答 5 特定課税仕入れに係る対価の返還等

【控除対象仕入税額】

計　算　過　程　(単位：円)

(1) 課税仕入れ等の区分

① 課税資産の譲渡等にのみ要するもの

イ 課税仕入れ

$221{,}500{,}000 \times \frac{7.8}{110} = 15{,}706{,}363$

ロ 特定課税仕入れ

6,500,000×7.8%=507,000

ハ 特定課税仕入返還等

1,100,000×7.8%=85,800

② その他の資産の譲渡等にのみ要するもの

$7{,}200{,}000 \times \frac{7.8}{110} = 510{,}545$

③ 共通して要するもの

$64{,}800{,}000 \times \frac{7.8}{110} = 4{,}594{,}909$

④ 合計

イ 課税仕入れ

$293{,}500{,}000 \times \frac{7.8}{110} = 20{,}811{,}818$

ロ 特定課税仕入れ

6,500,000×7.8%=507,000

ハ 特定課税仕入返還等

1,100,000×7.8%=85,800

(2) 個別対応方式

(15,706,363+507,000−85,800)+4,594,909×80%=19,803,490

(3) 一括比例配分方式

(20,811,818+507,000)×80%−85,800×80%=16,986,414

(4) 有利判定

(2)>(3)　∴ 19,803,490

金額	19,803,490 円

Chapter 21 電気通信利用役務の提供及び特定役務の提供

【返還等対価に係る税額】

計　算　過　程　(単位：円)		
(1) 売上返還等 16,200,000 × $\frac{7.8}{110}$ =1,148,727 (2) 特定課税仕入れ返還等 1,100,000×7.8%=85,800 (3) (1)+(2)=1,234,527	金額	1,234,527 円

解答へのアプローチ

特定課税仕入れの金額は売上げと仕入れの両建てで計上しているため、特定課税仕入れに係る対価の返還等があったときは、売上げと仕入れの両方から返還等の消費税額を差し引きます。

仕入れから差し引くときは、仕入れに係る対価の返還等として「控除対象仕入税額」の中で処理します。一方、売上げから差し引くときは、課税標準額から差し引くのではなく、売上げに係る対価の返還等と同様に「控除税額」として別途処理します。

学習のポイント

特定課税仕入れの金額と同様に特定課税仕入れに係る対価の返還等の金額も2回使うことになります。計算過程欄の記載箇所と、7.8%を乗じて計算するということに注意しましょう。

解答 6 用語の意義（2）

①	特定資産の譲渡等	②	事業者	③	特定役務の提供
④	特定課税仕入れ	⑤	国外事業者	⑥	不特定多数の者

解答へのアプローチ

「特定資産の譲渡等」、「特定仕入れ」、「特定課税仕入れ」及び「特定役務の提供」について、条文では次のように規定しています。

(1) 特定資産の譲渡等（法２①八の二）
事業者向け電気通信利用役務の提供及び特定役務の提供をいう。

(2) 特定仕入れ（法４①）
事業として他の者から受けた特定資産の譲渡等をいう。

(3) 特定課税仕入れ（法５①）
課税仕入れのうち特定仕入れに該当するものをいう。

(4) 特定役務の提供（法２①八の五、令２の②）
資産の譲渡等のうち、国外事業者が行う演劇その他の一定の役務の提供（注１、２）をいう。

（注１）映画等の俳優、音楽家その他の芸能人又は職業運動家の役務の提供のうち、国外事業者が他の事業者に対して行うもの（不特定多数の者に対して行うものを除く。）とする。

（注２）電気通信利用役務の提供を除く。

学習のポイント

電気通信利用役務の提供のうち事業者向け電気通信利用役務の提供以外のもの（消費者向け電気通信利用役務の提供）は特定資産の譲渡等に含まれないことに注意しましょう。

解答7 国内取引の判定

(1)	×	(2)	○	(3)	○	(4)	○	(5)	○	(6)	○
(7)	×	(8)	×	(9)	○	(10)	○	(11)	×	(12)	○
(13)	○	(14)	×								

解答へのアプローチ

役務の提供に係る国内取引の判定は、原則として役務の提供が行われた場所が国内かどうかで判定をします。しかし、電気通信利用役務の提供や政令で定める一定の役務の提供については原則と異なる方法で判定を行うため、次のフローチャートの手順で判定基準を判断します。

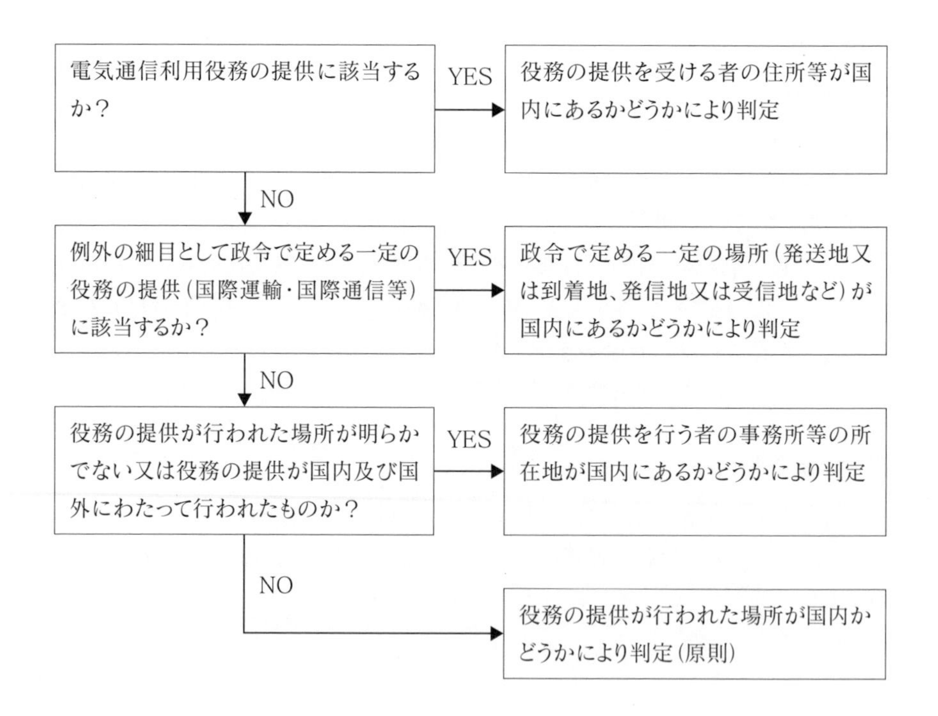
電気通信利用役務の提供に該当するか？
YES
役務の提供を受ける者の住所等が国内にあるかどうかにより判定
NO
例外の細目として政令で定める一定の役務の提供（国際運輸・国際通信等）に該当するか？
YES
政令で定める一定の場所（発送地又は到着地、発信地又は受信地など）が国内にあるかどうかにより判定
NO
役務の提供が行われた場所が明らかでない又は役務の提供が国内及び国外にわたって行われたものか？
YES
役務の提供を行う者の事務所等の所在地が国内にあるかどうかにより判定
NO
役務の提供が行われた場所が国内かどうかにより判定（原則）

上記を踏まえて、各取引について見てみましょう。

(1) インターネットを介して行う財務管理ソフトの配信は電気通信利用役務の提供に該当するため、役務の提供を受ける者の住所等が国内にあるかどうかにより判定を行います。したがって、役務の提供を受ける者（国外事業者）の本店が国外にあるため、国内取引に該当しません。

(2) インターネットを介してクラウド上の顧客データを管理できるサービスの提供は電気通信利用役務の提供に該当するため、役務の提供を受ける者の住所等が国内にあるかどうかにより判定を行います。したがって、役務の提供を受ける者（内国法人）の本店は国内にあるため、国内取引に該当します。

なお、内国法人にとって本問の仕入れは特定課税仕入れに該当するため、リバースチャージ方式により納税義務を負います。

(3) インターネットの接続サービスの提供は、通信そのものなので電気通信利用役務の提供に該当せず、国内及び国外にわたって行われる通信として政令で定める一定の役務の提供に該当するため、政令で定められた場所（発信地又は受信地）が国内にあるかどうかにより判定を行います。したがって、発信地が国内にあるため、国内取引に該当します。

なお、国内及び国外にわたって行われる通信は輸出取引等に該当し、免税取引となります。

(4) インターネットを介して報告書を引き渡す行為は、他の資産の譲渡等（国際金融市場の情報収集）の結果の通知その他の他の資産の譲渡等に付随して行われる役務の提供に当たるため、電気通信利用役務の提供には該当しません。また、当該役務の提供は政令で定める一定の役務の提供に該当せず、役務の提供地が明らかでないものなので、役務の提供を行う者の事務所等の所在地が国内にあるかどうかで判定します。したがって、役務の提供を行う者（内国法人）の情報収集に係る事務所等の所在地が国内なので、国内取引に該当します。

なお、本問の役務の提供は非居住者に対する役務の提供で国内において直接便益を享受するもの以外のものに該当するため、輸出取引等に該当し、免税取引となります。

(5) オンライン英会話教室のレッスンは、電気通信利用役務の提供に該当するため、役務の提供を受ける者の住所等が国内にあるかどうかにより判定を行います。したがって、役務の提供を受ける者（国内の消費者）の住所が国内にあるため、国内取引に該当します。

なお、オンライン英会話教室のレッスンは、国外事業者が行う消費者向け電気通信利用役務の提供なので、当該外国法人が納税義務者となります。

(6) インターネットでの電子新聞の配信は、電気通信利用役務の提供に該当するため、役務の提供を受ける者の住所等が国内にあるかどうかにより判定を行います。したがって、役務の提供を受ける者（国内の消費者）の住所が国内にあるため、国内取引に該当します。

なお、本問の役務の提供は7.8%課税取引となります。

(7) インターネットでの電子書籍の配信は、電気通信利用役務の提供に該当するため、役務の提供を受ける者の住所等が国内にあるかどうかにより判定を行います。したがって、役務の提供を受ける者（国外の消費者）の居所又は住所が国外にあるため、国内取引に該当しません。

(8) インターネットでの広告の配信は電気通信利用役務の提供に該当するため、役務の提供を受ける者の住所等が国内にあるかどうかにより判定を行います。したがって、役務の提供を受ける者（外国法人）の本店が国外にあるため、国内取引に該当しません。

(9) テレビCMでの広告の放送は電気通信回線（インターネット等）を介して行われる著作物の提供その他の電気通信回線を介して行われる役務の提供ではないため電気通信利用役務の提供には該当せず、政令で定める一定の役務の提供にも該当しません。また、国内で放送していることから、原則どおり役務の提供が行われた場所が国内かどうかで判定をします。したがって、役務の提供が行われた場所（テレビCMが放送された場所）が国内であるため、国内取引に該当します。

なお、本問の役務の提供は非居住者に対する役務の提供で国内において直接便益を享受するもの以外のものに該当するため、輸出取引等に該当し、免税取引となります。

(10) 著作物に係る著作権の所有者が、著作物の複製、上映等を行う事業者に対して、当該著作物の著作権の譲渡を行う場合に、当該著作物の受渡しがインターネットを介して行われたとしても、著作権の譲渡という他の資産の譲渡等に付随してインターネットが利用されているものなので、電気通信利用役務の提供には該当しません。著作権の譲渡に係る国内取引の判定は、著作権の譲渡を行う者の住所又は本店若しくは主たる事務所等の所在地が国内にあるかどうかにより行います。したがって、著作権の譲渡を行う者（内国法人）の本店が国内にあるため、国内取引に該当します。

なお、本問の取引は無形固定資産の譲渡で非居住者に対するものとして輸出取引等に該当し、免税取引となります。

(11) サッカー選手による講演は、事業付随行為として行われる役務の提供に該当します。また、電気通信利用役務の提供に該当しないことから、原則どおり役務の提供が行われた場所で国内取引の判定をします。したがって、役務の提供が行われた場所（講演を行った場所）が国外（スペイン）なので、国内取引に該当しません。

(12) 映画俳優による映画の出演は、事業として行われる役務の提供に該当します。また、電気通信利用役務の提供に該当しないことから、原則どおり役務の提供が行われた場所で国内取引の判定をします。したがって、役務の提供が行われた場所（映画に出演した場所）が国内なので、国内取引に該当します。

なお、本問の役務の提供は特定役務の提供に該当し、役務の提供を受けた内国法人はリバースチャージ方式による納税義務があります。

(13) 国外事業者が国内の恒久的施設で国内において行う資産の譲渡等のために事業者向け電気通信利用役務の提供を受ける場合は、国内取引に該当します。

(14) 国内事業者が国外事業所等で受ける事業者向け電気通信利用役務の提供のうち、国内以外の地域において行う資産の譲渡等にのみ要するものについては国外取引となります。

☑ 学習のポイント

Chapter 3（1分冊目）で学んだ国内取引の判定基準もあわせて復習し、電気通信利用役務の提供の国内取引の判定基準の違いをしっかりと押さえましょう。

また、各問について、あわせて取引分類も考えてみましょう。

解答8 納税義務者の判定

(1)	①	(2)	②	(3)	②	(4)	①	(5)	②	(6)	③	(7)	②

解答へのアプローチ

国外事業者が行う役務の提供に係る消費税等の納税義務は、次のフローチャートの手順で判断します。

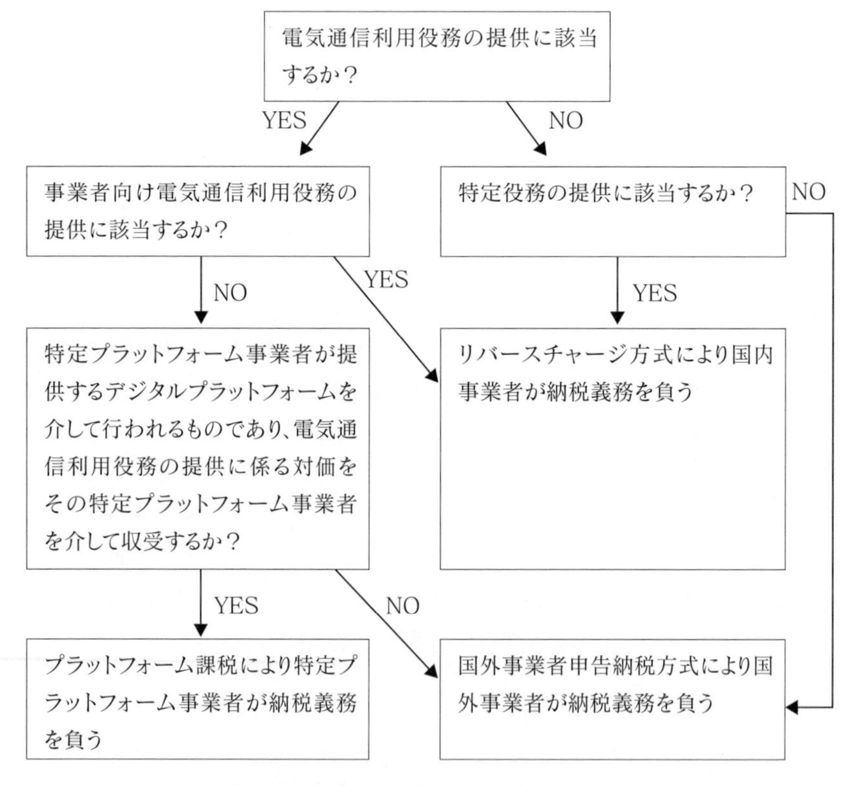

つまり、事業者向け電気通信利用役務の提供および特定役務の提供は、リバースチャージ方式により国内事業者が納税義務を負います。消費者向け電気通信利用役務の提供については、それが特定プラットフォーム事業者が提供するデジタルプラットフォームを介して行われるものであり、電気通信利用役務の提供に係る対価をその特定プラットフォーム事業者を介して収受する場合は、特定プラット

フォーム事業者が電気通信利用役務の提供を行ったものとみなされるため、特定プラットフォーム事業者が納税義務を負います。プラットフォーム課税の対象とならない消費者向け電気通信利用役務の提供及び特定役務の提供に該当しない役務の提供については、国外事業者申告納税方式により国外事業者が納税義務を負うことになります。

上記を踏まえて、それぞれの取引について見てみましょう。

(1) 本問のクラウド上のデータベースを使用するサービスは、事業者向け電気通信利用役務の提供に該当するため、リバースチャージ方式により国内事業者が納税義務を負うことになります。

(2) 本問のオンラインクイズゲームアプリの提供は、消費者向け電気通信利用役務の提供に該当するため、国外事業者申告納税方式により国外事業者が納税義務を負うことになります。

なお、本問のアプリの配信はデジタルプラットフォームを介して行われるものではないため、プラットフォーム課税の対象とはなりません。

(3) 音楽のストリーミングサービスの提供は、消費者向け電気通信利用役務の提供に該当し、役務の提供を受ける者が事業者であったとしても、国外事業者申告納税方式により国外事業者が納税義務を負うことになります。

(4) イタリアの映画俳優が、日本の映画製作会社の依頼を受けて国内で映画に出演する行為は、特定役務の提供に該当するため、リバースチャージ方式により国内事業者が納税義務を負うことになります。

(5) カナダのロックバンドの国内単独公演は、不特定多数の者に対して行うものなので特定役務の提供に該当せず、国外事業者申告納税方式により国外事業者が納税義務を負うことになります。

(6) 本問のRPGアプリの配信は、特定プラットフォーム事業者であるA社が提供するデジタルプラットフォームを介して行われるものであり、A社を介して電気通信利用役務の提供に係る対価を収受していることから、プラットフォーム課税によりA社が電気通信利用役務の提供を行ったものとみなされるため、特定プラットフォーム事業者であるA社が納税義務を負います。

(7) 本問のシューティングゲームソフトの配信は、デジタルプラットフォームを介して行われるものですが、プラットフォーム事業者であるB社は国税庁長官から特定プラットフォーム事業者としての指定を受けていないことから、プラットフォーム課税の対象となりません。したがって、国外事業者申告納税方式により国外事業者が納税義務を負うことになります。

☑ 学習のポイント

国外事業者が行う事業者向け電気通信利用役務の提供及び特定役務の提供については、役務の提供を受ける者が納税義務のある国内事業者であるため、リバースチャージ方式により当該国内事業者に納税義務を課すこととしています。

しかし、国外事業者が行う消費者向け電気通信利用役務の提供及び特定役務の提供に該当しない役務の提供（不特定多数の者に対する公演など）については、一般的に、役務の提供を受ける者が納税義務のない消費者等であり、当該消費者等に納税義務を課すことはできないので、国外事業者申告納税方式により国外事業者が納税義務を負い、日本の税務署に申告納税を行うことになります。

なお、消費者向け電気通信利用役務の提供に該当するサービスを事業者が利用したとしても、国外事業者が納税義務を負うことになります。この場合において、国外事業者が適格請求書発行事業者に該当しないときは、消費者向け電気通信利用役務の提供に該当するサービスを利用した事業者はその支払対価につき仕入税額控除ができないことに注意しましょう。

また、令和6年度税制改正により、国外事業者が行う消費者向け電気通信利用役務の提供が、特定プラットフォーム事業者が提供するデジタルプラットフォームを介して行われるものであり、電気通信利用役務の提供に係る対価をその特定プラットフォーム事業者を介して収受する場合には、その特定プラットフォーム事業者が電気通信利用役務の提供を行ったものとみなされる「プラットフォーム課税」が導入されることとなりました。デジタルコンテンツの配信に関する取引については、プラットフォーム課税の適用がないか意識するようにしましょう。

解答9 納税義務の判定及び納付税額の計算（まとめ）

Ⅰ 納税義務の有無の判定

計　算　過　程　　（単位：円）

〔第1期の納税義務の有無の判定〕

(1) 基準期間なし

(2) 特定期間なし

(3) 期首資本金

10,000,000≧10,000,000　　∴納税義務あり

〔第2期の納税義務の有無の判定〕

(1) 基準期間なし

(2) 前年等

$$3{,}800{,}000 \times \frac{100}{110} = 3{,}454{,}545 \leqq 10{,}000{,}000$$

(3) 期首資本金

10,000,000≧10,000,000　　∴納税義務あり

〔第3期の納税義務の有無の判定〕

(1) 基準期間

$$8{,}500{,}000 \times \frac{100}{110} = 7{,}727{,}272 \leqq 10{,}000{,}000$$

(2) 前年等

$$6{,}200{,}000 \times \frac{100}{110} = 5{,}636{,}363 \leqq 10{,}000{,}000$$

(3) 合併

$$4{,}000{,}000 \times \frac{12}{4} = 12{,}000{,}000 > 10{,}000{,}000$$

∴令和5年4月1日～令和5年11月20日は納税義務なし
　令和5年11月21日～令和6年3月31日は納税義務あり

〔第4期の納税義務の有無の判定〕

(1) 基準期間

$$9{,}500{,}000 \times \frac{100}{110} = 8{,}636{,}363 \leqq 10{,}000{,}000$$

(2) 前年等

8,300,000≦10,000,000

(3) 合併

$$8{,}636{,}363+16{,}100{,}000\times\frac{12}{12}=24{,}736{,}362>10{,}000{,}000$$

∴ 納税義務あり

〔第５期の納税義務の有無の判定〕

(1) 基準期間

$$8{,}300{,}000+2{,}080{,}000+(23{,}400{,}000-8{,}300{,}000-2{,}080{,}000)\times\frac{100}{110}=22{,}216{,}363>10{,}000{,}000$$

∴ 納税義務あり

Ⅱ　課税標準額に対する消費税額の計算等

【課税標準額】

計　算　過　程　(単位：円)		
(1) 課税資産の譲渡等 38,350,000+120,000=38,470,000 $38{,}470{,}000\times\frac{100}{110}=34{,}972{,}727$ (2) 特定課税仕入れ 300,000 (3) (1)+(2)=35,272,727 → 35,272,000 (千円未満切捨)		
	金額	35,272,000 円

【課税標準額に対する消費税額】

計　算　過　程　(単位：円)	金額	2,751,216 円
35,272,000×7.8%=2,751,216		

Ⅲ　仕入れに係る消費税額等の計算

【課税売上割合】

計　算　過　程　(単位：円)
(1)　課税 ①　34,972,727 ②　$400{,}000+750{,}000+650{,}000\times\frac{100}{110}=1{,}740{,}909$ ③　①−②=33,231,818≦500,000,000 (2)　非課税 105,800+1,800,000+3,000,000×5%=2,055,800 (3)　$\frac{(1)+35{,}800}{(1)+(2)}=\frac{33{,}267{,}618}{35{,}287{,}618}=0.9427\cdots<95\%$　∴按分必要
割合　$\frac{33{,}267{,}618 円}{35{,}287{,}618 円}$

【控除対象仕入税額】

計　算　過　程　(単位：円)
〔課税仕入れ等の税額の合計額の計算〕 (1)　課税仕入れ等の区分 ①　課税資産の譲渡等にのみ要するもの 12,910,000+1,620,600=14,530,600 $14{,}530{,}600\times\frac{7.8}{110}=1{,}030{,}351$ ②　その他の資産の譲渡等にのみ要するもの $32{,}000\times\frac{7.8}{110}=2{,}269$ ③　共通して要するもの イ　課税仕入れ 340,000+(500,000−300,000)+(283,600−30,000) +(308,000−14,200)+586,600=1,674,000 $1{,}674{,}000\times\frac{7.8}{110}=118{,}701$ ロ　特定課税仕入れ 300,000×7.8%=23,400

④　合計

イ　課税仕入れ

14,530,600+32,000+1,674,000=16,236,600

$16,236,600 \times \frac{7.8}{110} = 1,151,322$

ロ　特定課税仕入れ

23,400

⑵　個別対応方式

$1,030,351 + (118,701 + 23,400) \times \frac{33,267,618}{35,287,618} = 1,164,317$

⑶　一括比例配分方式

$(1,151,322 + 23,400) \times \frac{33,267,618}{35,287,618} = 1,107,476$

⑷　有利判定

⑵>⑶　　∴ 1,164,317

〔調整対象固定資産に関する仕入れに係る消費税額の調整〕

⑴　調整対象固定資産の判定

①　営業用車両

仕入れ時に課税事業者に該当していないため調整なし。

②　コンピュータ

$4,000,000 \times \frac{100}{110} = 3,636,363 \geqq 1,000,000$　　∴ 該当する

⑵　調整税額

$4,000,000 \times \frac{7.8}{110} = 283,636$

$283,636 \times \frac{2}{3} = 189,090$（控除）

※　令和６年１月25日～令和７年４月１日

∴ １年超２年以内の転用

〔控除対象仕入税額の計算〕

1,164,317−189,090=975,227

金額	975,227　円

【売上げに係る対価の返還等に係る消費税額】

計　算　過　程　(単位：円)	金額	
$650,000 \times \frac{7.8}{110} = 46,090$		46,090　円

【貸倒れに係る消費税額】

計　算　過　程　(単位：円)	金額	
$(400,000+520,000) \times \frac{7.8}{110} = 65,236$		65,236　円

Ⅳ　差引税額の計算

【差引税額】

計　算　過　程　(単位：円)		
2,751,216−(975,227+46,090+65,236)=1,664,663 → 1,664,600（百円未満切捨）		
	金額	1,664,600　円

Ⅴ　中間納付税額の計算

【中間納付税額】

<table>
<tr><td colspan="3">計　算　過　程　（単位：円）</td></tr>
<tr><td colspan="3">⑴　一月
$\frac{1,285,300}{12}$=107,108≦4,000,000　∴適用なし
⑵　三月
$\frac{1,285,300}{12}$×3=321,324≦1,000,000　∴適用なし
⑶　六月
①　判定
$\frac{1,285,300}{12}$×6=642,649>240,000　∴適用あり
②　中間納付税額
642,600(百円未満切捨)</td></tr>
<tr><td></td><td>金額</td><td>642,600　円</td></tr>
</table>

Ⅵ　納付税額の計算

【納付税額】

<table>
<tr><td>計　算　過　程　（単位：円）</td><td rowspan="2">金額</td><td rowspan="2">1,022,000　円</td></tr>
<tr><td>1,664,600−642,600=1,022,000</td></tr>
</table>

解答へのアプローチ

○　納税義務の有無の判定

納税義務の有無の判定をするときは、次のようなタイムテーブルを書いて整理しましょう。

㊦資本金1,000万円

R3 4/1　R4 4/1　R5 4/1　R5 11/21　R6 4/1　R7 4/1　R8 4/1

甲社	第１期	第２期	第３期	第４期	第５期
乙社	第１期	第２期	第３期		

R3 9/1　R4 1/1　R5 1/1　合併

(1)　第１期の納税義務の有無の判定

甲社の第１期は、基準期間及び特定期間がありませんが、期首資本金の額が1,000万円以上であるため、新設法人に該当します。したがって、第１期は納税義務があります。

(2)　第２期の納税義務の有無の判定

甲社の第２期は、基準期間がなく、特定期間における課税売上高が1,000万円以下ですが、期首資本金の額が1,000万円以上であるため、新設法人に該当します。したがって、第２期は納税義務があります。第１期は納税義務があるため、特定期間における課税売上高を計算するときは、税抜処理を忘れないように注意しましょう。

(3)　第３期の納税義務の有無の判定

甲社の第３期は、基準期間における課税売上高及び特定期間における課税売上高がそれぞれ1,000万円以下であり、新設法人に該当していた第１期及び第２期において調整対象固定資産を取得していませんが、第３期に乙社を吸収合併しているため、合併があった場合の納税義務の免除の特例の適用を受けるか判定します。

合併があった日の属する事業年度の「基準期間に対応する期間」は、「合併法人の合併のあった日の属する①事業年度開始の日の②２年前の日の前日から③１年を経過する日までの間に④終了した被合併法人の各事業年度」となります。

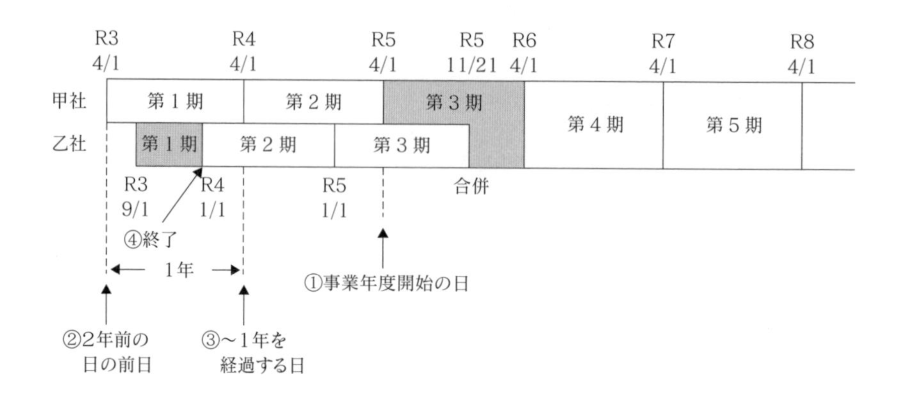

したがって、第３期に係る乙社の基準期間に対応する期間は令和３年９月１日から令和３年12月31日までの期間となります。乙社の基準期間に対応する期間における課税売上高が1,000万円を超えているため、第３期は令和５年４月１日から令和５年11月20日までは納税義務がなく、令和５年11月21日から令和６年３月31日までは納税義務があります。乙社の基準期間に対応する期間における課税売上高を計算するときは、問題文より乙社の第１期は免税事業者であることから税抜処理をしないことと、$\frac{12}{4}$をかけて年換算することに注意しましょう。

⑷　第４期の納税義務の有無の判定

甲社の第４期は、基準期間における課税売上高及び特定期間における課税売上高がそれぞれ1,000万円以下ですが、合併事業年度の翌事業年度なので、合併があった場合の納税義務の免除の特例の適用を受けるか判定します。

合併事業年度の翌事業年度の「基準期間に対応する期間」は、「合併法人のその①基準期間開始の日の初日から②１年を経過する日までの間に③終了した被合併法人の各事業年度」となります。⑶の「対応する期間」と求め方が異なることに注意しましょう。

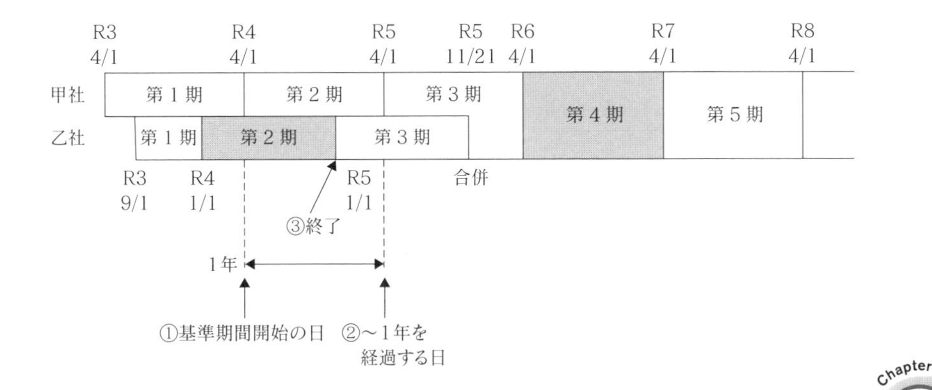

したがって、第４期に係る乙社の基準期間に対応する期間は令和４年１月１日から令和４年12月31日までの期間となります。甲社の基準期間における課税売上高と乙社の基準期間に対応する期間における課税売上高との合計額が1,000万円を超えているため、第４期は納税義務があります。乙社の基準期間に対応する期間における課税売上高を計算するときは、問題文より乙社の第２期は免税事業者であることから税抜処理をしないことと、$\frac{12}{12}$をかけることに注意しましょう。なお、$\frac{12}{12}$をかけるときは、先に分母で割ってから分子をかけて円未満を切り捨てるため、16,100,000円×$\frac{12}{12}$＝16,099,999円となります。

(5)　第５期の納税義務の有無の判定

甲社の第５期は、基準期間における課税売上高が1,000万円を超えているため、納税義務があります。なお、基準期間における課税売上高を計算する際は、令和５年４月１日から令和５年11月20日までは納税義務がないため税抜処理はせず、令和５年11月21日から令和６年３月31日までは納税義務があるため税抜処理をすることに注意しましょう。

○　課税標準額の計算

国外の事業者に支払った広告宣伝費300,000円は事業者向け電気通信利用役務の提供に該当するため、特定課税仕入れに該当します。

課税資産の譲渡等の対価の額には$\frac{100}{110}$を乗じますが、特定課税仕入れについては、特定課税仕入れを行った事業者に納税義務が課されていることから、支払った対価の額には消費税等に相当する金額は含まれていないため税抜処理は行いません。また、取締役に対する備品の贈与はみなし譲渡に該当するため、時価の120,000円を拾い忘れないように注意しましょう。

○　課税標準額に対する消費税額の計算

課税標準額に対する消費税額の計算では、課税資産の譲渡等の対価の額と特定課税仕入れは区分せず、課税標準額の計算で求めた金額にそのまま7.8%を乗じます。

○　課税売上割合の計算

課税売上高の金額は〔課税標準額の計算〕で求めた「課税資産の譲渡等の対価の額」を転記します。「特定課税仕入れに係る支払対価の額」は含めないことに注意しましょう。国外の取引先（非居住者）に対する貸付金利息35,800円は、利子等を対価とする金銭の貸付け等でその債務者が非居住者であるものに該当するため、課税売上割合の分子の金額に算入するのを忘れないようにしましょう。

○　課税仕入れ等の税額の合計額の計算

特定課税仕入れは、支払った対価の額に消費税等に相当する金額が含まれていないため、$\frac{7.8}{110}$ではなく7.8%を乗じて特定課税仕入れに係る消費税額を求めます。

○　調整対象固定資産に関する仕入れに係る消費税額の調整

各課税期間の納税義務の有無の判定の結果を踏まえて、固定資産の仕入れ時に課税事業者に該当していたかどうか、タイムテーブルで確認してみましょう。図の網掛けになっている期間が課税事業者に該当していた期間です。

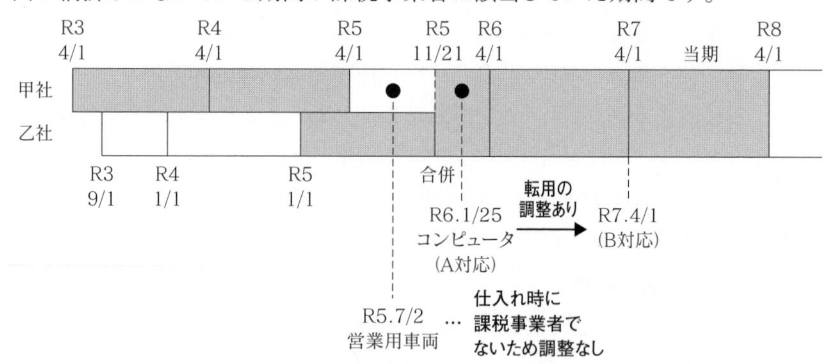

営業用車両は仕入れ時に課税事業者に該当していなかったため調整しません。コンピュータについて、転用の調整を行います。1年超2年以内の課税業務用から非課税業務用への転用なので、調整対象税額の3分の2の金額を、仕入れに係る消費税額から控除します。

○ 売上げに係る対価の返還等に係る消費税額の計算

合併により事業を承継した合併法人が、被合併法人により行われた課税資産の譲渡等につき売上げに係る対価の返還等をした場合には、その合併法人が行った資産の譲渡等につき売上げに係る対価の返還等をしたものとみなして、売上げに係る対価の返還等をした場合の消費税額の控除の規定を適用します。したがって、乙社が販売した商品の返品や値引きについても、甲社において売上げに係る対価の返還等をした場合の消費税額の控除の規定の適用を受けます。ただし、規定の適用を受けるのは、商品販売時に課税事業者に該当していた場合なので、商品販売時に課税事業者に該当していたかどうか、タイムテーブルで確認してみましょう。

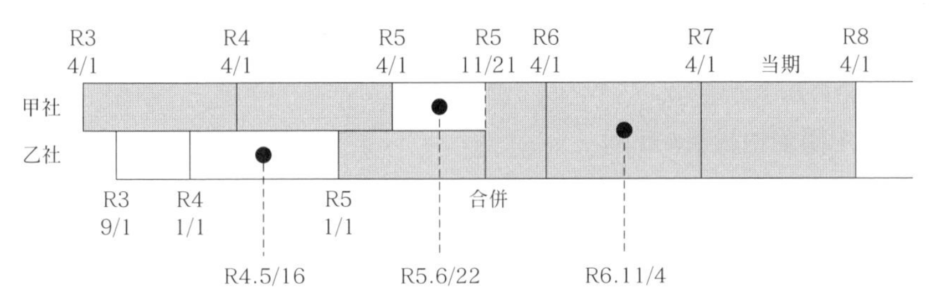

したがって、令和６年11月４日に甲社が販売した商品につき値引きをした金額650,000円についてのみ、売上げに係る対価の返還等をした場合の消費税額の控除の規定の適用を受けます。

○ 貸倒れに係る消費税額の計算

被合併法人により行われた課税資産の譲渡等に係る債権について合併があった日以後に貸倒れの事実が生じたときは、その事業を承継した合併法人が課税資産の譲渡等を行ったものとみなして、貸倒れに係る消費税額の控除の規定を適用します。したがって、乙社が販売した商品に係る売掛金の貸倒れについても、甲社において貸倒れに係る消費税額の控除の規定の適用を受けます。ただし、規定の適用を受けるのは、商品販売時に課税事業者に該当していた場合なので、商品販売時に課税事業者に該当していたかどうか、タイムテーブルで確認してみましょう。

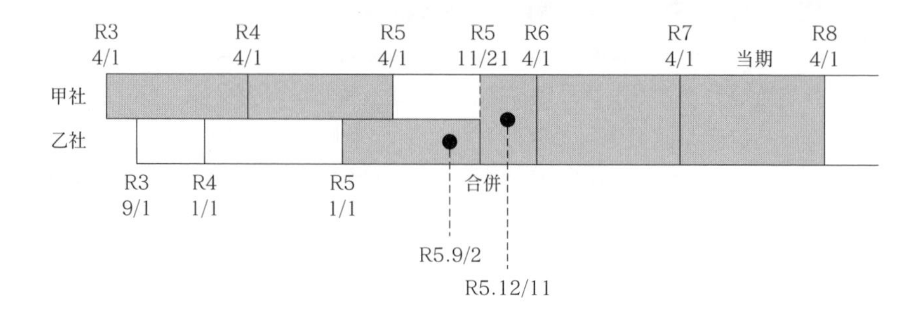

したがって、令和５年９月２日に乙社が販売した商品に係る売掛金が貸倒れとなった金額400,000円及び令和５年12月11日に甲社が販売した商品に係る売掛金が貸倒れとなった金額520,000円の両方とも貸倒れに係る消費税額の控除の規定の適用を受けます。

○　中間納付税額の計算

一月中間申告 → 三月中間申告 → 六月中間申告 の順序で適用の有無を判定します。それぞれの判定に使う金額と、（百円未満切捨）をどのタイミングでするのかをしっかりと押さえましょう。

☑ 学習のポイント

合併があった場合には、納税義務の有無の判定でどの課税期間の金額を使うのか、どの課税期間が課税事業者でどの課税期間が免税事業者に該当していたのかを正確に把握する必要があるため、下書用紙にタイムテーブルを描くようにしましょう。

インボイス制度

解答1 インボイス制度の概要

①	適格請求書	②	登録番号	③	年月日
④	軽減対象課税資産の譲渡等	⑤	適用税率	⑥	消費税額等
⑦	書類の交付を受ける事業者	⑧	適格簡易請求書	⑨	適格返還請求書

解答へのアプローチ

令和５年10月１日から、仕入税額控除の方式が区分記載請求書等保存方式から適格請求書等保存方式へと移行しました。適格請求書等保存方式の下では、適格請求書発行事業者（インボイス発行事業者）は、以下の事項が記載された請求書や納品書その他これらに類する書類を交付しなければなりません。

イ　**適格請求書**発行事業者の氏名又は名称及び登録番号
ロ　課税資産の譲渡等を行った**年月日**（課税期間の範囲内で一定の期間内に行った課税資産の譲渡等につきまとめてその書類を作成する場合には、その一定の期間）
ハ　課税資産の譲渡等に係る資産又は役務の内容（その課税資産の譲渡等が**軽減対象課税資産の譲渡等**である場合には、資産の内容及び**軽減対象課税資産の譲渡等**である旨）
ニ　課税資産の譲渡等に係る税抜価額又は税込価額を税率の異なるごとに区分して合計した金額及び**適用税率**
ホ　**消費税額等**
ヘ　**書類の交付を受ける事業者**の氏名又は名称

課税仕入れの相手方から交付を受けた請求書や納品書などが、上記の記載事項を満たしていない場合は適格請求書に該当しないため、その課税仕入れに係る税額について仕入税額控除を受けることはできません。

なお、不特定多数の者に対して販売等を行う小売業、飲食店業、タクシー業等に係る取引については、適格請求書に代えて、適格簡易請求書を交付することができます。また、適格請求書発行事業者は、課税事業者に返品や値引き等の売上げに係る対価の返還等を行う場合、買い手である課税事業者に対して**適格返還請求書**を交付する義務が課されています。

☑ 学習のポイント

適格請求書の記載事項は非常に重要なので、正確に暗記するようにしましょう。

解答2 適格請求書等の記載事項

(1)	○	(2)	×	(3)	○	(4)	×	(5)	○

解答へのアプローチ

適格請求書に該当するかどうかは、次の記載事項をすべて満たすかどうかにより判定を行います。

① 適格請求書発行事業者（インボイス発行事業者）の氏名又は名称及び登録番号
② 取引年月日
③ 取引内容（軽減税率の対象品目である旨）
④ 税率ごとに区分して合計した対価の額（税抜又は税込）及び適用税率
⑤ 消費税額等
⑥ 書類の交付を受ける事業者の氏名又は名称

なお、不特定多数の者に対して販売等を行う小売業、飲食店業、タクシー業等に係る取引については、適格請求書に代えて、適格簡易請求書を交付することができます。適格請求書の記載事項は、上記①から⑤（ただし、「適用税率」「消費税額等」はいずれか一方の記載で足ります。）、上記⑥の「書類の交付を受ける事業者の氏名又は名称」は記載不要です。

これを踏まえて、適格請求書又は適格簡易請求書の記載事項を満たしているか、ひとつひとつ見ていきましょう。

(1) 内国法人A株式会社から交付を受けた請求書は、①～⑥の要件をすべて満たしているため、適格請求書に該当します。なお、適格請求書発行事業者の住所や郵便番号、電話番号などの記載がなくても、氏名又は名称の記載があれば記載事項の要件を満たします。

請求書

⑥ 甲株式会社　御中

① A株式会社
登録番号T××××

支払期日：令和7年4月30日

日付	品名 ③	金額
② 4/20	オレンジジュース ※	30,000円
4/20	缶ビール	50,000円
	税抜合計	80,000円
	消費税	7,400円
	総　計	87,400円

合計　80,000円　消費税　7,400円
〈内訳〉 8%対象　30,000円　消費税　2,400円
④ 10%対象　50,000円　消費税　5,000円 ⑤

③ ※は軽減税率対象

(2)　内国法人B株式会社から交付を受けた納品書は、登録番号（T＋13桁の番号）の記載がないため、適格請求書の記載事項を満たしません。

(3)　内国法人C株式会社から交付を受けた領収書は、①～⑥の要件をすべて満たしているため、適格請求書に該当します。なお、適格請求書には、税率ごとの消費税額の合計額を記載すれば足りるため、税率ごとに区分した消費税額等の合計額（本問の場合2,400円＋1,000円＝3,400円）を記載する必要はありません。

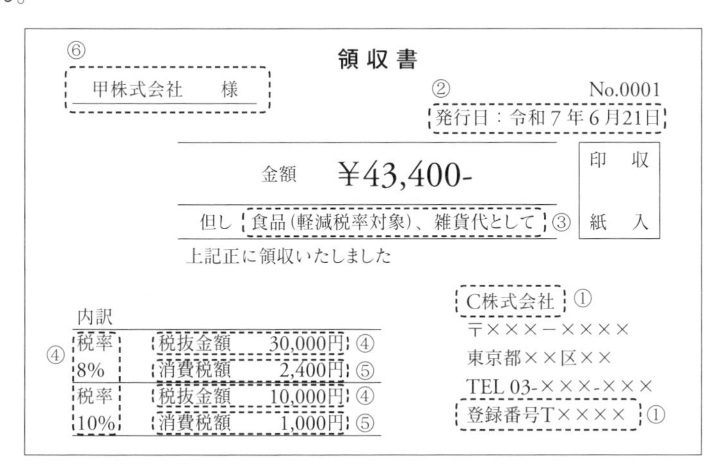

領収書

⑥ 甲株式会社　様

② No.0001
発行日：令和7年6月21日

金額　¥43,400-

但し 食品(軽減税率対象)、雑貨代として ③

収入印紙

上記正に領収いたしました

内訳

④ 税率		
8%	税抜金額 30,000円 ④	消費税額 2,400円 ⑤
10%	税抜金額 10,000円 ④	消費税額 1,000円 ⑤

C株式会社 ①
〒×××－××××
東京都××区××
TEL 03-×××-×××
登録番号T×××× ①

(4) 内国法人D株式会社から交付を受けた領収書は、「④適用税率」及び「⑤消費税額等」の記載がないため、適格請求書の記載事項を満たしません。適格請求書に該当するためには、例えば、「消費税額1,600円（８％対象）」と記載されていなければなりません。

(5) 内国法人E株式会社が運営するスーパーマーケットで交付を受けたレシートは、「⑥書類の交付を受ける事業者の氏名又は名称」の記載がないため、適格請求書に該当しません。しかし、不特定多数の者に対して販売等を行う小売業、飲食店業、タクシー業等に係る取引については、適格請求書に代えて、適格簡易請求書を交付することができます。本問のレシートは、①～⑤の要件（「適用税率」「消費税額等」はいずれか一方で足ります。）を満たすため、適格簡易請求書に該当します。

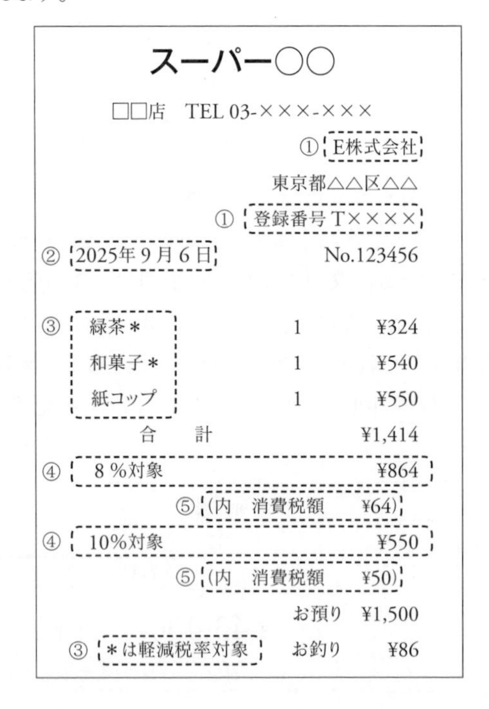

学習のポイント

適格請求書等の必要な事項が記載されていれば、書類の形式はどのようなものでもかまいません。インボイス制度の導入により、請求書等の記載事項の要件は従前の区分記載請求書等保存方式と比べかなり厳格化することになるため、適格請求書の記載事項はしっかりと暗記しておくようにしましょう。

解答3 適格請求書等の保存が不要な場合

(1)	○	(2)	×	(3)	×	(4)	○	(5)	○
(6)	×	(7)	○	(8)	○	(9)	○	(10)	×
(11)	○	(12)	○	(13)	○	(14)	○	(15)	○

解答へのアプローチ

適格請求書発行事業者（インボイス発行事業者）は、国内において課税資産の譲渡等を行った場合に、相手方（課税事業者に限る。）からの求めに応じて適格請求書を交付する義務が課されていますが、適格請求書発行事業者が行う性質上、適格請求書を発行することが困難な取引については、適格請求書の交付義務が免除されています。適格請求書の交付義務が免除されている取引に係る課税仕入れを行った場合は、適格請求書を保存しなくても、一定の事項を記載した帳簿の保存のみで仕入税額控除を受けることができます。

(1)　3万円未満の公共交通機関（船舶、バス又は鉄道）による旅客の輸送は、適格請求書の交付義務が免除されています。本問の場合、バス料金600円（税込）は税込3万円未満なので、適格請求書の交付義務は免除されているため、一定の事項を記載した帳簿の保存のみで仕入税額控除を受けることができます。

(2)　旅客の輸送が3万円未満かどうかは、1回の取引の税込価額が3万円未満かどうかで判定します。本問の4人分の運賃は、4人分の52,000円で判定を行うため、適格請求書の交付義務は免除されません。したがって、仕入税額控除を受けるためには、適格請求書の保存が必要となります。

(3)　適格請求書の交付義務が免除される3万円未満の公共交通機関は、船舶、バス又は鉄道が対象となります。飛行機による輸送は対象外であるため、金額にかかわらず適格請求書の交付義務が課されます。したがって、仕入税額控除を受けるためには、適格請求書の保存が必要となります。

(4)　適格簡易請求書の記載事項（取引年月日を除く。）が記載されている入場券等が使用の際に回収される取引（３万円未満の公共交通機関に該当するものを除く。）については、適格請求書の交付義務は免除されているため、一定の事項を記載した帳簿の保存のみで仕入税額控除を受けることができます。

(5)　古物営業を営む者の適格請求書発行事業者でない者からの古物（古物営業を営む者の棚卸資産に該当するものに限ります。）の購入については、適格請求書の保存を要せず、一定の事項を記載した帳簿の保存のみで仕入税額控除を受けることができます。

(6)　古物営業を営む者の適格請求書発行事業者でない者からの古物を購入した場合に一定の事項を記載した帳簿の保存のみで仕入税額控除を受けることができるのは、その古物が古物営業を営む者の棚卸資産に該当する場合に限ります。本問のように、営業活動を行うために自ら使用する場合についてはこのような取扱いはなく、適格請求書を保存しなければ仕入税額控除を受けることはできません。

(7)　宅地建物取引業を営む者の適格請求書発行事業者でない者からの建物（宅地建物取引業を営む者の棚卸資産に該当するものに限ります。）の購入については、適格請求書の保存を要せず、一定の事項を記載した帳簿の保存のみで仕入税額控除を受けることができます。

(8)　出荷者等が卸売市場において行う生鮮食料品等の販売（出荷者から委託を受けた受託者が卸売の業務として行うものに限る。）は、適格請求書の交付義務が免除されています。

(9)〜(12)　３万円未満の自動販売機及び自動サービス機により行われる商品の販売等は、適格請求書の交付義務が免除されています。なお、対象となる自動販売機や自動サービス機とは、代金の受領と資産の譲渡等が自動で行われる機械装置であって、その機械装置のみで、代金の受領と資産の譲渡等が完結するものをいいます。

対象となるもの	対象とならないもの
・自動販売機による飲食料品の販売 ・コインロッカーやコインランドリー等によるサービス ・金融機関のATMによる手数料を対価とする入出金サービスや振込サービス	・小売店内に設置されたセルフレジを通じた販売のように機械装置により単に精算が行われているだけのもの ・コインパーキングや自動券売機のように代金の受領と券類の発行はその機械装置で行われるものの資産の譲渡等は別途行われるようなもの ・ネットバンキングのように機械装置で資産の譲渡等が行われないもの

⒀　郵便切手類のみを対価とする郵便・貨物サービス（郵便ポストに差し出されたものに限る。）については、適格請求書の交付義務が免除されています。

⒁　従業員等に支給する通常必要と認められる国内出張に係る日当は、適格請求書の保存を要せず、一定の事項を記載した帳簿の保存のみで仕入税額控除を受けることができます。

⒂　従業員等に支給する通常必要と認められる通勤手当は、適格請求書の保存を要せず、一定の事項を記載した帳簿の保存のみで仕入税額控除を受けることができます。

学習のポイント

旅費については、日当として支給している場合は、それが通常必要と認められる範囲内の金額であれば取引の内容にかかわらず適格請求書の保存なしで仕入税額控除を受けられますが、会社が公共交通機関に直接支払う場合は、3万円未満の特例に該当するかどうか確認する必要があります。

解答4 控除対象仕入税額の計算

【控除対象仕入税額】

<table>
<tr><td colspan="3">計　算　過　程　　　　(単位：円)</td></tr>
<tr><td colspan="3">(1) 7.8%
(146,780,000−25,000)+4,200,000+3,548,000+(6,720,000−340,000)+(2,560,000−21,000)+240,000+85,210,000
=248,872,000
$248,872,000 \times \frac{7.8}{110} = 17,647,287$
(2) 6.24%
21,000+2,480,000=2,501,000
$2,501,000 \times \frac{6.24}{108} = 144,502$
(3) (1)+(2)=17,791,789</td></tr>
<tr><td></td><td>金額</td><td>17,791,789　円</td></tr>
</table>

解答へのアプローチ

(1) 7.8%分

商品仕入高：146,780,000円－25,000円※1

通勤手当：4,200,000円※2

通信費：3,548,000円※3

旅費交通費：6,720,000円－340,000円※4

会議費：2,560,000円－21,000円

保守点検費：240,000円※5

※1 内国法人A社からの商品（日用品）の仕入れは、請求書等の交付を受けていないため仕入税額控除を受けることはできません。インボイス制度の導入前は、課税仕入れに係る税込支払額が3万円未満のものについては、一定事項が記載された帳簿の保存のみで仕入税額控除を受けることができましたが、インボイス制度の導入後はそのような取扱いは認められません。

※2 通勤手当は、適格請求書の保存を要せず、一定の事項を記載した帳

簿の保存のみで仕入税額控除を受けることができます。

※3　郵便切手類のうち、自ら引換給付を受けるものについては、インボイス制度の下においても、継続適用を要件に、購入時に全額を課税仕入れとして計上し、一定の事項を記載した帳簿を保存することにより、仕入税額控除の適用を受けることができます。したがって、未使用分18,600円についても、当期に仕入税額控除を受けることができます。

※4　出張日当の支給及び3万円未満の公共交通機関（船舶、バス又は鉄道）による旅客の輸送は、適格請求書の交付義務が免除され、一定の事項を記載した帳簿の保存のみで仕入税額控除を受けることができます。

※5　短期前払費用については、インボイス制度の下においても、継続適用を要件に、支出した日の属する課税期間の課税仕入れとして仕入税額控除の適用を受けることができます。

(2)　6.24%分

ペットボトル入りのお茶の購入費：21,000円※6

※6　3万円未満の自動販売機により行われる商品の販売等は、適格請求書の交付義務が免除されているため、一定の事項を記載した帳簿の保存のみで仕入税額控除が認められます。

(3)　その他

インボイス制度の下では、物品切手等（適格請求書発行事業者により回収されることが明らかなものを除く。）については、購入（対価の支払）時ではなく、適格請求書等の交付を受けることとなるその引換給付を受けた時に課税仕入れを計上し、仕入税額控除の適用を受けることとなります。プリペイドカードなどの前払式決済手段へのチャージ額は物品切手等に該当しますが、期末時点で未使用であり、引換給付を受けていないため、仕入税額控除を受けることはできません。

☑ 学習のポイント

インボイス制度の導入前は、①税込3万円未満の課税仕入れについて請求書等の保存なしで仕入税額控除を行うこと及び②物品切手等（適格請求書発行事業者により回収されることが明らかなものを除く。）について、継続適用を要件に、購入時に全額仕入税額控除を行うことが認められていましたが、インボイス制度の導入後は認められなくなりました。

なお、③郵便切手類について、継続適用を要件に、購入時に全額仕入税額控除を行うこと及び④短期前払費用について、継続適用を要件に、支出した日の属する課税期間の課税仕入れとして仕入税額控除を行うことは、インボイス制度導入後も引き続き認められます。

インボイス制度の導入前の取扱いについても学習したことがある方は、制度の導入前と導入後の取扱いの違いに注意しましょう。

解答5 インボイス制度導入に伴う経過措置

【控除対象仕入税額】

計　算　過　程 (単位：円)
(1) 課税仕入れ ① 7.8% 43,255,600※−152,000=43,103,600 ※ 少額特例の判定 75,208,375≦100,000,000 $43,103,600\times\frac{7.8}{110}=3,056,437$ ② 6.24% 17,224,500−68,800−28,800=17,126,900 $17,126,900\times\frac{6.24}{108}=989,554$ ③ ①+②=4,045,991 (2) 80%控除対象 ① 7.8% $152,000\times\frac{7.8}{110}\times80\%=8,622$ ② 6.24% $68,800\times\frac{6.24}{108}\times80\%=3,180$ ③ ①+②=11,802 (3) (1)+(2)=4,057,793
金額　4,057,793 円

解答へのアプローチ

インボイス制度（適格請求書等保存方式）の導入に伴い、次のような経過措置が設けられました。

(1) 免税事業者等からの仕入れに係る経過措置

令和５年10月１日から令和11年９月30日までの間は、適格請求書発行事業者以外の者（免税事業者や消費者）からの課税仕入れであっても、仕入税額相当額の一定割合を仕入税額とみなして控除できる経過措置が設けられています。

期間	割合
令和５年10月１日から令和８年９月30日まで	仕入税額相当額の80％
令和８年10月１日から令和11年９月30日まで	仕入税額相当額の50％

※　それぞれの割合を乗じた後の金額に円未満の端数が生じた場合には、その端数を切捨又は四捨五入する。（積上げ計算方式の場合のみ。）

なお、この経過措置の適用を受けるためには、帳簿に経過措置の適用を受ける旨を記載するとともに、取引の相手方から、次の事項が記載された請求書の交付を受け、保存しておく必要があります。

①　書類作成者の氏名又は名称

②　取引年月日

③　取引内容（軽減税率の対象品目である旨）

④　税率ごとに区分して合計した対価の額（税込）

⑤　書類の交付を受ける者の氏名又は名称

これは、インボイス制度（適格請求書等保存方式）が導入される前の区分記載請求書等保存方式のもとにおける、区分記載請求書等の記載事項と同じです。

したがって、内国法人Ａ社からの商品仕入高152,000円及び個人事業者Ｃからの商品仕入高68,800円は、経過措置により課税仕入れ等の税額の80％相当額について仕入税額控除の適用を受けることができます。

また、本問では割戻し計算方式のため、80％を乗じた後、円未満の端数は切り捨てます。

(2) 少額特例

令和５年10月１日から令和11年９月30日までの間は、基準期間における課税売上高が１億円以下又は特定期間における課税売上高が５千万円以下の事業者は、課税仕入れに係る支払対価の額（税込）が１万円未満である場合には、適格請求書等の保存がなくても、一定の事項を記載した帳簿の保存のみで、仕入税額控除を受けることができます。

したがって、当社の当課税期間に係る基準期間における課税売上高は１億円以下であるためこの特例の適用を受けることができます。個人事業者Ｂからの商品仕入高8,500円については、支払対価の額（税込）が１万円未満であるため仕入税額控除を受けることができますが、内国法人Ｄ社からの商品仕入高28,800円については、支払対価の額（税込）が１万円以上であるため、仕入税額控除は受けられません。

☑ 学習のポイント

免税事業者からの仕入れに係る経過措置の適用を受ける場合は、印をつけるなどの工夫をして、集計の際に転記ミスがないよう注意しましょう。

解答６　売上税額の計算

割戻し計算により求めた課税標準額に対する消費税額	795,990円
積上げ計算により求めた課税標準額に対する消費税額	783,900円

解答へのアプローチ

○　割戻し計算による課税標準額に対する消費税額の求め方

売上税額につき割戻し計算を行う場合の課税標準額に対する消費税額の求め方は、これまで学習してきた計算方法と同じです。

（課税標準額）

⑴　7.8%

$1,000,000円 \times \frac{100}{110} = 909,090円 \rightarrow 909,000円$（千円未満切捨）

⑵　6.24%

4,800,000円＋7,000,000円＋750,000円＝12,550,000円

$$12{,}550{,}000円 \times \frac{100}{108} = 11{,}620{,}370円 \rightarrow 11{,}620{,}000円（千円未満切捨）$$

⑶　⑴＋⑵＝12,529,000円

（課税標準額に対する消費税額）

⑴　909,000円×7.8％＝70,902円

⑵　11,620,000円×6.24％＝725,088円

⑶　⑴＋⑵＝795,990円

◯　積上げ計算による課税標準額に対する消費税額の求め方

売上税額につき積上げ計算を行う場合の課税標準額に対する消費税額の計算方法は、課税資産の譲渡等を行った際に交付した適格請求書等に記載した消費税額等の合計額に78％を乗じて計算します。

352,000円＋510,000円＋55,000円＋88,000円＝1,005,000円

1,005,000円×78％＝783,900円

☑ 学習のポイント

適格請求書等に記載する消費税額等は、円未満の端数を切捨て又は四捨五入することとされているため、端数処理が行われる回数が多ければ多いほど、割戻し計算により計算した税額と積上げ計算により計算した税額の差額は大きくなります。

なお、売上税額につき積上げ計算を適用した場合は、仕入税額についても積上げ計算を行わなければならないこととされていることに注意しましょう。

解答 7 仕入税額の計算(1)

【控除対象仕入税額】

計　算　過　程	(単位：円)
(1) 課税仕入れ等の区分 ① 課税資産の譲渡等にのみ要するもの イ 7.8% 500,000 ロ 6.24% 160,000 ハ イ+ロ=660,000 660,000×78%=514,800 ② その他の資産の譲渡等にのみ要するもの 80,000×78%=62,400 ③ 共通して要するもの イ 7.8% 300,000 ロ 6.24% 80,000 ハ イ+ロ=380,000 380,000×78%=296,400 ④ 合計 660,000+80,000+380,000=1,120,000 1,120,000×78%=873,600 (2) 個別対応方式 514,800+296,400×70%=722,280 (3) 一括比例配分方式 873,600×70%=611,520 (4) 判定 (2)>(3)　∴ 722,280	
金額	722,280 円

解答へのアプローチ

仕入税額につき積上げ計算を行う場合の控除対象消費税額の計算方法は、課税仕入れ等を行った際に交付を受けた適格請求書等に記載されていた消費税額等の合計額に78%を乗じて計算します。

仕入税額の按分計算を行う際は、割戻し計算による場合の計算パターンと同様に、A 対応、B 対応又は C 対応に区分し、税率ごとに分けて答案用紙に集計します。

学習のポイント

積上げ計算により仕入税額の按分計算を行う場合の計算パターンは、これまで学習してきた割戻し計算による計算方法とほとんど同じです。割戻し計算による計算パターンについても併せて復習するようにしましょう。

解答 8 仕入税額の計算（2）

【控除対象仕入税額】

計　算　過　程　（単位：円）

(1) 課税仕入れ
　① 7.8%
　　イ 適格請求書 3,000,000
　　ロ 帳簿のみ
　　　15,000+100,000=115,000
　　ハ イ+ロ=3,115,000
　② 6.24%
　　1,200,000
　③ ①+②=4,315,000
　　4,315,000×78%=3,365,700
(2) 80%控除対象
　① 7.8%

$$2{,}200{,}000\times\frac{7.8}{110}\times80\%=124{,}800$$

　② 6.24%

$$756{,}000\times\frac{6.24}{108}\times80\%=34{,}944$$

　③ ①+②=159,744
(3) (1)+(2)=3,525,444

金額	3,525,444 円

解答へのアプローチ

控除対象仕入税額を積上げ計算により求める場合において、一定の事項を記載した帳簿の保存のみで仕入税額控除を受けることができる課税仕入れ等があるときは、計算過程欄において、適格請求書等の保存により仕入税額控除を受けるものは「適格請求書」、帳簿の保存のみで仕入税額控除を受けるものは「帳簿のみ」と記載し、それぞれを区分して金額を集計します。

免税事業者から課税仕入れを行い、80%控除の経過措置の適用を受ける場合は、計算過程欄において区分して集計します。積上げ計算では、適格請求書に記載された税額をもとに控除対象仕入税額を計算しますが、免税事業者は適格請求書を発行できないため、適格請求書に記載された税額はありません。そのため、標準税率が適用される課税仕入れの金額に$\frac{7.8}{110}$、軽減税率が適用される課税仕入れの金額に$\frac{6.24}{108}$をそれぞれ乗じ、さらに80%を乗じた金額が控除対象仕入税額となります。

☑ 学習のポイント

仕入税額について積上げ計算が適用される問題の場合は、まず全体を見渡して、出張日当や通勤手当などの帳簿の保存のみで仕入税額控除が受けられる項目がないか探し、もしあった場合は計算過程欄に「帳簿のみ」の集計ができるように、解答スペースに余裕をもたせることを意識しましょう。

解答9 納付税額の計算

I 課税標準額に対する消費税額の計算等

【課税標準額】

計　算　過　程	(単位：円)
62,650,200+32,480,800=95,131,000 95,131,000×$\frac{100}{110}$=86,482,727 → 86,482,000（千円未満切捨）	
金額	86,482,000　円

【課税標準額に対する消費税額】

計　算　過　程 (単位：円)		
86,482,000×7.8%=6,745,596		
	金額	6,745,596 円

Ⅱ 仕入れに係る消費税額等の計算

【課税売上割合】

計　算　過　程 (単位：円)		
(1) 課税 ① 86,482,727+12,121,200=98,603,927 ② $1,533,300\times\frac{100}{110}=1,393,909$ ③ ①−②=97,210,018≦500,000,000 (2) 非課税 2,800+5,600+5,400,000+2,350,000×5%=5,525,900 (3) $\frac{(1)+5,600}{(1)+(2)}=\frac{97,215,618}{102,735,918}=0.9462\cdots<95\%$ ∴ 按分必要		
	割合	$\frac{97,215,618 円}{102,735,918 円}$

【控除対象仕入税額】

計　算　過　程 (単位：円)
(1) 課税仕入れ等の区分 ① 課税資産の譲渡等にのみ要するもの イ 課税仕入れ 3,597,836+241,881+262,709+25,000+7,727+300,000 +49,654+23,672=4,508,479 4,508,479×78%=3,516,613 ロ 課税貨物 590,600 ハ 仕入返還等 111,272×78%=86,792

Chapter 22 インボイス制度

② その他の資産の譲渡等にのみ要するもの
8,009+27,272+3,181=38,462
38,462×78%=30,000
③ 共通して要するもの
イ 7.8%
㋑ 適格請求書
9,090+79,136+3,509+19,654+80,500+21,500+147,754
=361,143
㋺ 帳簿のみ 54,545
㋩ ㋑+㋺=415,688
ロ 6.24%
1,600+8,488+8,318=18,406
ハ イ+ロ=434,094
434,094×78%=338,593
④ 合計
イ 課税仕入れ
㋑ 7.8%
4,508,479+38,462+415,688=4,962,629
㋺ 6.24%
18,406
㋩ ㋑+㋺=4,981,035
4,981,035×78%=3,885,207
ロ 課税貨物 590,600
ハ 仕入返還等 86,792

(2) 個別対応方式

$$(3{,}516{,}613+590{,}600-86{,}792)+338{,}593\times\frac{97{,}215{,}618}{102{,}735{,}918}=4{,}340{,}820$$

(3) 一括比例配分方式

$$(3{,}885{,}207+590{,}600)\times\frac{97{,}215{,}618}{102{,}735{,}918}-86{,}792\times\frac{97{,}215{,}618}{102{,}735{,}918}=4{,}153{,}180$$

(4) 有利選択
(2)＞(3) ∴ 4,340,820

金額	4,340,820 円

【売上げに係る対価の返還等に係る消費税額】

計　　算　　過　　程		(単位：円)
$1,533,300 \times \frac{7.8}{110} = 108,724$		
	金額	108,724　円

【貸倒れに係る消費税額】

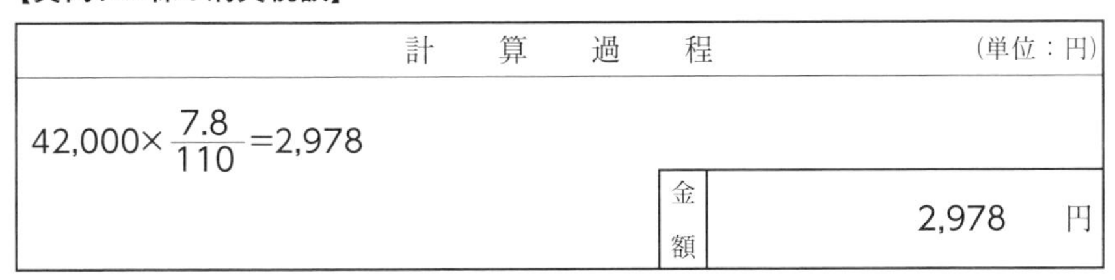

計　　算　　過　　程		(単位：円)
$42,000 \times \frac{7.8}{110} = 2,978$		
	金額	2,978　円

Ⅲ　納付税額の計算

計　　算　　過　　程		(単位：円)
(1)　差引税額 6,745,596−(4,340,820+108,724+2,978)=2,293,074 →2,293,000（百円未満切捨）		
(2)　納付税額 2,293,000−520,000=1,773,000		
	金額	1,773,000　円

解答へのアプローチ

○　売上税額の計算

本問では、課税標準額に対する消費税額については、問題文の指示により割戻し計算で求めるため、問題文中のかっこ内の消費税額等の金額は用いず、税込対価の額の合計額を求めて割戻し計算を行います。

売上げに係る対価の返還等に係る消費税額についても同様に、かっこ内の消費税額等の金額は用いず、税込対価の額の合計額を求めて割戻し計算を行うことに注意しましょう。

○ 仕入税額の計算

控除対象仕入税額については、問題文の指示により積上げ計算で求めるため、問題文中のかっこ内の消費税額等の金額を用いて集計していきます。

仕入れに係る対価の返還等に係る消費税額についても積上げ計算により求めるため、かっこ内の消費税額等の金額を用いて計算します。

なお、保税地域からの課税貨物の引取りに係る消費税額は、問題文中の国税の金額のみを拾い出します。78%を乗じないことに注意しましょう。

また、積上げ計算による場合は、通勤手当などの帳簿の保存のみで仕入税額控除を受けられる課税仕入れと、適格請求書の保存により仕入税額控除を受ける課税仕入れとを区別して集計する必要があります。

○ 居住用賃貸建物に係る仕入税額控除の制限

令和7年7月1日に取得したアパートは、税抜支払対価の額が1,000万円以上であるため、居住用賃貸建物に該当し、仕入税額控除が制限されます。

☑ 学習のポイント

積上げ計算を適用する場合でも、計算パターンのおおまかな流れはこれまで学習してきた割戻し計算による場合とだいたい同じです。まずは割戻し計算による計算パターンをしっかりと押さえたうえで、本問を通じて積上げ計算による場合の計算方法の違いや計算過程欄のスペースの取り方の違い等を確認するようにしましょう。

TAC
出版
TAC PG

>>問題集　答案用紙

この冊子には、問題集の答案用紙がとじこまれています。

別冊ご利用時の注意

別冊は、この色紙を残したままていねいに抜き取り、ご利用ください。
また、抜き取る際の損傷についてのお取替えはご遠慮願います。

別冊の使い方

Step1

この色紙を残したまま、ていねいに抜き取ってください。色紙は本体からとれませんので、ご注意ください。

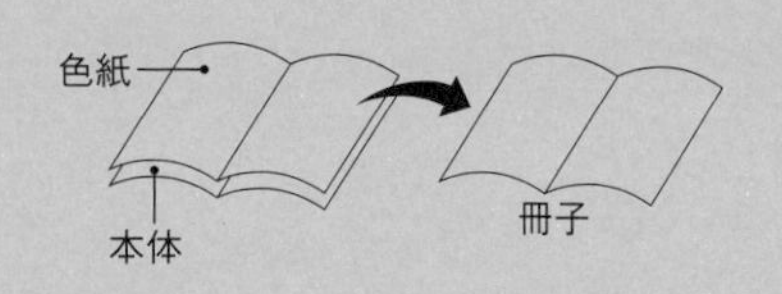

Step2

抜き取った用紙を針金のついているページでしっかりと開き、工具を使用して、針金を外してください。針金で負傷しないよう、お気をつけください。

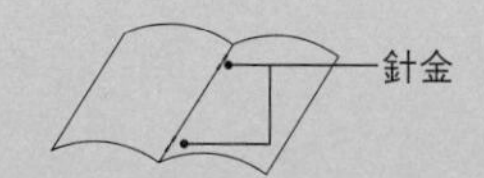

なお、答案用紙については、ダウンロードでもご利用いただけます。TAC出版書籍販売サイト・サイバーブックストアにアクセスしてください。

https://bookstore.tac-school.co.jp/

問題集

みんなが欲しかった！　税理士
消費税法の教科書＆問題集 4

Chapter 19 課税期間及び資産の譲渡等の時期

問題 1 課税期間（1）

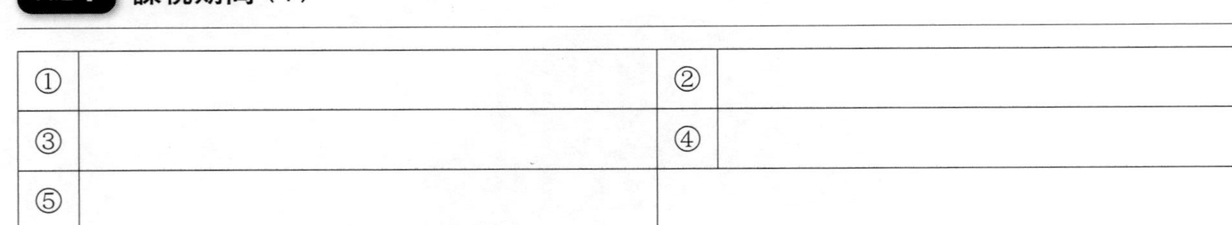

①		②	
③		④	
⑤			

問題 2 課税期間（2）

[設問1]

年　月　日 ～ 年　月　日

[設問2]

年　月　日 ～ 年　月　日
年　月　日 ～ 年　月　日
年　月　日 ～ 年　月　日

[設問3]

年　月　日 ～ 年　月　日

問題 3　資産の譲渡等の時期の原則

【課税標準額】

計　算　過　程　(単位：円)		
	金額	円

【課税標準額に対する消費税額】

計　算　過　程　(単位：円)	金額	円

問題 5 工事の請負に係る資産の譲渡等の時期の特例

【課税標準額】

計　算　過　程　(単位：円)		
	金額	円

【課税標準額に対する消費税額】

計　算　過　程　(単位：円)	金額	円

確定申告制度・中間申告制度

問題1 申告納税制度（国内取引）

①		②		③	
④		⑤		⑥	
⑦		⑧		⑨	
⑩		⑪		⑫	

問題2 中間納付税額（1）

（ケース1）

【中間納付税額】

計　算　過　程　（単位：円）

（ケース3）

【中間納付税額】

計　　算　　過　　程	(単位：円)
金額	円

問題3 中間納付税額（2）

（ケース1）

（ケース２）

【中間納付税額】

計　算　過　程	（単位：円）
金額	円

（ケース３）

【中間納付税額】

計　算　過　程	（単位：円）

問題5 税額の是正手続き・行政処分

①		②		③		④	

問題6 中間納付税額（4）

【中間納付税額】

計　　算　　過　　程　　　(単位：円)

問題 7 中間納付税額（5）

【中間納付税額】

計　　算　　過　　程　　（単位：円）

電気通信利用役務の提供及び特定役務の提供

問題 1 電気通信利用役務の提供の判定

(1)		(2)		(3)		(4)		(5)		(6)		(7)		(8)	

問題 2 用語の意義（1）

①		②		③	
④		⑤		⑥	
⑦		⑧			

問題 3 電気通信利用役務の提供に係る国内取引の判定

①		②		③	
④		⑤		⑥	
⑦		⑧		⑨	

【課税売上割合】

計　算　過　程	(単位：円)
(1)　課税 (2)　非課税 (3)	
割合	円 ――― 円

【控除対象仕入税額】

計　算　過　程	(単位：円)

【納付税額】

計　算　過　程　(単位：円)	金額	
(1)　差引税額 (2)　納付税額		円

問題 5 特定課税仕入れに係る対価の返還等

【控除対象仕入税額】

計　算　過　程　(単位：円)

【返還等対価に係る税額】

計　算　過　程　（単位：円）	金額	
		円

問題6 用語の意義（2）

①		②		③	
④		⑤		⑥	

問題7 国内取引の判定

(1)		(2)		(3)		(4)		(5)		(6)	
(7)		(8)		(9)		(10)		(11)		(12)	
(13)		(14)									

問題 9 納税義務の判定及び納付税額の計算（まとめ）

I　納税義務の有無の判定

計　　算　　過　　程　　（単位：円）
〔第 1 期の納税義務の有無の判定〕
〔第 2 期の納税義務の有無の判定〕
〔第 3 期の納税義務の有無の判定〕

Ⅱ　課税標準額に対する消費税額の計算等

【課税標準額】

計　算　過　程　(単位：円)		
	金額	円

【課税標準額に対する消費税額】

計　算　過　程　(単位：円)	金額	円

【控除対象仕入税額】

計　　算　　過　　程　　　　(単位：円)
〔課税仕入れ等の税額の合計額の計算〕

【売上げに係る対価の返還等に係る消費税額】

計　算　過　程　(単位：円)	金額	
		円

【貸倒れに係る消費税額】

計　算　過　程　(単位：円)	金額	
		円

Ⅳ　差引税額の計算

【差引税額】

計　算　過　程　(単位：円)

Chapter 22 インボイス制度

問題 1 インボイス制度の概要

①		②		③	
④		⑤		⑥	
⑦		⑧		⑨	

問題 2 適格請求書等の記載事項

(1)		(2)		(3)		(4)		(5)	

問題 3 適格請求書等の保存が不要な場合

(1)		(2)		(3)		(4)		(5)	
(6)		(7)		(8)		(9)		(10)	
[illegible]		[illegible]		[illegible]		[illegible]		(15)	

問題5 インボイス制度導入に伴う経過措置

【控除対象仕入税額】

計　　算　　過　　程　（単位：円）
金

問題7 仕入税額の計算（1）

【控除対象仕入税額】

計　算　過　程　　（単位：円）

問題 8 仕入税額の計算（2）

【控除対象仕入税額】

計　算　過　程　（単位：円）

【課税標準額に対する消費税額】

計　算　過　程		(単位：円)
	金額	円

Ⅱ　仕入れに係る消費税額等の計算

【課税売上割合】

計　算　過　程	(単位：円)

【売上げに係る対価の返還等に係る消費税額】

計　算　過　程	(単位：円)
金額	円

【貸倒れに係る消費税額】

計　算　過　程	(単位：円)
金額	円

金額
円

金額	円

割合	円 円

【控除対象仕入税額】

計算過程	(単位：円)

	金額	円

問題 9 納付税額の計算

I 課税標準額に対する消費税額の計算等

【課税標準額】

計　算　過　程	(単位：円)
金額	円

金額	円

問題 6 売上税額の計算

割戻し計算により求めた課税標準額に対する消費税額　　　　円

積上げ計算により求めた課税標準額に対する消費税額　　　　円

問題 4　控除対象仕入税額の計算

【控除対象仕入税額】

計　算　過　程	(単位：円)
金額	円

Ⅴ　中間納付税額の計算

【中間納付税額】

計　算　過　程 (単位：円)		
	金額	円

Ⅵ　納付税額の計算

【納付税額】

計　算　過　程 (単位：円)	金額	円

〔調整対象固定資産に関する仕入れに係る消費税額の調整〕

〔控除対象仕入税額の計算〕

金額	円

計　算　過　程　(単位：円)

(1)　課税

(2)　非課税

(3)

割合	円 / 円

〔第 4 期の納税義務の有無の判定〕

〔第 5 期の納税義務の有無の判定〕

問題 8　納税義務者の判定

(1)		(2)		(3)		(4)		(5)		(6)		(7)	

金額	円

金額	円

問題 4 リバースチャージ方式による消費税額の計算

【課税標準額】

計　算　過　程	(単位：円)
金額	円

【課税標準額に対する消費税額】

計　算　過　程　(単位：円)	金額	円

額

問題 8 中間納付税額（6）

【中間納付税額】

計　算　過　程　（単位：円）
金額　　円

金額	円

	金額	円

問題4 中間納付税額（3）

【中間納付税額】

計　算　過　程		（単位：円）
	金額	円

金額	円

金額	円

（ケース2）

【中間納付税額】

計　算　過　程	(単位：円)
金額	円

3

【課税標準額】

計　算　過　程　(単位：円)	
金額	円

【課税標準額に対する消費税額】

計　算　過　程　(単位：円)	金額	
		円

[設問4]

年　月　日 ～　年　月　日
年　月　日 ～　年　月　日
年　月　日 ～　年　月　日
年　月　日 ～　年　月　日
年　月　日 ～　年　月　日
年　月　日 ～　年　月　日
年　月　日 ～　年　月　日